2026
年度版

教員採用試験

小学校全科
らくらくマスター

実務教育出版

本書の特長と活用法

　本書は，教員採用試験で出題される「小学校全科」をマスターするための要点チェック本である。本書１冊で，国語，社会，算数，理科など10教科の学習がひととおり進められるように構成されているので，予備知識のない人でも短期間での試験対策が可能である。

本書の活用法

1．頻出度

　各テーマ・項目の頻出度を，今後の出題可能性も加味してA～Cの3段階で示す。

　A：非常によく出題される　　B：よく出題される

　C：出題頻度は高くないが出題される

　また，項目ごとの頻出度とともに，その項目の出題が目立っている自治体があれば，これを表示している。スペースの面から数に限りはあるが，各自治体の出題傾向研究の参考としてほしい。なお，数多くの自治体で特によく出題されている項目については，個別の自治体名ではなく，★超頻出★のアイコンを入れてある。

2．ここが出る！

　各テーマ内で，どのような内容や形式が出題されているかを具体的に示す。また，特に押さえておくべき事項などについても触れている。

3．重要語句

　最も重要な語句・覚えるべき事項は赤字になっている。付属の暗記用赤シートで赤字を隠すことにより，空欄補充問題を解いているような感覚で暗記することができる。また，次に重要な語句は黒の太字で示されているので，こちらもしっかり押さえよう。

4．ストップウォッチアイコンをスピード学習に役立てよう！

　重要度が高い項目には，🕑のアイコンを付けてある。🕑の付いた項目を覚えていけば，学習時間の大幅な短縮も夢ではないだろう。特に本番の試験まで時間がなくて「困った！」というような場合に活用しよう。

| テーマ 4 | ● 社会(地理) 世界の地理 | 頻出度 A |

ここが出る！▶▶
- 世界の気候区分について押さえよう。雨温図を提示し、どの気候に該当するものかを判別させる問題が出る。
- 米や原油などの生産量上位3位の国を押さえよう。円グラフの問題がよく出る。

B 1 世界の自然 　　　　　　　　　　　頻出 神奈川, 富山, 鳥取

●大陸・海洋・河川・山脈

□六大陸	ユーラシア大陸, アフリカ大陸, 北アメリカ大陸, 南アメリカ大陸, オーストラリア大陸, 南極大陸
□三大洋	太平洋, インド洋, 大西洋
□主な河川	ナイル川(世界最長), アマゾン川, ミシシッピ川, 黄河
□主な山脈	ヒマラヤ(アジア), ウラル(ヨーロッパ), アルプス(同), ピレネー(同), スカンジナビア(同), ロッキー(北アメリカ), アパラチア(同), アンデス(南アメリカ)

□地球の表面の約70%が海で、陸地の約2.4倍。

●地形・現象

- □【 リアス海岸 】…谷が浸水してできた。入り江が複雑な海岸。
- □【 フィヨルド 】…氷食谷が浸水してできた地形。奥行きが長い。
- □【 白夜 】…夏に太陽が沈んでも暗くならない現象。

A 2 世界の気候 　　　　　　　　　頻出 神奈川, 奈良, 鳥取, 愛媛, 佐賀

6つの気候帯に分けられる。雨温図と対応させながらみてみよう。

●気候区分

- □【 熱帯 】…年中高温。雨の降り方によって2分される。
  - Af：熱帯雨林気候…赤道付近に分布し、年中高温多雨である。
  - Aw：サバナ気候…年中高温。雨季と乾季がある。
- □【 乾燥帯 】…降水量が少なく、樹木の生育が困難。
  - Bw：砂漠気候…ほとんど降雨なし。
  - BS：ステップ気候…砂漠気候の周辺に分布し、雨季にやや雨がある。
- □【 温帯 】…温和な気候。四季の変化がある。

52

◇出題傾向と対策

　各教科の冒頭の扉では、最近の教員採用試験における教科の出題傾向とその対策について概説している。ただし、これらは自治体により異なるので、過去問を研究して出題教科・領域を確認すること。

◇試験直前ファイナルチェックで力を試そう！

　「試験直前ファイナルチェック」として、各科目の終わりには、一問一答形式の問題を設けてある。本番の試験で合格するために必要な知識の理解度をもう一度確認しておこう。

目次

国語

　全ての教科についていえることであるが，新学習指導要領に記載された，教科の目標についてよく問われる。原文の空欄補充問題が多い。次に，教科の内容であるが，国語科の場合，語彙の分野では漢字，文法の分野では敬語，そして文学の分野では文学史からの出題が多い。中学校レベルの基本事項ばかりであるが，パソコン世代の諸君は，ごく初歩的な漢字を度忘れしていることがあるので，もう一度，書きとりの練習をしておこう。

● 国語（学習指導要領）

国語科の目標と内容

頻出度 **A**

ここが出る! ▶▶

- 新学習指導要領に記載されている，国語科の目標の空欄補充問題が頻出。3つの目標をしっかり覚えよう。
- 内容を身に付けさせるための言語活動を提示して，どの学年のものかを識別させる問題がよく出る。

A 1 国語科の目標と内容の構成　　頻出 北海道，静岡，宮崎

目標と内容の骨格についてである。

● 国語科の目標

> 　<u>言葉</u>による見方・考え方を働かせ，<u>言語活動</u>を通して，国語で正確に理解し適切に表現する資質・能力を次のとおり育成することを目指す。
>
> ⏱ □日常生活に必要な<u>国語</u>について，その特質を理解し適切に使うことができるようにする。
>
> ⏱ □日常生活における人との<u>関わり</u>の中で伝え合う力を高め，<u>思考力</u>や想像力を養う。
>
> ⏱ □言葉がもつよさを認識するとともに，<u>言語感覚</u>を養い，国語の大切さを自覚し，国語を<u>尊重</u>してその能力の向上を図る態度を養う。

● 国語科の内容の2領域

知識及び技能	①言葉の特徴や使い方（言葉の働き／話し言葉と書き言葉❶／漢字／語彙／文や文章／言葉遣い／表現の技法／音読，朗読）
	②情報の扱い方（情報と情報との関係／情報の整理）
	③我が国の<u>言語文化</u>（伝統的な言語文化／言葉の由来や変化／書写／読書）
思考力，判断力，表現力等	A）話すこと・聞くこと
	B）書くこと
	C）読むこと

❶第3学年でローマ字の指導を始める。

●各学年の漢字の字数

	1年	2年	3年	4年	5年	6年	合計
2008年告示	80	160	200	200	185	181	1006
2017年告示	80	160	200	202	193	191	1026

A 3 思考力, 判断力, 表現力等(A：話すこと・聞くこと)　頻出 山口

　国語科の内容では，「思考力，判断力，表現力等」の項目がよく出題される。まずは，Aの話すこと・聞くことである。

●**低学年**

□身近なことや経験したことなどから話題を決め，伝え合うために必要な事柄を選ぶこと。

□相手に伝わるように，行動したことや経験したことに基づいて，話す事柄の順序を考えること。

□伝えたい事柄や相手に応じて，声の大きさや速さなどを工夫すること。

□話し手が知らせたいことや自分が聞きたいことを落とさないように集中して聞き，話の内容を捉えて感想をもつこと。

□互いの話に関心をもち，相手の発言を受けて話をつなぐこと。

●**中学年**

□目的を意識して，日常生活の中から話題を決め，集めた材料を比較したり分類したりして，伝え合うために必要な事柄を選ぶこと。

□相手に伝わるように，理由や事例などを挙げながら，話の中心が明確になるよう話の構成を考えること。

□話の中心や話す場面を意識して，言葉の抑揚や強弱，間の取り方などを工夫すること。

□必要なことを記録したり質問したりしながら聞き，話し手が伝えたいことや自分が聞きたいことの中心を捉え，自分の考えをもつこと。

□目的や進め方を確認し，司会などの役割を果たしながら話し合い，互いの意見の共通点や相違点に着目して，考えをまとめること。

●**高学年**

□目的や意図に応じて，日常生活の中から話題を決め，集めた材料を分類したり関係付けたりして，伝え合う内容を検討すること。

□話の内容が明確になるように，事実と感想，意見とを区別するなど，

話の構成を考えること。

□資料を活用するなどして，自分の考えが伝わるように表現を工夫すること。

□話し手の目的や自分が聞こうとする意図に応じて，話の内容を捉え，話し手の考えと比較しながら，自分の考えをまとめること。

□互いの立場や意図を明確にしながら計画的に話し合い，考えを広げたりまとめたりすること。

B 4 思考力，判断力，表現力等（B：書くこと） 頻出 佐賀

高学年では引用の作法も扱う。

●低学年

□経験したことや想像したことなどから書くことを見付け，必要な事柄を集めたり確かめたりして，伝えたいことを明確にすること。

□自分の思いや考えが明確になるように，事柄の順序に沿って簡単な構成を考えること。

□語と語や文と文との続き方に注意しながら，内容のまとまりが分かるように書き表し方を工夫すること。

□文章を読み返す習慣を付けるとともに，間違いを正したり，語と語や文と文との続き方を確かめたりすること。

□文章に対する感想を伝え合い，自分の文章の内容や表現のよいところを見付けること。

●中学年

□相手や目的を意識して，経験したことや想像したことなどから書くことを選び，集めた材料を比較したり分類したりして，伝えたいことを明確にすること。

□書く内容の中心を明確にし，内容のまとまりで段落をつくったり，段落相互の関係に注意したりして，文章の構成を考えること。

□自分の考えとそれを支える理由や事例との関係を明確にして，書き表し方を工夫すること。

□間違いを正したり，相手や目的を意識した表現になっているかを確かめたりして，文や文章を整えること。

□書こうとしたことが明確になっているかなど，文章に対する感想や意見を伝え合い，自分の文章のよいところを見付けること。

●高学年

□目的や意図に応じて，感じたことや考えたことなどから書くことを選び，集めた材料を分類したり関係付けたりして，伝えたいことを明確にすること。

□筋道の通った文章となるように，文章全体の構成や展開を考えること。

□目的や意図に応じて簡単に書いたり詳しく書いたりするとともに，事実と感想，意見とを区別して書いたりするなど，自分の考えが伝わるように書き表し方を工夫すること。

□引用したり，図表やグラフなどを用いたりして，自分の考えが伝わるように書き表し方を工夫すること。

□文章全体の構成や書き表し方などに着目して，文や文章を整えること。

□文章全体の構成や展開が明確になっているかなど，文章に対する感想や意見を伝え合い，自分の文章のよいところを見付けること。

B 5 思考力，判断力，表現力等（C：読むこと） 頻出 香川，沖縄

読書は，子どもの人間形成に大きな意義をもつ。

●低学年

□時間的な順序や事柄の順序などを考えながら，内容の大体を捉えること。

□場面の様子や登場人物の行動など，内容の大体を捉えること。

□文章の中の重要な語や文を考えて選び出すこと。

□場面の様子に着目して，登場人物の行動を具体的に想像すること。

□文章の内容と自分の体験とを結び付けて，感想をもつこと。

□文章を読んで感じたことや分かったことを共有すること。

●中学年

□段落相互の関係に着目しながら，考えとそれを支える理由や事例との関係などについて，叙述を基に捉えること。

□登場人物の行動や気持ちなどについて，叙述を基に捉えること。

□目的を意識して，中心となる語や文を見付けて要約すること。

□登場人物の気持ちの変化や性格，情景について，場面の移り変わりと結び付けて具体的に想像すること。

□文章を読んで理解したことに基づいて，感想や考えをもつこと。

□文章を読んで感じたことや考えたことを共有し，一人一人の感じ方などに違いがあることに気付くこと。

● 高学年

□事実と感想，意見などとの関係を叙述を基に押さえ，文章全体の構成を捉えて要旨を把握すること。

□登場人物の相互関係や心情などについて，描写を基に捉えること。

□目的に応じて，文章と図表などを結び付けるなどして必要な情報を見付けたり，論の進め方について考えたりすること。

□人物像や物語などの全体像を具体的に想像したり，表現の効果を考えたりすること。

□文章を読んで理解したことに基づいて，自分の考えをまとめること。

□文章を読んでまとめた意見や感想を共有し，自分の考えを広げること。

A 6 言語活動   頻出 北海道，青森，岩手，石川，沖縄

A～Cの内容を身に付けるために行う言語活動である。どの学年段階のものかを答えさせる問題がよく出る。

● 低学年の言語活動

話す・聞く	・紹介や説明，報告など伝えたいことを話したり，それらを聞いて声に出して確かめたり感想を述べたりする活動。 ・尋ねたり応答したりするなどして，少人数で話し合う活動。
書く	・身近なことや経験したことを報告したり，観察したことを記録したりするなど，見聞きしたことを書く活動。 ・日記や手紙を書くなど，思ったことや伝えたいことを書く活動。 ・簡単な物語をつくるなど，感じたことや想像したことを書く活動。
読む	・事物の仕組みを説明した文章などを読み，わかったことや考えたことを述べる活動。 ・読み聞かせを聞いたり物語などを読んだりして，内容や感想などを伝え合ったり，演じたりする活動。 ・学校図書館などを利用し，図鑑や科学的なことについて書いた本などを読み，分かったことなどを説明する活動。

●中学年の言語活動

話す・聞く	・説明や報告など調べたことを話したり，それらを聞いたりする活動。 ・質問などで情報を集めたり，それらを発表したりする活動。 ・互いの考えを伝えるなどして，グループや学級全体で話し合う活動。
書く	・調べたことをまとめて報告するなど，事実やそれを基に考えたことを書く活動。 ・行事の案内やお礼の文章を書くなど，伝えたいことを手紙に書く活動。 ・詩や物語をつくるなど，感じたことや想像したことを書く活動。
読む	・記録や報告などの文章を読み，文章の一部を引用して，分かったことや考えたことを説明したり，意見を述べたりする活動。 ・詩や物語などを読み，内容を説明したり，考えたことなどを伝え合ったりする活動。 ・学校図書館などを利用し，事典や図鑑などから情報を得て，分かったことなどをまとめて説明する活動。

●高学年の言語活動

話す・聞く	・意見や提案など自分の考えを話したり，それらを聞いたりする活動。 ・インタビューなどをして必要な情報を集めたり，それらを発表したりする活動。 ・それぞれの立場から考えを伝えるなどして話し合う活動。
書く	・事象を説明したり意見を述べたりするなど，考えたことや伝えたいことを書く活動。 ・短歌や俳句をつくるなど，感じたことや想像したことを書く活動。 ・事実や経験を基に，感じたり考えたりしたことや自分にとっての意味について文章に書く活動。
読む	・説明や解説などの文章を比較するなどして読み，分かったことや考えたことを，話し合ったり文章にまとめたりする活動。 ・詩や物語，伝記などを読み，内容を説明したり，自分の生き方などについて考えたことを伝え合ったりする活動。 ・学校図書館などを利用し，複数の本や新聞などを活用して，調べたり考えたりしたことを報告する活動。

● 国語（学習指導要領）

国語科の指導計画の作成と内容の取扱い

頻出度 **B**

ここが出る! ▶▶

- 国語科の内容は，「話すこと・聞くこと」「書くこと」「読むこと」からなるが，それぞれに配当する年間授業時数はどれほどか。
- 漢字・書写の内容の取扱いの配慮事項は重要。漢字は，配当されている学年より前の学年で指導してもよい。

B **1** **国語科の指導計画の作成** 　頻出 和歌山，香川，沖縄

言語活動を充実し，言語能力の向上を図る。

⏱□単元など内容や時間のまとまりを見通して，その中で育む資質・能力の育成に向けて，児童の主体的・対話的で深い学びの実現を図るようにすること。その際，言葉による見方・考え方を働かせ，言語活動を通して，言葉の特徴や使い方などを理解し自分の思いや考えを深める学習の充実を図ること。

□内容の指導については，必要に応じて当該学年より前の学年において初歩的な形で取り上げたり，その後の学年で程度を高めて取り上げたりするなどして，弾力的に指導すること。

□内容の〔知識及び技能〕に示す事項については，〔思考力，判断力，表現力等〕に示す事項の指導を通して指導することを基本とし，必要に応じて，特定の事項だけを取り上げて指導したり，それらをまとめて指導したりするなど，指導の効果を高めるよう工夫すること。

⏱□配当する授業時数は以下のとおり。

	話すこと・聞くこと	書くこと
低学年	年間35単位時間程度	年間100単位時間程度
中学年	年間30単位時間程度	年間85単位時間程度
高学年	年間25単位時間程度	年間55単位時間程度

□言語能力の向上を図る観点から，外国語活動及び外国語科など他教科等との関連を積極的に図り，指導の効果を高めるようにすること。

B **2** **国語科の内容の取扱い** 　頻出 千葉，福井，奈良，広島，香川

漢字や書写の指導に関する事項が重要である。

● 〔知識及び技能〕に示す事項

□ 日常の言語活動を振り返ることなどを通して，児童が，実際に話した
り聞いたり書いたり読んだりする場面を意識できるよう指導を工夫す
ること。

□ 理解したり表現したりするために必要な文字や語句については，辞書
や事典を利用して調べる活動を取り入れるなど，調べる習慣が身に付
くようにすること。

□ 第3学年におけるローマ字の指導に当たっては，コンピュータで文字
を入力するなどの学習の基盤として必要となる情報手段の基本的な操
作を習得し，児童が情報や情報手段を主体的に選択し活用できるよう
配慮することとの関連が図られるようにすること。

● 漢字の指導

□ 学年ごとに配当されている漢字は，児童の学習負担に配慮しつつ，必
要に応じて，当該学年以前の学年又は当該学年以降の学年において指
導することもできること。

□ 当該学年より後の学年に配当されている漢字及びそれ以外の漢字につ
いては，振り仮名を付けるなど，児童の学習負担に配慮しつつ提示す
ることができること。

□ 漢字の指導においては，学年別漢字配当表に示す漢字の字体を標準と
すること（都道府県名に用いる20字を第4学年に追加）。

● 書写の指導

□ 文字を正しく整えて書くことができるようにするとともに，書写の能
力を学習や生活に役立てる態度を育てるよう配慮すること。

□ 硬筆を使用する書写の指導は各学年で行うこと。

□ 毛筆を使用する書写の指導は第3学年以上の各学年で行い，各学年年
間30単位時間程度を配当するとともに，毛筆を使用する書写の指導は
硬筆による書写の能力の基礎を養うよう指導すること。

● 内容全般の指導

□ 児童がコンピュータや情報通信ネットワークを積極的に活用する機会
を設けるなどして，指導の効果を高めるよう工夫すること。

□ 「読むこと」の教材については，各学年で説明的な文章や文学的な文章
などの文章形態を調和的に取り扱うこと。また，説明的な文章につい
ては，適宜，図表や写真などを含むものを取り上げること。

漢字

頻出度 **A**

ここが出る! ▶▶
・漢字の種類，部首の種類について押さえよう。事例をみて，これはどの文字（部首）であるかを即答できるようにしておこう。
・筆順についてもよく問われる。自己流が身に付いているかもしれないが，正しい筆順を知っておこう。

B 1 漢字の成り立ち　　頻出 富山，京都市，広島

●文字の種類

□【 表意文字 】…一字一字に一定の意味がある文字。

□【 表音文字 】…一字一字に定まった意味がなく，音だけを表す文字。

●漢字の種類

□【 象形文字 】…具体的な事物の形を表現したもの。「日」「月」「山」「川」など。

□【 指示文字 】…抽象的なことを線や点で表現したり，象形文字に線や点を加えて意味を持たせたもの。「上」「本」など。

□【 会意文字 】…文字の組合せにより，新しい意味を持たせたもの。「林」「森」など。

□【 形声文字 】…同じ発音の文字に，意味を表す部分を付け加えることで，各々を区別できるようにしたもの。「召」「招」「昭」など❶。

A 2 漢字・熟語の読み方　　頻出 山形，愛知，神戸市

漢字2字以上からなる**熟語**の読み方としては，4つの種類がある。

●漢字の音と訓

□【 音読み 】…中国語の音で読む。漢和辞典では片仮名表記。

□【 訓読み 】…日本語の音で読む。漢和辞典では平仮名表記。

●熟語の読み方

□【 音読み 】…音＋音。牧場（ボクジョウ），草木（ソウモク）など。

□【 訓読み 】…訓＋訓。牧場（まきば），草木（くさき）など。

❶「坂」「飯」「板」「版」，「寺」「時」「詩」なども，同じ原理によって生まれた。これによって，数多くの漢字が生み出されることになった。

□【 重箱読み 】…音＋訓。献立（コンだて），座敷（ざしき）など。

□【 湯桶読み 】…訓＋音。手本（てホン），家賃（やチン）など。

A 3 部首・筆順　　　　頻出 大阪，神戸市，佐賀，宮崎

●漢和辞典の引き方

□【 部首索引 】…表紙の裏の部首一覧に当たり，部首を除いた画数の字を探す。

□【 音訓索引 】…音ないしは訓の読み方で引く。

□【 総画索引 】…その字の全体の画数（総画）で引く。

●漢字の部首

□【 へん 】…漢字の左側にある。にんべん（イ），こざとへん（阝），りっしんべん（忄），にくづき（月），しめすへん（礻）など。

□【 つくり 】…漢字の右側にある。りっとう（刂），おおざと（阝），ぼくづくり（攵），あくび（欠）など。

□【 かんむり 】…漢字の上部にある。うかんむり（宀），わかんむり（冖），はつがしら（癶）など。

□【 あし 】…漢字の下部にある。さら（皿），れんが（灬）など。

□【 たれ 】…漢字の上部から左側に続く。がんだれ（厂），まだれ（广）など。

□【 にょう 】…漢字の左側から下部に続く。えんにょう（廴），しんにょう（辶）など。

□【 かまえ 】…漢字の周りを取り囲む。くにがまえ（囗），つつみがまえ（勹），もんがまえ（門）など。

●筆順

左	一ナ左左左
必	ヽソ必必必
何	ノイ亻亻何何何
非	) 刂丬非非非非
飛	℩ ㇟ ㇟ ㇟ 飞飞飞飛飛
情	ヽ忄忄忄忄忄情情情情情
衆	ノ 血血血血血血血衆衆衆
別	ロ ロ ワ 另別別
馬	Ⅰ 厂厂厂尸馬馬馬馬馬

右	ノナ右右右
成	) 厂厂成成成
廷	ノ 二千壬廷廷廷
拒	一 扌扌扩拒拒拒拒
発	) フ フ 癶 癶 癶 癶 発発
武	一 二千千千正武武
報	一 十土キ幸幸幸幸幸報報報
粛	フ ユヨ肀肀肀肀肅肅肅肅
快	ヽ忄忄忄快快

国語

漢字

熟語

ここが出る！ ▶▶
・複数の漢字を組み合わせてできる熟語の構成原理について押さえよう。二重熟語について，どのようなタイプがあるかをみておこう。
・代表的な四字熟語を知っておこう。熟語と意味とを結びつけさせる問題に対応できるようにしよう。

C 1 熟語の構成原理

頻出 秋田，東京，香川

　熟語とは，複数の漢字が結びついてできたものである。

●熟語の成り立ち

□二字熟語についてみると，7つのタイプがある。（　　）内は例。

①漢字を並列的に重ねたもの	・対立する二字を重ねたもの(内外) ・似たような意味の二字を重ねたもの(悲哀)
②上の字が下の字を修飾するもの	・上の字が下の体言を修飾(美人) ・上の字が下の用言を修飾(先導)
③文の形になっているもの	・主語－述語の関係(日没) ・述語－目的語の関係(投球) ・述語－補語の関係(臨時) ・述語－主語の関係(無罪)
④否定の語がつくもの	・上に否定の語がつくもの(不足) ・下に否定の語がつくもの(成否)
⑤受身を表す字がつくもの	・「被」などが上につくもの(被害)
⑥状態を表す字，そうなることを表す字がつくもの	・「性・的」などがつくもの(悪性) ・「化」がつくもの(悪化)
⑦同じ音を重ねたもの	・「々」がつくもの(転々)

●同音異義語

□音は同じでも，意味が異なる語を同音異義語という（あいしょう：相性－哀傷－愛唱－合性など）。

B 2 四字熟語

頻出 名古屋市，京都市，神戸市，佐賀

　四字熟語の多くは，二字熟語の組み合わせでできている。

□【　以心伝心　】…心で互いの心が通じ合うこと。

□【　一目瞭然　】…一目ではっきりと分かること。

□【 海千山千 】…世の中の表裏を知り，ずる賢いこと。

□【 我田引水 】…自分に都合のよいように物事を進めること。

□【 危機一髪 】…この上なく危険な状態。

⏱□【 起承転結 】…物事や文章の順序・組み立て。

□【 空前絶後 】…後にも先にもないほど珍しいこと。

□【 行雲流水 】…自然の成り行きに任せて行動すること。

□【 **厚顔無恥**(こうがんむち) 】…厚かましくて恥知らずなこと。

□【 孤立無援 】…他からの助けがないこと。

□【 **言語道断**(ごんごどうだん) 】…もってのほかであること。

□【 自画自賛 】…自分で自分をほめること。

□【 試行錯誤 】…失敗を繰り返しつつ，序々に成功に近づくこと。

□【 自業自得 】…自分の悪行の報いを自分で受けること。

□【 七転八倒 】…ひどく苦しみ，のたうち回ること。

□【 縦横無尽 】…思う存分にすること。

□【 首尾一貫 】…方針や態度が始めから終りまで変わらないこと。

□【 支離滅裂 】…ばらばらで，まとまりがないこと。

□【 心機一転 】…あることを契機に，気持ちが切り替わること。

□【 針小棒大 】…小さいことを大げさに言うこと。

□【 絶体絶命 】…逃げられない窮地に追い込まれること。

□【 前代未聞 】…これまで聞いたことがないほど珍しいこと。

□【 単刀直入 】…前置きなしに本題に切り込むこと。

⏱□【 朝令暮改 】…法律や命令がすぐに変わって定まらないこと。

□【 **天衣無縫**(てんいむほう) 】…人柄に飾り気がないこと。

□【 天地無用 】…上下を逆にしてはいけないこと。

□【 内憂外患 】…国内の心配事と，外国からくる心配事。

⏱□【 **馬耳東風**(ばじとうふう) 】…人の意見や批評を聞き流すこと。

□【 半信半疑 】…信じる気持ちと疑う気持ちが半々の状態。

□【 付和雷同 】…自分の意見がなく，他人の意見にやみくもに従うこと。

□【 傍若無人 】…他人を無視して自分勝手に振舞うこと。

□【 唯我独尊 】…世の中で自分だけが尊いと思うこと。

□【 優柔不断 】…迷ってばかりでなかなか決断しないこと。

□【 用意周到 】…準備が万全で抜かりがないこと。

□【 臨機応変 】…時と場合に応じてふさわしい対応をとること。

● 国語（語彙）
慣用句・ことわざ・故事成語 頻出度 **B**

> **ここが出る！** ▶▶
> ・慣用句とことわざの代表的なものを知っておこう。それぞれについて，意味を即答できるようにしておこう。
> ・主要な故事成語について押さえよう。空欄補充の問題に対応できるようにしよう。

C **1** **慣用句** 頻出 福島，神戸市，香川

慣用句は，広く使われている文句や言い回しである。

□【 **足が出る** 】…金額が不足する。

□【 **犬も歩けば棒に当たる** 】…何かすると，災い（幸運）に出会う。

□【 **気が置けない** 】…気づかいがいらないこと。

□【 **狐につままれる** 】…狐に化かされたように，わけがわからずぼうぜんとする。

⏱□【 **犬猿の仲** 】…とても仲が悪いこと。

□【 **猿も木から落ちる** 】…優れた技能を持つ者であっても，時には失敗すること。

□【 **立つ鳥跡を濁さず** 】…立ち去る時は，それまでいた場所をきれいにすること。

□【 **流れに棹さす** 】…思い（大勢）のままに進むこと。

□【 **能ある鷹は爪を隠す** 】…優れた能力のある人は，それを誇示したりはしないこと。

□【 **鼻につく** 】…うっとおしく，いやになること。

□【 **歯に衣着せぬ** 】…相手に遠慮せずに，思うがままのことを率直にいうこと。

□【 **身から出たさび** 】…自分の悪行によって，自分が苦しむこと。

□【 **目をかける** 】…年齢や立場が下の者をとりたてて，好意をもって接すること。

□【 **役不足** 】…能力に比して，役目が軽すぎること。

B **2** **ことわざ** 頻出 東京，神戸市，鳥取，香川，長崎

ことわざは，庶民の知恵の集積である。10のことわざを紹介する。

□【 青菜に塩 】…力なくしおれていること。

□【 石の上にも三年 】…辛抱し続けていれば成功すること。

□【 石橋を叩いて渡る 】…非常に用心深いこと。

□【 枯れ木も山の賑わい 】…つまらないものでも，ないよりはあるほうがよいこと。

□【 光陰矢のごとし 】…月日は放たれた矢のように早く過ぎるもの。

□【 紺屋の白袴 】…自分のことが後回しになること。

□【 立て板に水 】…すらすらと流ちょうにしゃべること。

□【 情けは人のためならず 】…人に情けをかけることの報いは，その人にではなく，自分にくること。

□【 のれんに腕押し 】…手ごたえや張り合いがないこと。

□【 焼け石に水 】…援助が少なすぎて全く足しにならないこと。

B 3 故事成語　　　頻出 埼玉，神戸市

ことわざのうち，中国の古典に由来するものを**故事成語**という。

□【 臥薪嘗胆（がしんしょうたん） 】…目的を遂げるために，自らに試練を課し，努力すること。

□【 画竜点睛 】…最後の仕上げが重要であること。

□【 疑心暗鬼 】…疑い始めると，ささいなことまで，何もかも疑わしく思えること。

□【 杞憂 】…取り越し苦労。

□【 五十歩百歩 】…大して変わらないこと。

□【 塞翁が馬（さいおうがうま） 】…何が幸福や不幸になるかは予測できないから，やたらに喜んだり悲しんだりしても仕方ない。

□【 守株（しゅしゅ） 】…古いやり方に固執して，進歩がないこと。

□【 推敲 】…文章の表現を繰り返し練り直すこと。

□【 蛇足 】…余計な付け足し。

□【 朝三暮四（ちょうさんぼし） 】…結果が同じであることに気付かず，目先の違いにとらわれること。

□【 背水の陣 】…失敗したら後がないという覚悟で臨むこと。

□【 覆水盆に返らず 】…してしまったことは取り返しがつかないこと。

□【 矛盾 】…つじつまが合わないこと。

□【 羊頭狗肉 】…見かけは立派だが，中身がないこと。

● 国語（文法）

文法

ここが出る！ ▶▶

・文の中の単語を指して，品詞の名称を答えさせる問題が出る。動詞の活用の原理も知っておきたい。
・単語は自立語と付属語，活用の有無によって4つのグループに分かれる。体系的な理解をしておこう。

C 1 言葉の単位

3つに分かれる。

□【 文 】…まとまった意味を持つ一続きの言葉。

□【 文節 】…意味を壊さない程度に，文を短く区切ったもの。「ネ」を入れて，大よその見当をつけられる。

例：夏は(ネ)／汗が(ネ)／出るほど(ネ)／暑い。

□【 単語 】…言葉の最小単位。

B 2 自立語

頻出 秋田，東京，大阪，兵庫

自立語は，それだけで文節を組み立てられるものである。活用がある品詞は3つ，活用がない品詞は6つである。

● 動詞

⏱□【 動詞 】…動作，作用，存在を表す語。動詞の語形は多様に変化する。その変化の仕方（活用法[1]）としては，5つの種類がある。

五段活用	50音図の「ア・イ・ウ・エ・オ」の全ての段に活用する。「貸す」など。
上一段活用	50音図の「イ段」だけで活用。「起きる」など。
下一段活用	50音図の「エ段」だけで活用。「受ける」など。
カ行変格活用	50音図の「カ行」の「イ・ウ・オ段」で活用。「来る」の一語のみが該当。
サ行変格活用	50音図の「サ行」の「ア・イ・ウ・エ段」で活用。「〜する」のみが該当。

---

[1] 基本形，未然形，連用形，終止形，連体形，仮定形，命令形に変化する。

●形容詞と形容動詞

□【　形容詞　】…事物の性質や状態を表す。全て「い」で終わる。

□【　形容動詞　】…全て「だ」で終わる。

●活用のない自立語

□【　名詞　】…事物の名称を表す。体言ともいう。

□【　代名詞　】…事物の名称を指し示す名詞。

□【　副詞　】…主として用言（動詞，形容詞，形容動詞）を修飾。

□【　連体詞　】…主として体言（名詞，代名詞）を修飾。

□【　接続詞　】…語と語，区と区，文と文を結び付ける。

□【　感動詞　】…感動，呼びかけなどの意味を表す。

C 3 付属語　　　　　　　　　　　　頻出 高知，長崎，沖縄

　付属語は，自立語に付属して文節を組み立てる。助動詞は活用があり，助詞は活用がない。

●助動詞

□【　助動詞　】…用言や体言などの下に置かれ，受身，使役，打消し，推量，断定などの意味を添える。

□笑わ**れる**（受身），行か**せる**（使役），書か**ない**（打消し），〜であろ**う**（推量），そのとおり**だ**（断定）。

□活用としては，動詞活用型，形容詞活用型，形容動詞活用型など。

●助詞

□【　助詞　】…自立語について，他の語との関係を示したり，一定の意味を添えたりするもの。活用はしない。

格助詞	主として体言について，その体言が他の語とどのような関係にあるかを示す。「が」（主語），「を」（対象），「や」（並列）など。
接続助詞	用言や助動詞について，前後を接続する。「ば」「ので」（順接），「でも」「が」（逆接）など。
副助詞	いろいろな語について意味を添える。「こそ」（強調），「しか」（限定），「ほど」（程度），「など」（例示）など。
終助詞	文末について，疑問，禁止，感動，強調などを表す。「か」（疑問），「な」（禁止），「ねえ」（感動），「ぞ」（強調）など。

ここが出る！ ▶▶

・近年，敬語をきちんと使えない社会人が増えていることを憂えてか，敬語に関する問題が教員採用試験でよく出るようになっている。敬語の例文の正誤を判定させる問題が多い。
・手紙を書く際に用いる基本表現について知っておこう。

敬語は，相手に対して敬意を表すために用いられるものである。敬語には，尊敬語，謙譲語，そして丁寧語の３種類がある[❶]。

C **1** 尊敬語

頻出 富山，香川

尊敬語とは何か。それには，どのような種類があるか。

●概念

□【 **尊敬語** 】…相手ないしは第三者の行為，ものごと，状態などを立てて述べるもの。

●種類と例

□行為の尊敬語	いらっしゃる（行く），おっしゃる（言う），なさる（する），召し上がる（食べる），お使いになる（使う），御利用になる（利用する），読まれる（読む），始められる（始める），お導き（導き），御出席（出席），御説明（説明）
□ものごとの尊敬語	お名前（名前），御住所（住所），（立てるべき人物からの）御説明
□状態の尊敬語	お忙しい（忙しい），御立派（立派）

＊「いらっしゃる」は，「来る」「いる」の尊敬語としても使われる。

B **2** 謙譲語

頻出 福井，神戸市，長崎，宮崎

謙譲語は，自分がへりくだることで，相手を立てるものである。文化審議会の答申は，謙譲語を２つの型に分けている。

⋯⋯⋯⋯⋯⋯⋯⋯⋯⋯⋯⋯⋯⋯⋯⋯⋯⋯⋯⋯⋯⋯⋯⋯⋯⋯⋯⋯⋯⋯⋯

❶本テーマのPoint１〜３の記述は，文化審議会答申「敬語の指針」（2007年２月）を参考にしている。

⏱ □【　謙譲語Ⅰ（伺う・申し上げる型）　】…向かう先の人物を立てる。

　伺う（行く），申し上げる（言う），お目に掛かる（会う），差し上げる（あげる），お届けする（届ける），御案内する（案内する）

⏱ □【　謙譲語Ⅱ（参る・申す型）　】…自分側の行為やものごとを丁重に述べる。

　参る（行く），申す（言う），いたす（する），おる（いる），拙著（著書），小社（会社）

C 3 丁寧語　　　　　　　　　　　頻出 東京，石川

□【　丁寧語　】…話や文章の相手に対して丁寧に述べるもの。
「次は来月10日だ」→「次は来月10日です」
「6時に起きる」→「6時に起きます」

□【　美化語　】…ものごとを美化して述べるもの。「酒」→「お酒」

C 4 手紙文で用いる基本表現　　　　頻出 福井，京都市，佐賀

● 書き出しの言葉と結びの言葉

□書き出しの言葉…拝啓，謹啓，前略（前文を省略するとき），拝復（返信のとき）

□結びの言葉…敬具（拝啓，謹啓，拝復に対応），草々（前略に対応），かしこ（女性用の結びの言葉）

□後付けは，日付，署名，あて名の順に書く。

● 時候のあいさつ（〜の候）

□厳寒（1月），立春（2月），早春（3月），陽春（4月），新緑（5月），梅雨（6月），猛暑（7月），残暑（8月），初秋（9月），秋冷（10月），晩秋（11月），初冬（12月）

● 二十四節気

春	立春，雨水，啓蟄（けいちつ），春分，清明，穀雨
夏	立夏，小満，芒種（ぼうしゅ），夏至，小暑，大暑
秋	立秋，処暑，白露，秋分，寒露，霜降（そうこう）
冬	立冬（りっとう），小雪，大雪，冬至，小寒，大寒

俳句・短歌・詩

頻出度 **B**

ここが出る! ▶▶

・俳句の形式や主な季語について知っておこう。俳句をみたら，季語がどれかを即答できるようにしよう。

・和歌や詩を提示して，どういう修辞技巧（表現方法）が使われているかを答えさせる問題が多い。

B **1** 俳句とは

頻出 岩手，神戸市，長崎

俳句の形式と季語についてである。

●原則

□俳句とは，<u>五・七・五</u>からなる日本の定型詩である。

□原則として，季節を表す言葉（<u>季語</u>）が詠み込まれる。

□<u>五・七・五</u>の17音が基本であるが，例外もある。

　・17音を超えるもの（<u>字余り</u>）

　・17音に足りないもの（<u>字足らず</u>）

●区切れ

□俳句では，意味の切れるところを<u>区切れ</u>という。**切れ字**のあるところが区切れとなる。

□主な切れ字には，「<u>かな</u>」「や」「<u>けり</u>」「ぞ」などがある。切れ字は，強調するところを明確にするために使われる。

●俳句の季節

□俳句の季節は，<u>陰暦</u>で考えることになっている。陰暦では，<u>春</u>は1〜3月，<u>夏</u>は4〜6月，<u>秋</u>は7〜9月，<u>冬</u>は10〜12月，である。

□季語を，季節ごとに整理した本を<u>歳時記</u>という。

●季語の例

□春⇒<u>立春</u>，雪解（ゆきげ），山笑う，雛祭，卒業式，猫の恋，桜，椿，チューリップなど。

□夏⇒秋近し，逃げ水，雷，田植，サングラス，<u>浴衣</u>，ラジオ体操，花火，幽霊，カブトムシ，向日葵（<u>ひまわり</u>），蚊帳など。

□秋⇒<u>残暑</u>，案山子（<u>かかし</u>），紅葉狩，コオロギ，トンボ，鹿，鰯（いわし），枝豆，栗，林檎（<u>りんご</u>）など。

□冬⇒<u>節分</u>，雪，山眠る，スケート，クリスマス，ラグビー，白鳥，落

ち葉，牡蠣（かき），ニンジン，鰤（ぶり）など。

B 2 著名な俳句

頻出 愛知，京都市，鳥取

俳人	俳句（下線部は季語）	季節
松尾芭蕉	古池や　蛙とびこむ　水の音	春
	閑かさや　岩にしみ入る　蝉の声	夏
	五月雨　を　あつめて早し　最上川	夏
	旅に病んで　夢は枯野を　かけめぐる	冬
与謝蕪村	春の海　終日のたり　のたりかな	春
	菜の花や　月は東に　日は西に	春
小林一茶	雀の子　そこのけそこのけ　御馬が通る	春
	名月を　取ってくれろと　なく子かな	秋
	うまそうな　雪がふうわり　ふうわりと	冬
加賀千代女	朝顔に　つるべとられて　もらひ水	秋
山口素堂	目には青葉　山ほととぎす　初鰹	夏
炭太祇	空遠く　声合わせ行く　小鳥かな	秋
正岡子規	雪残る　頂一つ　国境	春
	柿くへば　鐘が鳴るなり　法隆寺	秋
	小春日や　浅間の煙　ゆれ上る	冬
河東碧梧桐	赤い椿　白い椿と　落ちにけり	春
種田山頭火	分け入っても　分け入っても　青い山	－
高浜虚子	白牡丹　といふといへども　紅ほのか	夏
水原秋桜子	啄木鳥や　落葉をいそぐ　牧の木々	秋
飯田蛇笏	をりとりて　はらりとおもき　すすきかな	秋
山口誓子	流氷や　宗谷の門波　荒れやまず	春
中村草田男	万緑の　中や吾子の歯　生えそむる	夏
石田波郷	雀らも　海かけて飛べ　吹き流し	夏
相場遷子	華やかに　風花降らす　どの雲ぞ	冬

C 3 短歌

頻出 神戸市

● 短歌の形式

□短歌とは，五・七・五・七・七の音数で成り立つ歌（詩）をいう。

□短歌は，五・七・五・七・七（31音）が基本であるが，例外もある。

・音数が31音を超えるもの（**字余り**）

・音数が31音に満たないもの（**字足らず**）

● **区切れ**

□普通の文章では，<u>句点</u>（「。」）が使われるところである。

⏱□初句切れ・三句切れの短歌は<u>七五調</u>といい，二句切れ・四句切れの短歌は<u>五七調</u>という❶。

B **4** **和歌**　　　　　　　　　　　　　頻出 京都府，神戸市

　和歌の修辞技巧として，4つのものがある。

● **修辞技巧**

⏱□【　**枕詞**　】…一定の言葉にかかり，修飾または口調を整える。通常は五音である。

□【　**序詞**　】…枕詞と同じ働きをするが，字数は一定ではない。

□【　**掛詞**　】…同音の1つの言葉に2つ以上の意味を持たせるもの。『古今和歌集』から例を引いてみよう。

山里は　冬ぞさびしさ　まかりける　人めも草も　[かれ]ぬと思へば

　　　　　　　　　　　　　　　　　　（かれ＝離れ，枯れ）

＊「かれ」は，「人めも離れ」と「草も枯れ」という意味を掛けている。

□【　**縁語**　】…ある語と意味上縁のある語を詠み込むこと。以下の例では，「<u>ふり</u>」「<u>なり</u>」が鈴の縁語となっている。

鈴鹿山うき世をよそに<u>ふり</u>捨てていかに<u>なり</u>ゆくわが身なるらむ

　　　　　　　　　　　　　　　　　　　　　　（新古今和歌集）

● **三大歌集**

歌集名	編者	成立時期	巻数・歌数
万葉集	大伴家持ら	奈良時代後期	20巻，約4,500首
古今和歌集	紀貫之ら	平安時代初期	20巻，約1,100首
新古今和歌集	藤原定家ら	鎌倉時代初期	20巻，約2,000首

□山上憶良の「<u>貧窮問答歌</u>」は，万葉集に入っている。

---

❶七五調の特徴は「たをやめ（手弱女）ぶり」，五七調の特徴は「ますらお（益荒男）ぶり」と表現される。前者は女性的，後者は男性的，ということである。

C 5 詩の種類

●形式による分類

⏱□【 定型詩 】…音数に一定の決まりがある詩。

□【 自由詩 】…音数に一定の決まりがない詩。

□【 散文詩 】…改行せず，普通の文章のように続けて書いた詩。

●内容による分類

□【 叙情詩 】…心情(感動)をうたった詩。

□【 叙景詩 】…自然の風景などをありのままに描写した詩。

□【 叙事詩 】…歴史上の事件や人物などをうたった詩。

●用語による分類

□【 文語詩 】…古い言葉(文語)で書かれた詩。

□【 口語詩 】…現代使われている言葉(口語)で書かれた詩。

C 6 詩の表現技法 　　　　　　　　　類出 秋田，三重

●比喩

□【 直喩法 】…「ように」「みたいに」を用いて，比喩であることを明らかにする技法。例：床が氷のように冷たい。

□【 隠喩法 】…比喩であることを直接示さない技法。例：床は氷だ。

□【 擬人法 】…人間以外のものを人間に例える方法。

●声喩

□【 擬態語 】…態度や状態に似せた言葉。例：ガミガミ叱る。

□【 擬声語 】…声や音に似せた言葉。例：雷がゴロゴロ鳴る。

●強調・変化

□【 反復法 】…同じ語句を繰り返す。

□【 倒置法 】…通常とは語順を逆にする。例：暑いな，今日は。

□【 対句法 】…似たもの，反対のもので対照的に表現する。

□【 省略法 】…言外の陰影，余韻などを感じ取らせようとする技法。

●その他の技法

⏱□【 体言止め 】…終わりを名詞で止め，強調したり，余韻を残したりする技法。例：気が晴れない今日この頃。

□【 押韻 】…類似音を並べ，詩にリズムをつける技法。初めの音をそろえる場合は**頭韻**，終わりの音をそろえる場合は**脚韻**という。

ここが出る！ ▶▶

・新学習指導要領では「伝統的文化」が重視されているためか，古文・漢文の出題頻度が増してきている。古典の原文を口語訳させる問題が頻出。重要古語と文語助動詞の知識を得ておこう。

・漢詩の形式を知っておこう。

B 1 歴史的仮名遣い　　　　　　　　　　　頻出 神奈川，佐賀

歴史的仮名遣いを現代仮名遣いに直す時に必要な知識だ。

□語中・語尾と助詞を除く「は・ひ・ふ・へ・ほ」は「わ・い・う・え・お」となる。

例）あはれ→あわれ　いふ→いう

□ワ行の「ゐ・ゑ・を」は「い・え・お」となる。

例）ゐたり→いたり　をとこ→おとこ

□「ぢ・づ」は「じ・ず」となる。

例）ふぢの花→ふじの花　よろづ→よろず

□「くわ・ぐわ」は「か・が」となる。

例）くわじ（火事）→かじ　さんぐわつ→さんがつ

□「ア段＋ふ（う）」は「オ段＋う」となる。

例）まうす→もうす

□「イ段＋ふ（う）」は「イ段＋ゅう」となる。

例）りうぐう→りゅうぐう

□「エ段＋ふ（う）」は「イ段＋ょう」となる。

例）けふ→きょう

A 2 重要古語　　　　　　　　　　　頻出 岩手，神奈川，鳥取

原文を口語訳させる問題も出る。以下の語の意味は知っておきたい。

●名詞

□いそぎ ＝ したく	□おほやけ ＝ 宮中
□うつつ ＝ 現実	□きは ＝ 身分，程度，時
□おぼえ ＝ 評判	□けしき ＝ 態度，状態

□ことわり ＝ 道理	□たより ＝ よりどころ
□ざえ ＝ 学問，才能	□つとめて ＝ 翌朝，早朝
□せうそこ ＝ 手紙	□としごろ ＝ 長年の間
□なさけ ＝ 思いやり	□ふみ ＝ てがみ

● **動詞**

□おこなふ ＝ 仏道修行する	□ぐす ＝連れて行く
□おどろく ＝ 目を覚ます	□したたむ ＝ 整理する
□おはす ＝ いらっしゃる	□ながむ ＝ 物思いに沈む
□おぼす ＝ お思いになる	□ねんず ＝ 我慢する
□かしづく ＝ 大事に育てる	□ののしる ＝ 騒ぐ
□きこゆ ＝ 申し上げる	□めづ ＝ 愛する
□まゐる ＝ 参上する	□かこつ ＝ 不平を言う
□にほふ ＝ 照り輝く	□ならふ ＝ 慣れる
□わづらふ ＝ 思い悩む	□すまふ ＝ 争う
□いたはる ＝ 苦労する	□たばかる ＝ 工夫する

● **形容詞**

□あいなし ＝ 面白くない	□うし ＝ つらい
□あさまし ＝ 呆れる	□うつくし ＝ かわいい
□あたらし ＝ 惜しい	□うるはし ＝ 美しく立派
□ありがたし ＝ 珍しい	□かしこし ＝ 恐れ多い
□いとほし ＝ かわいそう	□ことごとし ＝ 大げさだ
□いみじ ＝ たいそう	□さうざうし ＝ 物足りない
□すさまじ ＝ 興ざめだ	□めでたし ＝ すばらしい
□やむごとなし ＝ 高貴だ	□ゆかし ＝ 心をひかれる
□らうたし ＝ かわいい	□よし ＝ すぐれている
□わびし ＝ つらい	□をかし ＝ 趣がある
□あやし ＝ 不思議だ	□あらまほし ＝ 理想的だ
□むつかし ＝ 不快だ	□さかし ＝ 賢い
□なまめかし ＝ 優美だ	□なつかし ＝ 好ましい
□はづかし ＝ 立派だ	□らうらうじ ＝ 気品がある

□いはけなし ＝ 幼い	□さがなし ＝ 意地が悪い
□こちたし ＝ うるさい	□まさなし ＝ みっともない

●形容動詞

□あからさまなり ＝ ちょっと	□すずろなり ＝ わけもなく
□あだなり ＝ はかない	□つれづれなり ＝ 退屈だ
□あてなり ＝ 上品だ	□ねんごろなり ＝ 熱心だ
□あはれなり ＝ 趣がある	□むげなり ＝ 本当にひどい
□いたづらなり ＝ 無駄だ	□なのめなり ＝ 平凡だ
□かたくななり ＝ 見苦しい	□さらなり ＝ 言うまでもない

●副詞

□いつしか ＝ 早く	□すなはち ＝ 即座に
□おのづから ＝ たまたま	□なかなか ＝ かえって
□げに ＝ 本当に	□なほ ＝ やはり
□ここら ＝ たくさん	□やうやう ＝ しだいに
□さすがに ＝ とはいえやはり	□さながら ＝ そのまま

B 3 文語助動詞 頻出 富山, 鳥取

（　）内は，対応する口語の助動詞である。

る・らる	可能，自発，受身，尊敬 （れる・られる）
す・さす・しむ	使役，尊敬 （せる・させる）
き・けり	過去，詠嘆 （た・～だなあ）
つ・ぬ・たり・り	完了，存続 （た）
ず	打消し （ない）
む・むず	推量 （う・よう・らしい）
じ・まじ	打消し推量・意志 （まい）
たし・まほし	希望 （たい・たがる）
なり	伝聞・断定 （そうだ・だ）
ごとし	比況 （ようだ）

B 4 月の異名と時刻　　　　　　　　　　　　頻出 秋田

原典中の時刻表記を，今の言い方で書かせる問題が出る。

●月の異名

□睦月（1月），如月（2月），弥生（3月），卯月（4月），皐月（5月），水無月（6月），文月（7月），葉月（8月），長月（9月），神無月（10月），霜月（11月），師走（12月）。

□古典は陰暦で，現在の太陽暦とおよそ1か月ずれている。

●時刻

□古典では，十二支を並べて時刻を表している。

□「子」の刻が夜中の12時，「午」の刻が昼の12時に当たる。

□十二支の読みは，子（ね），丑（うし），寅（とら），卯（う），辰（たつ），巳（み），午（うま），未（ひつじ），申（さる），酉（とり），戌（いぬ），亥（い）である。

A 5 漢詩　　　　　　　　　　　頻出 千葉，福井，神戸市，長崎

漢詩は，中国の伝統的な詩である。

●詩形と押韻

□八句は律詩，四句は絶句という。字数と組み合わせて，五言律詩，七言律詩，五言絶句，七言絶句の4つに分かれる。

□五言詩では偶数句末，七言詩では一句末と偶数句末に韻を押す。

●事例

渾す　白は　家　烽う　恨ミ　感ジテ　城う　国
欲　頭とう　書　火し　別レヲ　時ニ　春　破レテ
不ざ　搔か　抵た　連ナリ　鳥ニモ　花ニモ　草　山
勝へ　更ニ　万ばん　三さん　驚カス　濺ぐ　木　河
簪しん　短　金きん　月げつ　心ヲ　涙を　深し　在あり
　　　　　　　　　　　　　　　　　　　　　　　杜と
　　　　　　　　　　　　　　　　　　　　　　　甫ほ

□上記は，杜甫の有名な漢詩「**春望**」である。詩形は五言律詩で，押韻は「深・心・金・簪」である。偶数句末の字の韻母（**in**）が揃っている。

ここが出る！

・著名な古典文学作品について押さえよう。作品名を時代順に並べる問題に対応できるようにしておこう。
・近代以降の文学作品のうち，主要なものについて知っておこう。作者と作品を結びつけさせる問題に対応できるようにしよう。

B **1**　**古典文学作品**　　　　　　　　頻出 愛知，京都，愛媛

作品名	作(編)者名	成立年	記事
古事記	太安万侶	712年	日本最古の文学
日本書紀	舎人親王ら	720年	日本最古の歴史書
万葉集	大伴家持	759年	現存する最古の歌集
竹取物語	未詳	10世紀中頃	現存する最古の物語
古今和歌集	紀貫之ら	905年頃	最初の勅撰和歌集
伊勢物語	未詳	10世紀中頃	愛の歌物語
土佐日記	紀貫之	935年	女性に仮託した仮名日記
枕草子	清少納言	996年頃	最古の随筆文学
源氏物語	紫式部	1008年頃	宿世と道心の王朝物語
大鏡	未詳	11世紀後半？	歴史物語の傑作
今昔物語集	未詳	1120年頃	最大の説話集
新古今和歌集	藤原定家ら	1205年頃	８番目の勅撰和歌集
方丈記	鴨長明	1212年頃	無常を説いた隠者の書
平家物語	信濃前司行長？	13世紀前半	仏教的無常観の軍記物語
徒然草	吉田兼好	1331年頃	多様性ある無常観の書
奥の細道	松尾芭蕉	1702年	古人をめぐる旅
曽根崎心中	近松門左衛門	1703年	歌舞伎，人形浄瑠璃

A **2**　**近現代の作者と作品**　　　　　頻出 京都市，福岡，沖縄

作者	生年～没年	主な作品
坪内逍遥	1859～1935	『小説神髄』，『当世書生気質』など
森鷗外	1862～1922	『舞姫』，『山椒大夫』，『高瀬舟』など

二葉亭四迷	1864～1909	『小説総論』，『浮雲』など
正岡子規	1867～1902	俳誌『ホトトギス』など
⏱夏目漱石	1867～1916	『吾輩は猫である』，『坊っちゃん』，『こころ』，『虞美人草』など
幸田露伴	1867～1947	『風流仏』，『五重塔』など
尾崎紅葉	1868～1903	『金色夜叉』など
国木田独歩	1871～1908	『武蔵野』，『忘れえぬ人々』など
田山花袋	1872～1930	『蒲団』，『田舎教師』など
⏱島崎藤村	1872～1943	『破戒』，『夜明け前』など
徳田秋声	1872～1943	『黴』，『あらくれ』など
樋口一葉	1872～1896	『大つごもり』，『にごりえ』など
高浜虚子	1874～1959	『虚子句集』，『柿二つ』など
柳田國男	1875～1962	『遠野物語』，『蝸牛考』など
与謝野晶子	1878～1942	『みだれ髪』，『新訳源氏物語』など
永井荷風	1879～1959	『すみだ川』，『腕くらべ』など
斎藤茂吉	1882～1953	歌集『赤光』，『あらたま』など
高村光太郎	1883～1956	『道程』，『智恵子抄』など
⏱志賀直哉	1883～1971	『城の崎にて』，『暗夜行路』など
北原白秋	1885～1942	『邪宗門』など
武者小路実篤	1885～1976	『お目出たき人』，『友情』など
石川啄木	1886～1912	『あこがれ』，『一握の砂』など
谷崎潤一郎	1886～1965	『細雪』，『陰翳礼賛』など
菊池寛	1888～1948	『父帰る』，『恩讐の彼方に』など
芥川龍之介	1892～1927	『羅生門』，『鼻』など
宮沢賢治	1896～1933	『銀河鉄道の夜』など
川端康成	1899～1972	『伊豆の踊り子』，『雪国』など
小林多喜二	1903～1933	『蟹工船』など
中原中也	1907～1937	『山羊の歌』，『在りし日の歌』など
井上靖	1907～1991	『氷壁』，『天平の甍』，『敦煌』など
太宰治	1909～1948	『富嶽百景』，『斜陽』，『走れメロス』など
三島由紀夫	1925～1970	『潮騒』，『金閣寺』など
大江健三郎	1935～	『個人的な体験』，『人生の親戚』など

●Answer●

□1　中学年の言語活動の例として、「質問などで情報を集めたり、それらを発表したりする活動」がある。　　　　　→P.13

1　○

□2　「書くこと」に関する指導については、高学年では年間100単位時間程度を配当する。　　　　　　　　　　　→P.14

2　×
55単位時間程度である。

□3　座敷など、「音＋訓」の読みを重箱読みという。　　　　　　　　　　　→P.17

3　○

□4　人の意見や批評を聞き流すことを意味する四字熟語は、「付和雷同」である。　　　　　　　　　　　　　　　→P.19

4　×
付和雷同ではなく、馬耳東風である。

□5　「のれんに腕押し」とは、援助が少な過ぎて全く足しにならないことを意味することわざである。　　　　→P.21

5　×
正しくは、「焼け石に水」である。

□6　「起きる」は、上一段活用の動詞である。　　　　　　　　　　　　　→P.22

6　○

□7　助動詞は、付属語のうち、活用のあるものである。　　　　　　　　　→P.23

7　○

□8　手紙文において、「前略」という言葉で書き出した場合は、「敬具」という言葉で締めくくる。　　　　　　　→P.25

8　×
「敬具」ではなく、「草々」である。

□9　俳句の季節は陰暦で考えるが、陰暦でいう夏は、7月〜9月のことをいう。　→P.26

9　×
陰暦の夏は、4月〜6月である。

□10　和歌の修辞技巧のうち、一定の言葉にかかり、修飾または口調を整えるものを序詞という。　　　　　　　　→P.28

10　×
序詞ではなく、枕詞である。

□11　詩のうち、心情や感動をうたったものを叙情詩という。　　　　　　　→P.29

11　○

□12　最古の随筆文学といわれる、清少納言の文学作品は『源氏物語』である。　→P.34

12　×
『源氏物語』ではなく、『枕草子』である。

□13　夏目漱石の代表作の一つに、『吾輩は猫である』がある。　　　　　　→P.35

13　○

社会

社会の内容は多岐にわたるが，まず地理分野では，世界の自然や気候分布の問題がよく出る。また，国内の県の位置を答えさせる問題も出る。宮崎県の位置を知らない大学生の存在が話題になったが，諸君は大丈夫であろうか。歴史分野では，中世以降の基本的な史実についてよく問われる。郷土史と絡めた問題も多い。最後に，政治分野であるが，国会の役割など，政治の基本的な仕組みに関する問題が多い。最近，わが国の政治は激変しているので，狙われやすい部分である。

社会科の目標と内容 頻出度 A

A 1 社会科の目標 　頻出 岩手, 福島, 千葉, 福井, 京都市, 香川, 沖縄

教科全体の目標である。空欄補充問題が頻出。

□ 社会的な見方・考え方を働かせ、課題を追究したり解決したりする活動を通して、グローバル化する国際社会に主体的に生きる平和で民主的な国家及び社会の形成者に必要な公民としての資質・能力の基礎を次のとおり育成することを目指す。

□ 地域や我が国の国土の地理的環境、現代社会の仕組みや働き、地域や我が国の歴史や伝統と文化を通して社会生活について理解するとともに、様々な資料や調査活動を通して情報を適切に調べまとめる技能を身に付けるようにする。

□ 社会的事象の特色や相互の関連、意味を多角的に考えたり、社会に見られる課題を把握して、その解決に向けて社会への関わり方を選択・判断したりする力、考えたことや選択・判断したことを適切に表現する力を養う。

□ 社会的事象について、よりよい社会を考え主体的に問題解決しようとする態度を養うとともに、多角的な思考や理解を通して、地域社会に対する誇りと愛情、地域社会の一員としての自覚、我が国の国土と歴史に対する愛情、我が国の将来を担う国民としての自覚、世界の国々の人々と共に生きていくことの大切さについての自覚などを養う。

A 2 社会科の各学年の目標 　頻出 岩手, 福島, 静岡, 和歌山, 香川

　社会科は、第3学年から第6学年の教科である。各学年の目標の区別がつくようにすること。

●第3学年

⏱ □身近な地域や市区町村の<u>地理的環境</u>，地域の安全を守るための諸活動や地域の産業と<u>消費生活</u>の様子，地域の様子の移り変わりについて，人々の生活との関連を踏まえて理解するとともに，調査活動，<u>地図帳</u>や各種の具体的資料を通して，必要な情報を調べまとめる<u>技能</u>を身に付けるようにする。

□社会的事象の特色や相互の<u>関連</u>，意味を考える力，社会に見られる課題を把握して，その解決に向けて社会への関わり方を選択・判断する力，考えたことや選択・判断したことを<u>表現</u>する力を養う。

□社会的事象について，<u>主体的</u>に学習の問題を解決しようとする態度や，よりよい社会を考え学習したことを社会生活に生かそうとする態度を養うとともに，思考や理解を通して，<u>地域社会</u>に対する誇りと愛情，地域社会の一員としての<u>自覚</u>を養う。

●第4学年

⏱ □自分たちの<u>都道府県</u>の地理的環境の特色，地域の人々の健康と生活環境を支える働きや<u>自然災害</u>から地域の安全を守るための諸活動，地域の<u>伝統</u>と文化や地域の発展に尽くした先人の働きなどについて，人々の生活との関連を踏まえて理解するとともに，<u>調査活動</u>，地図帳や各種の具体的資料を通して，必要な情報を調べまとめる技能を身に付けるようにする。

□第3学年の2番目の項目と同じ。

□第3学年の3番目の項目と同じ。

●第5学年

⏱ □我が国の<u>国土</u>の地理的環境の特色や産業の現状，社会の<u>情報化</u>と産業の関わりについて，国民生活との関連を踏まえて理解するとともに，地図帳や地球儀，<u>統計</u>などの各種の基礎的資料を通して，情報を適切に調べまとめる技能を身に付けるようにする。

□社会的事象の特色や相互の関連，意味を<u>多角的</u>に考える力，社会に見られる課題を把握して，その解決に向けて社会への関わり方を選択・判断する力，考えたことや選択・判断したことを説明したり，それらを基に<u>議論</u>したりする力を養う。

□社会的事象について，<u>主体的</u>に学習の問題を解決しようとする態度や，よりよい社会を考え学習したことを社会生活に生かそうとする態

度を養うとともに，多角的な<u>思考</u>や理解を通して，我が国の国土に対する愛情，我が国の<u>産業</u>の発展を願い我が国の将来を担う国民としての自覚を養う。

● **第6学年**

□我が国の<u>政治</u>の考え方と仕組みや働き，国家及び社会の発展に大きな働きをした先人の業績や優れた<u>文化遺産</u>，我が国と関係の深い国の生活や<u>グローバル化</u>する国際社会における我が国の役割について理解するとともに，地図帳や<u>地球儀</u>，統計や年表などの各種の基礎的資料を通して，<u>情報</u>を適切に調べまとめる技能を身に付けるようにする。

□第5学年の2番目の項目と同じ。

□社会的事象について，主体的に学習の問題を解決しようとする態度や，よりよい社会を考え学習したことを社会生活に生かそうとする態度を養うとともに，多角的な思考や理解を通して，我が国の<u>歴史</u>や伝統を大切にして国を愛する心情，我が国の将来を担う国民としての自覚や<u>平和</u>を願う日本人として世界の国々の人々と共に生きることの大切さについての自覚を養う。

B 3 社会科の第3学年の内容 頻出 北海道，秋田，広島，佐賀

Aは知識・技能，Bは思考力・判断力・表現力等である。**ゴチック（太字）**で示した，内容区分の柱も覚えること。

● **身近な地域や市区町村の様子**

□身近な地域や自分たちの<u>市</u>の様子を大まかに理解すること。（A）

□観察・調査したり<u>地図</u>などの資料で調べたりして，<u>白地図</u>などにまとめること。（A）※教科用図書「<u>地図</u>」を参照し，方位や主な地図記号について扱うこと。

□都道府県内における市の<u>位置</u>，市の地形や土地利用，<u>交通</u>の広がり，市役所など主な<u>公共施設</u>の場所と働き，古くから残る建造物の分布などに着目して，身近な地域や市の様子を捉え，場所による違いを考え，表現すること。（B）

● **地域に見られる生産や販売の仕事**

□<u>生産</u>の仕事は，地域の人々の生活と密接な関わりをもって行われていることを理解すること。（A）

□<u>販売</u>の仕事は，消費者の多様な願いを踏まえ売り上げを高めるよう，

工夫して行われていることを理解すること。(A)

□見学・調査したり地図などの資料で調べたりして，白地図などにまとめること。(A)

□仕事の種類や産地の分布，仕事の工程などに着目して，生産に携わっている人々の仕事の様子を捉え，地域の人々の生活との関連を考え，表現すること。(B)

□消費者の願い，販売の仕方，他地域や外国との関わりなどに着目して，販売に携わっている人々の仕事の様子を捉え，それらの仕事に見られる工夫を考え，表現すること。(B)※我が国や外国には国旗があることを理解し，それを尊重する態度を養う。

●地域の安全を守る働き

⏱□消防署や警察署などの関係機関は，地域の安全を守るために，相互に連携して緊急時に対処する体制をとっていることや，関係機関が地域の人々と協力して火災や事故などの防止に努めていることを理解すること。(A)

□見学・調査したり地図などの資料で調べたりして，まとめること。(A)

□施設・設備などの配置，緊急時への備えや対応などに着目して，関係機関や地域の人々の諸活動を捉え，相互の関連や従事する人々の働きを考え，表現すること。(B)

●市の様子の移り変わり

□市や人々の生活の様子は，時間の経過に伴い，移り変わってきたことを理解すること。(A)

□聞き取り調査をしたり地図などの資料で調べたりして，年表などにまとめること。(A)

□交通や公共施設，土地利用や人口，生活の道具などの時期による違いに着目して，市や人々の生活の様子を捉え，それらの変化を考え，表現すること。(B)※租税，少子高齢化，国際化などに触れる。

B 4 社会科の第4学年の内容 　頻出 青森，香川，佐賀

47都道府県の名称と位置を覚えるとある。

●都道府県の様子

⏱□自分たちの県の地理的環境の概要を理解すること。また，47都道府県の名称と位置を理解すること。(A)

□地図帳や各種の資料で調べ，白地図などにまとめること。（A）

□我が国における自分たちの県の位置，県全体の地形や主な産業の分布，交通網や主な都市の位置などに着目して，県の様子を捉え，地理的環境の特色を考え，表現すること。（B）

● 人々の健康や生活環境を支える事業

□飲料水，電気，ガスを供給する事業は，安全で安定的に供給できるよう進められていることや，地域の人々の健康な生活の維持と向上に役立っていることを理解すること。（A）

□廃棄物を処理する事業は，衛生的な処理や資源の有効利用ができるよう進められていることや，生活環境の維持と向上に役立っていることを理解すること。（A）

□見学・調査したり地図などの資料で調べたりして，まとめること。（A）

□供給の仕組みや経路，県内外の人々の協力などに着目して，飲料水，電気，ガスの供給のための事業の様子を捉え，それらの事業が果たす役割を考え，表現すること。（B）

□処理の仕組みや再利用，県内外の人々の協力などに着目して，廃棄物の処理のための事業の様子を捉え，その事業が果たす役割を考え，表現すること。（B）

● 自然災害から人々を守る活動

□地域の関係機関や人々は，自然災害に対し，様々な協力をして対処してきたことや，今後想定される災害に対し，様々な備えをしていることを理解すること。（A）

□聞き取り調査をしたり地図や年表などの資料で調べたりして，まとめること。（A）

□過去に発生した地域の自然災害，関係機関の協力などに着目して，災害から人々を守る活動を捉え，その働きを考え，表現すること。（B）

● 県内の伝統や文化，先人の働き

□県内の文化財や年中行事は，地域の人々が受け継いできたことや，それらには地域の発展など人々の様々な願いが込められていることを理解すること。（A）

□地域の発展に尽くした先人は，様々な苦心や努力により当時の生活の向上に貢献したことを理解すること。（A）

□見学・調査したり地図などの資料で調べたりして，<u>年表</u>などにまとめること。（A）

□歴史的背景や現在に至る経過，<u>保存</u>や継承のための取組などに着目して，県内の文化財や<u>年中行事</u>の様子を捉え，人々の願いや努力を考え，表現すること。（B）

□当時の世の中の課題や人々の願いなどに着目して，地域の発展に尽くした<u>先人</u>の具体的事例を捉え，<u>先人</u>の働きを考え，表現すること。（B）

●**県内の特色ある地域の様子**

□県内の特色ある地域では，人々が協力し，特色あるまちづくりや観光などの<u>産業</u>の発展に努めていることを理解すること。（A）

□<u>地図帳</u>や各種の資料で調べ，白地図などにまとめること。（A）

□特色ある地域の位置や<u>自然環境</u>，人々の活動や産業の歴史的背景，人々の<u>協力関係</u>などに着目して，地域の様子を捉え，それらの特色を考え，表現すること。（B）

A 5　社会科の第5学年の内容　　頻出 北海道，青森，島根

国土と産業の学習に重点が置かれる。

●**我が国の国土の様子と国民生活**

□世界における我が国の<u>国土</u>の位置，国土の構成，<u>領土</u>の範囲などを大まかに理解すること。（A）※<u>竹島</u>や北方領土，尖閣諸島が我が国固有の領土であることに触れる。

□我が国の国土の地形や<u>気候</u>の概要を理解するとともに，人々は<u>自然環境</u>に適応して生活していることを理解すること。（A）

□地図帳や<u>地球儀</u>，各種の資料で調べ，まとめること。（A）※方位，<u>緯度</u>や経度などによる位置の表し方について取り扱う。

□世界の大陸と主な<u>海洋</u>，主な国の位置，海洋に囲まれ多数の島からなる国土の構成などに着目して，我が国の国土の様子を捉え，その特色を考え，表現すること。（B）※「主な国」については，<u>名称</u>も扱う。

□<u>地形</u>や気候などに着目して，国土の自然などの様子や自然条件から見て特色ある地域の人々の生活を捉え，<u>国土</u>の<u>自然環境</u>の特色やそれらと国民生活との関連を考え，表現すること。（B）

●**我が国の農業や水産業における食料生産**

□我が国の<u>食料生産</u>は，自然条件を生かして営まれていることや，国民

の食料を確保する重要な役割を果たしていることを理解すること。
(A)

□食料生産に関わる人々は，生産性や品質を高めるよう努力したり輸送
方法や販売方法を工夫したりして，良質な食料を消費地に届けるな
ど，食料生産を支えていることを理解すること。(A)

□地図帳や地球儀，各種の資料で調べ，まとめること。(A)

□生産物の種類や分布，生産量の変化，輸入など外国との関わりなどに
着目して，食料生産の概要を捉え，食料生産が国民生活に果たす役割
を考え，表現すること。(B)

□生産の工程，人々の協力関係，技術の向上，輸送，価格や費用などに
着目して，食料生産に関わる人々の工夫や努力を捉え，その働きを考
え，表現すること。(B)

● 我が国の工業生産

□我が国では様々な工業生産が行われていることや，国土には工業の盛
んな地域が広がっていること及び工業製品は国民生活の向上に重要な
役割を果たしていることを理解すること。(A)

□工業生産に関わる人々は，消費者の需要や社会の変化に対応し，優れ
た製品を生産するよう様々な工夫や努力をして，工業生産を支えてい
ることを理解すること。(A)

□貿易や運輸は，原材料の確保や製品の販売などにおいて，工業生産を
支える重要な役割を果たしていることを理解すること。(A)

□地図帳や地球儀，各種の資料で調べ，まとめること。(A)

□工業の種類，工業の盛んな地域の分布，工業製品の改良などに着目し
て，工業生産の概要を捉え，工業生産が国民生活に果たす役割を考
え，表現すること。(B)

□製造の工程，工場相互の協力関係，優れた技術などに着目して，工業
生産に関わる人々の工夫や努力を捉え，その働きを考え，表現するこ
と。(B)

□交通網の広がり，外国との関わりなどに着目して，貿易や運輸の様子
を捉え，それらの役割を考え，表現すること。(B)

● 我が国の産業と情報との関わり

□放送，新聞などの産業は，国民生活に大きな影響を及ぼしていること
を理解すること。(A)

□大量の情報や情報通信技術の活用は，様々な産業を発展させ，国民生活を向上させていることを理解すること。(A)

□聞き取り調査をしたり映像や新聞などの各種資料で調べたりして，まとめること。(A)

□情報を集め発信するまでの工夫や努力などに着目して，放送，新聞などの産業の様子を捉え，それらの産業が国民生活に果たす役割を考え，表現すること。(B)

□情報の種類，情報の活用の仕方などに着目して，産業における情報活用の現状を捉え，情報を生かして発展する産業が国民生活に果たす役割を考え，表現すること。(B)

● 我が国の国土の自然環境と国民生活との関連

□自然災害は国土の自然条件などと関連して発生していることや，自然災害から国土を保全し国民生活を守るために国や県などが様々な対策や事業を進めていることを理解すること。(A) ※地震災害，津波災害，風水害，火山災害，雪害などを取り上げる。

□森林は，その育成や保護に従事している人々の様々な工夫と努力により国土の保全など重要な役割を果たしていることを理解すること。(A)

□関係機関や地域の人々の様々な努力により公害の防止や生活環境の改善が図られてきたことを理解するとともに，公害から国土の環境や国民の健康な生活を守ることの大切さを理解すること。(A)

□地図帳や各種の資料で調べ，まとめること。(A)

□災害の種類や発生の位置や時期，防災対策などに着目して，国土の自然災害の状況を捉え，自然条件との関連を考え，表現すること。(B)

□森林資源の分布や働きなどに着目して，国土の環境を捉え，森林資源が果たす役割を考え，表現すること。(B)

□公害の発生時期や経過，人々の協力や努力などに着目して，公害防止の取組を捉え，その働きを考え，表現すること。(B)

B 6 社会科の第6学年の内容 頻出 福井，静岡，島根，香川，佐賀

政治，歴史，国際関係からなる。

● 我が国の政治の働き

□日本国憲法は国家の理想，天皇の地位，国民としての権利及び義務な

ど国家や国民生活の基本を定めていることや，現在の我が国の民主政治は日本国憲法の基本的な考え方に基づいていることを理解するとともに，立法，行政，司法の三権がそれぞれの役割を果たしていることを理解すること。(A)※国会などの議会政治や選挙の意味，国会と内閣と裁判所の三権相互の関連，裁判員制度や租税の役割などについて扱う。

□国や地方公共団体の政治は，国民主権の考え方の下，国民生活の安定と向上を図る大切な働きをしていることを理解すること。(A)

□見学・調査したり各種の資料で調べたりして，まとめること。(A)

□日本国憲法の基本的な考え方に着目して，我が国の民主政治を捉え，日本国憲法が国民生活に果たす役割や，国会，内閣，裁判所と国民との関わりを考え，表現すること。(B)

□政策の内容や計画から実施までの過程，法令や予算との関わりなどに着目して，国や地方公共団体の政治の取組を捉え，国民生活における政治の働きを考え，表現すること。(B)

● 我が国の歴史上の主な事象

□狩猟・採集や農耕の生活，古墳，大和朝廷（大和政権）による統一の様子を手掛かりに，むらからくにへと変化したことを理解すること。その際，神話・伝承を手掛かりに，国の形成に関する考え方などに関心をもつこと。(A)※「神話・伝承」については，古事記，日本書紀，風土記などの中から適切なものを取り上げる。

□大陸文化の摂取，大化の改新，大仏造営の様子を手掛かりに，天皇を中心とした政治が確立されたことを理解すること。(A)

□貴族の生活や文化を手掛かりに，日本風の文化が生まれたことを理解すること。(A)

□源平の戦い，鎌倉幕府の始まり，元との戦いを手掛かりに，武士による政治が始まったことを理解すること。(A)

□京都の室町に幕府が置かれた頃の代表的な建造物や絵画を手掛かりに，今日の生活文化につながる室町文化が生まれたことを理解すること。(A)

□キリスト教の伝来，織田・豊臣の天下統一を手掛かりに，戦国の世が統一されたことを理解すること。(A)

□江戸幕府の始まり，参勤交代や鎖国などの幕府の政策，身分制を手掛

かりに，武士による政治が安定したことを理解すること。(A)

□歌舞伎や<u>浮世絵</u>，国学や<u>蘭学</u>を手掛かりに，<u>町人</u>の文化が栄え新しい学問がおこったことを理解すること。(A)

□<u>黒船</u>の来航，廃藩置県や<u>四民平等</u>などの改革，文明開化などを手掛かりに，我が国が<u>明治維新</u>を機に欧米の文化を取り入れつつ近代化を進めたことを理解すること。(A)

□<u>大日本帝国憲法</u>の発布，日清・<u>日露</u>の戦争，条約改正，科学の発展などを手掛かりに，我が国の国力が充実し国際的地位が向上したことを理解すること。(A)

□日中戦争や我が国に関わる<u>第二次世界大戦</u>，<u>日本国憲法</u>の制定，オリンピック・パラリンピックの開催などを手掛かりに，戦後我が国は民主的な国家として出発し，国民生活が向上し，国際社会の中で重要な役割を果たしてきたことを理解すること。(A)

□<u>遺跡</u>や文化財，地図や年表などの資料で調べ，まとめること。(A)

□世の中の様子，人物の働きや代表的な<u>文化遺産</u>などに着目して，我が国の歴史上の主な事象を捉え，我が国の歴史の展開を考えるとともに，<u>歴史</u>を学ぶ意味を考え，表現すること。(B)

● **グローバル化する世界と日本の役割**

□我が国と経済や<u>文化</u>などの面でつながりが深い国の人々の生活は，多様であることを理解するとともに，<u>スポーツ</u>や文化などを通して他国と交流し，異なる文化や<u>習慣</u>を尊重し合うことが大切であることを理解すること。

□我が国は，平和な世界の実現のために<u>国際連合</u>の一員として重要な役割を果たしたり，諸外国の発展のために援助や協力を行ったりしていることを理解すること。(A)

□<u>地図帳</u>や地球儀，各種の資料で調べ，まとめること。(A)

□<u>外国</u>の人々の生活の様子などに着目して，日本の文化や習慣との違いを捉え，<u>国際交流</u>の果たす役割を考え，表現すること。(B)

□地球規模で発生している課題の解決に向けた連携・協力などに着目して，<u>国際連合</u>の働きや我が国の国際協力の様子を捉え，<u>国際社会</u>において我が国が果たしている役割を考え，表現すること。(B)※「国際連合の働き」については，ユニセフや<u>ユネスコ</u>の身近な活動を取り上げる。

● 社会（学習指導要領）

社会科の指導計画の作成と内容の取扱い 頻出度 C

ここが出る！ ▶▶

・社会科の「生きた」学習のためには，地図帳やコンピュータなどの他，図書館や博物館などの地域資源を活用することが求められる。

・47都道府県の名称と位置はマニア知ではなく，全ての子どもが習得すべき「教育知」である。諸君も覚えておこう。

C 1 社会科の指導計画の作成と内容の取扱い 頻出 青森，岩手

地図帳やコンピュータなどを使った学習活動を行う。

●指導計画の作成

□単元など内容や時間のまとまりを見通して，その中で育む資質・能力の育成に向けて，児童の主体的・対話的で深い学びの実現を図るようにすること。その際，問題解決への見通しをもつこと，社会的事象の見方・考え方を働かせ，事象の特色や意味などを考え概念などに関する知識を獲得すること，学習の過程や成果を振り返り学んだことを活用することなど，学習の問題を追究・解決する活動の充実を図ること。

□各学年の目標や内容を踏まえて，事例の取り上げ方を工夫して，内容の配列や授業時数の配分などに留意して効果的な年間指導計画を作成すること。

□我が国の47都道府県の名称と位置，世界の大陸と主な海洋の名称と位置については，学習内容と関連付けながら，その都度，地図帳や地球儀などを使って確認するなどして，小学校卒業までに身に付け活用できるように工夫して指導すること。

□障害のある児童などについては，学習活動を行う場合に生じる困難さに応じた指導内容や指導方法の工夫を計画的，組織的に行うこと。

□道徳教育の目標に基づき，道徳科などとの関連を考慮しながら，特別の教科道徳の内容について，社会科の特質に応じて適切な指導をすること。

●内容の取扱い

□各学校においては，地域の実態を生かし，児童が興味・関心をもって学習に取り組めるようにするとともに，観察や見学，聞き取りなどの調査活動を含む具体的な体験を伴う学習やそれに基づく表現活動の一

層の充実を図ること。また，社会的事象の特色や意味，社会に見られる課題などについて，多角的に考えたことや選択・判断したことを論理的に説明したり，立場や根拠を明確にして議論したりするなど言語活動に関わる学習を一層重視すること。

□学校図書館や公共図書館，コンピュータ❶などを活用して，情報の収集やまとめなどを行うようにすること。また，全ての学年において，地図帳を活用すること。

□博物館や資料館などの施設の活用を図るとともに，身近な地域及び国土の遺跡や文化財などについての調査活動を取り入れるようにすること。また，内容に関わる専門家や関係者，関係の諸機関との連携を図るようにすること。

□児童の発達の段階を考慮し，社会的事象については，児童の考えが深まるよう様々な見解を提示するよう配慮し，多様な見解のある事柄，未確定な事柄を取り上げる場合には，有益適切な教材に基づいて指導するとともに，特定の事柄を強調し過ぎたり，一面的な見解を十分な配慮なく取り上げたりするなどの偏った取扱いにより，児童が多角的に考えたり，事実を客観的に捉え，公正に判断したりすることを妨げることのないよう留意すること。

B 2 各学年の内容区分の整理　　　頻出 島根，香川

前テーマで見た各学年の内容の区分を整理しておく。この表の空欄補充問題も出る。

3年	身近な地域や市区町村の様子／地域に見られる生産や販売の仕事／地域の安全を守る働き／市の様子の移り変わり
4年	都道府県の様子／人々の健康や生活環境を支える事業／自然災害から人々を守る活動／県内の伝統や文化，先人の働き／県内の特色ある地域の様子
5年	我が国の国土の様子と国民生活／我が国の農業や水産業における食料生産／我が国の工業生産／我が国の産業と情報との関わり／我が国の国土の自然環境と国民生活との関連
6年	我が国の政治の働き／我が国の歴史上の主な事象／グローバル化する世界と日本の役割

❶令和の学校では，1人1台端末を実現する（GIGAスクール構想）。

地図

ここが出る！ ▶▶

- ・世界地図の図法について押さえよう。それぞれの利点，用途を知っておこう。
- ・主な地図記号を知っておこう。地図を示し，この記号は何を意味するかなどを答えさせる問題がよく出る。

B **1** **世界地図の種類**　　　頻出 富山，佐賀

3つの図法がある。資料集で実物も確認しよう。

⏱□【 **モルワイデ図法** 】…楕円形のもので，面積が正しく示されている（正積図法）。分布図などに用いられる。

⏱□【 **正距方位図法** 】…図の中心からの方位，距離を正しく知ることができる（方位図法）。空図などに用いられる。

□【 **メルカトル図法** 】…地球表面のあらゆる部分の角度が正しく表される（正角図法）。海図などに利用される。右ページの図を参照。

A **2** **世界の各地域の位置と時差**　　　頻出 青森，愛知，長崎，鹿児島

世界の各地域は，**経度**と**緯度**によって示される。

●経度と緯度

□経線は北極と南極を結ぶ線であり，ロンドンを通る線を境にして，東西に180°ずつ区分される。

□緯線は赤道に平行な線であり，南北に90°ずつ区分される。

□東京は，東経139度，北緯35度の位置にある[1]。

●時差

⏱□経度15°で，1時間の時差がある。西に行くほど時間を遅らせる。

□日本（東経135°）とイギリス（0°）の時差は，135÷15＝9時間[2]。西にあるイギリスのほうが9時間遅れていることになる。

□太平洋のほぼ真ん中に日付変更線が引かれている。この線を西から東に越えるときは日付を1日戻し，東から西に越えるときは日付を1日進ませる。

---

[1]日本経緯度原点（東京都港区麻布台2丁目18番1）の経緯度である。
[2]日本の標準時子午線は東経135°（兵庫県明石市），イギリスは0°である。

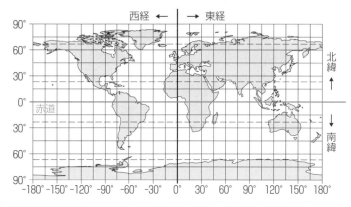

A 3 地図 頻出 埼玉，山梨，奈良，山口

日本の地形図は，国土地理院が作成している。

●等高線と地形

	5万分の1	2万5000分の1
計曲線（太い実線）	100mごと	50mごと
主曲線（細い実線）	20mごと	10mごと
補助曲線（破線，点線）	20m以下の微起伏	10m以下の微起伏

□5万分の1の地図の1cmは，1cm×50000＝500mとなる。

□等高線が高い方にはり出している所が谷，低い方にはり出している所が尾根である。

□河川の両岸の階段状の地形を河岸段丘，土砂の堆積で川底が平地よりも高い川を天井川という。

⏱□【 ハザードマップ 】…災害による被害の予測図。

●地図記号

⌄⌄⌄	畑	⚓	漁港	☼	灯台
‖‖	田	⚙	風車	日	神社
∴∴	茶畑	◎	市役所	卍	寺院
○○○	果樹園	✶	小・中学校	企	老人ホーム
⊥⊥	荒地	⊕	病院	🏠	避難所
⋏⋏	竹林	⊗	警察署	⊡	水準点
∧∧	針葉樹林	⊖	郵便局	⎀	記念碑
○○	広葉樹林	Ⴤ	消防署	⌖	発電所・変電所
∴∴	史跡・名勝・天然記念物	⊕	保健所	♤	裁判所

ここが出る！ ▶▶

- 世界の気候区分について押さえよう。雨温図を提示し，どの気候に該当するものかを判別させる問題が出る。
- 米や原油などの生産量上位3位の国を押さえよう。円グラフの問題がよく出る。

B **1** 世界の自然　　　　頻出 神奈川，富山，鳥取

● 大陸・海洋・河川・山脈

□六大陸	ユーラシア大陸，アフリカ大陸，北アメリカ大陸，南アメリカ大陸，オーストラリア大陸，南極大陸
□三大洋	太平洋，インド洋，大西洋
□主な河川	ナイル川（世界最長），アマゾン川，ミシシッピ川，黄河
□主な山脈	ヒマラヤ（アジア），ウラル（ヨーロッパ），アルプス（同），ピレネー（同），スカンジナビア（同），ロッキー（北アメリカ），アパラチア（同），アンデス（南アメリカ）

□地球の表面の約70％が海で，陸地の約2.4倍。

● 地形・現象

□【 リアス海岸 】…谷が浸水してできた，入り江が複雑な海岸。

□【 フィヨルド 】…氷食谷が浸水してできた地形。奥行きが長い。

□【 白夜 】…夏に太陽が沈んでも暗くならない現象。

A **2** 世界の気候　　　　頻出 神奈川，奈良，鳥取，愛媛，佐賀

　6つの**気候帯**に分けられる。雨温図と対応させながらみてみよう。

● 気候区分

⏱□【 熱帯 】…年中高温。雨の降り方によって2分される。

　Af：熱帯雨林気候…赤道付近に分布し，年中高温多雨である。

　Aw：サバナ気候…年中高温。雨季と乾季がある。

□【 乾燥帯 】…降水量が少なく，樹木の生育が困難。

　Bw：砂漠気候…ほとんど降雨なし。

　BS：ステップ気候…砂漠気候の周辺に分布し，雨季にやや雨がある。

⏱□【 温帯 】…温和な気候，四季の変化がある。

Cs：地中海性気候…夏は高温乾燥，冬は比較的多雨。

Cfa：温暖湿潤気候…夏は高温多湿，冬は少雨で寒い。

Cfb：西岸海洋性気候…偏西風と暖流の影響のため，温暖。

□【　冷帯　】…北半球の高緯度に分布。冬は長く寒冷(D)。

□【　寒帯　】…両極地方に分布。夏も気温が低く，降水量が少ない。

ET：ツンドラ気候…北極海沿岸に分布。夏は氷が溶ける。

EF：氷雪気候…南極地方に分布。年中氷雪に閉ざされる。学術調査
地以外は，アネクメーネ(非居住地域)である。

□【　高山気候　】…高い山地の気候。冷帯や寒帯に類似(H)。

●風と気圧

□【　貿易風　】…中緯度高圧帯から赤道低圧帯へ吹く東寄りの風。

□【　偏西風　】…中緯度高圧帯から高緯度低圧帯へ吹く西寄りの風。

□【　季節風　】…夏と冬で風向きが逆転する。**モンスーン**ともいう。

□【　エルニーニョ現象　】…貿易風が弱まり，ペルー沖で海面水温が上
がること。

□インド洋ではサイクロン，大西洋ではハリケーンという熱帯低気圧が
発生する。

●雨温図(折れ線グラフは気温，棒グラフは降水量)

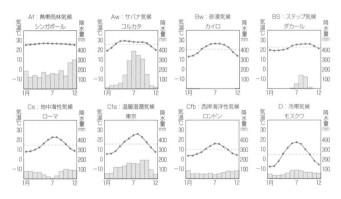

頻出 神奈川，大阪，佐賀

B 3 世界の人口と諸地域

最新の人口統計と，諸地域の著名事項である。

●世界の人口

□2023年の世界人口は80億4500万人ほど。うちアジアは47億5300万人，

アフリカが14億6000万人と多くを占める。

□人口の上位5位は，インド，中国，アメリカ，インドネシア，パキスタン。日本は約1億2400万人（人口密度は1km²当たり333人）。

□日本は少子高齢化が進み，15歳未満人口が11.4%，65歳以上人口が29.1%を占める（2023年）。2022年の合計特殊出生率は1.26。

●アジア

国名	首都	記事
大韓民国	ソウル	アジアNIEsの一つ。重化学工業。
中華人民共和国	北京	9割以上が漢民族。海外資本・技術を導入する経済特区。
フィリピン	マニラ	カトリック教国。プランテーション。
インドネシア	ジャカルタ	イスラーム教国，赤道直下。
ベトナム	ハノイ	ドイモイ政策による経済発展。
タイ	バンコク	仏教国，戦前からの独立国。
ミャンマー	ネピドー	2021年，軍によるクーデター。
マレーシア	クアラルンプール	イスラーム教国，ブミプトラ政策でマレー人優遇。
インド	デリー	世界人口第1位，ヒンドゥー教国。

□多くの国が，東南アジア諸国連合（ASEAN）に加盟している。

●その他の諸地域

□ヨーロッパでは1967年にヨーロッパ共同体（EC）が発足し，1993年にヨーロッパ連合（EU）へと発展。

□EUには27か国が加盟（2024年7月）。イギリスは2020年に離脱。

□オランダでは，ポルダー（干拓地）での酪農が盛ん。

□【 フィードロット 】…短期間での肉牛肥育方式（アメリカ）。

□【 サンベルト 】…北緯37度以南の工業地域（アメリカ）。

□アルゼンチンのパンパ（大草原）では肉牛飼育。

□オーストラリアの先住民はアボリジニー，ニュージーランドの先住民はマオリ族。オーストラリアでは，白人以外の移民を抑制する白豪政策がとられていたが，1970年代に廃止。

A 4 世界の産業　　　　頻出 千葉，神奈川，富山，三重，鳥取

数字は，生産量全体に占める割合（『日本国勢図会2024／25』を参照）。

●農業・畜産業生産量（2022年）

	1 位	2 位	3 位
米	中国26.9	インド25.3	バングラデシュ7.4
小麦	中国17.0	インド13.3	ロシア12.9
大麦	ロシア15.1	オーストラリア9.3	フランス7.3
とうもろこし	アメリカ30.0	中国23.8	ブラジル9.4
大豆	ブラジル34.6	アメリカ33.4	アルゼンチン12.6
茶	中国48.8	インド20.1	ケニア7.8
コーヒー豆	ブラジル29.4	ベトナム18.1	インドネシア7.4
カカオ豆	コートジボワール38.0	ガーナ18.9	インドネシア11.4
牛肉	アメリカ18.6	ブラジル14.9	中国10.4

●鉱業・エネルギー資源生産量（2022年）

	1 位	2 位	3 位
石炭	中国51.8	インド10.3	インドネシア7.8
原油	アメリカ18.9	サウジアラビア12.9	ロシア11.9
鉄鉱石	オーストラリア34.2	ブラジル16.5	中国14.9
ボーキサイト	オーストラリア26.7	中国23.7	ギニア22.0
銅鉱	チリ27.8	ペルー10.5	中国8.4
すず鉱	中国31.8	インドネシア20.1	ミャンマー11.0
ニッケル鉱	インドネシア32.7	フィリピン12.4	ロシア10.7

＊鉄鉱石は2021年，ボーキサイト・銅鉱・すず鉱は2020年，ニッケル鉱は2019年。

●輸出品目（2022年）

	1 位	2 位	3 位
中国	機械類41.0	衣類5.1	自動車4.5
インドネシア	石炭18.7	鉄鋼9.7	パーム油9.5
ドイツ	機械類26.4	自動車15.0	医薬品7.6
ロシア	原油22.5	石油製品14.6	鉄鋼6.0
アメリカ	機械類21.0	石油製品7.1	自動車6.3
カナダ	原油20.2	機械類8.9	自動車8.2
エクアドル	原油30.6	魚介類28.4	野菜・果実12.5
ブラジル	大豆14.0	原油12.8	鉄鉱石8.6
オーストラリア	石炭23.9	鉄鉱石21.0	液化天然ガス15.4

日本の国土と気候

> **ここが出る！**
> ・日本の国土に関する基本事項を押さえよう。主な海流，河川，そして気候分布については，地図上で確認しておこう。
> ・雨温図を提示して，どの都市のものかを答えさせる問題が出る。それぞれの気候区分の代表例をみておこう。

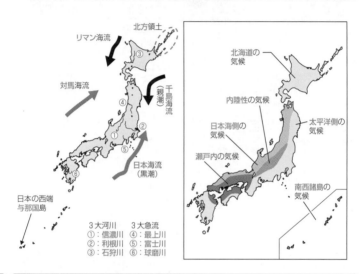

3大河川
① : 信濃川
② : 利根川
③ : 石狩川

3大急流
④ : 最上川
⑤ : 富士川
⑥ : 球磨川

A 1 日本の国土と自然 　頻出 青森, 神奈川, 兵庫, 和歌山, 愛媛, 鹿児島

●日本の領域

□【 領土 】…主権の及ぶ土地。日本の領土の面積は約38万km²。

□【 領海 】…主権の及ぶ海域。領土の沿岸からの一定距離内の海域。通常は，12海里（約22km）である。領土の沿岸から200海里までは，排他的経済水域である。離島が多い日本は，排他的経済水域が広い。

□【 領空 】…主権の及ぶ空域。領土・領海の上空。

●国土の範囲

□北端は択捉島（北緯45°），南端は沖ノ鳥島（北緯20°），東端は南鳥島（東経153°），西端は与那国島（東経122°）。沖ノ鳥島と南鳥島は東京都。

□スペイン，イラン，アメリカなどは日本と同じ緯度に位置する。

● 河川と海流

⏱ □長い川→上位3位は，信濃川(367km)，利根川，石狩川。流域面積は利根川が最も広い。日本の河川は流れが急で，流域面積は狭い。

□暖流は日本海流(黒潮)と対馬海流，寒流は千島海流(親潮)とリマン海流。

● 地形

⏱ □日本は新期造山帯の環太平洋造山帯の一部をなし，火山活動や地震が活発。国土の67%は森林。フォッサマグナより東側では，南北方向の高くて険しい山脈が多い(奥羽山脈など)。

□【 扇状地 】…川が平地に出た所に土砂がたまってできる地形。

□日本の近海の海底には，なだらかな大陸棚がある。

A 2 日本の気候　　　　　　頻出 宮城，東京，鳥取，広島，香川

● 気候の区分

□【 北海道の気候 】…冷帯の気候。冬は長く寒い(a)。

□【 太平洋側の気候 】…夏は南東季節風の影響で高温多湿(b)。

□【 内陸性の気候 】…温度差が大きい。中央高地の気候ともいう(c)。

□【 瀬戸内の気候 】…季節風が中国・四国山地にさえぎられるため，1年中雨が少ない(d)。

□【 日本海側の気候 】…夏に，高温の乾燥した風が吹き降りるフェーン現象が見られる(e)。

□【 南西諸島の気候 】…高温で年中雨が多い。亜熱帯性気候(f)。

● 雨温図の例(折れ線グラフは気温，棒グラフは降水量)

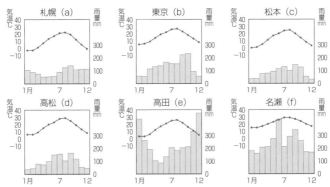

● 社会（地理）
日本の産業と貿易

頻出度 A

A 1 農業

頻出 栃木，千葉，名古屋市，山口，佐賀，熊本

農業には地域の色が出ている。

● 農産物の収穫量・飼育頭数（上位2位）

	1位	2位		1位	2位
米	新潟8.3	北海道7.5	いちご	栃木15.1	福岡10.4
小麦	北海道65.5	福岡6.4	すいか	熊本15.2	千葉11.6
大豆	北海道44.9	宮城6.5	だいこん	千葉12.3	北海道10.9
みかん	和歌山22.4	愛媛16.0	にんじん	北海道28.9	千葉19.0
りんご	青森59.6	長野18.0	キャベツ	群馬19.5	愛知18.4
ぶどう	山梨25.1	長野17.8	レタス	長野33.0	茨城15.7
日本なし	千葉9.8	茨城9.1	ピーマン	茨城22.2	宮崎18.7
もも	山梨30.5	福島23.7	トマト	熊本18.4	北海道8.9
かき	和歌山19.4	奈良13.7	ねぎ	茨城12.3	千葉12.2
くり	茨城23.5	熊本14.6	肉用牛	北海道21.1	鹿児島13.3

＊全収穫量に占める割合（％）。『日本国勢図会2024/25』より作成。
＊米，小麦，肉用牛は2023年のデータ。その他は2022年のデータ。

● 地方別の農業産出額の内訳

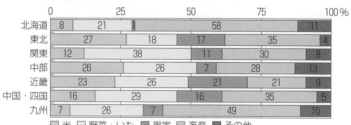

＊農林水産省『生産農業所得統計』（2022年）より作成。

●用語

□都市部に集約的に出荷する<u>園芸農業</u>，大都市周辺で行う<u>近郊農業</u>，出荷時期を早める<u>促成栽培</u>，それを遅らせる<u>抑制栽培</u>，がある。

□【　間伐　】…混みすぎた森林の立木を一部伐採すること。

□【　地産地消　】…地元の生産物を地元で消費すること。

□【　兼業農家　】…農業以外の仕事をしている人がいる農家のこと。うち，農業以外の仕事の収入が多い農家を<u>第二種兼業農家</u>という。

□【　やませ　】…太平洋岸に吹く，初夏の北東風。低温で，農作物の被害をもたらす。

社会　日本の産業と貿易

B 2　工業・エネルギー　　頻出 秋田，東京，京都，兵庫，鳥取，宮崎

太平洋ベルトに，三大工業地帯がまたがっている。原材料の輸入，製品の輸出に都合がよいためである。

●主な工業地帯

□【　京浜工業地帯　】…機械工業を中心とした重化学工業が盛ん。

□【　中京工業地帯　】…自動車工業を中心に機械工業が発達。

□【　阪神工業地帯　】…鉄鋼や石油化学など素材型工業が発達。

□【　北九州工業地帯　】…官営の八幡製鉄所の立地が起源。鉄鋼や化学などが中心。

●主な工業地帯，工業地域の製造品出荷額等の構成（2021年）

	金属	機械	化学	食料品	その他
京浜	9	46	20	11	14
中京	10	68	7	5	10
阪神	21	39	16	11	14
北九州	19	43	7	14	17
瀬戸内	21	31	25	8	16

＊『日本国勢図会2024/25』より作成。

□製造品出荷額は，<u>中京</u>，<u>阪神</u>，瀬戸内の順に多い。

●エネルギー

□日本は<u>火力</u>発電が主流（燃料は天然ガスが多い）。カナダやブラジルは<u>水力</u>発電，フランスは<u>原子力</u>発電が最も多い。

□日本の発電量に占める再生可能エネルギーの割合は<u>11.1%</u>（2021年）。<u>太陽光</u>が最も多く，その次にバイオ燃料が多い。

□【　再生可能エネルギー　】…自然の力で作る低炭素のエネルギー。

□【 メタンハイドレート 】…今後，新しい資源になることが期待される物質。日本近海に多く，「燃える氷」と呼ばれる。

C 3 漁業 頻出 青森，奈良，山口

「とる」漁業から「育てる」漁業に変わっている（養殖など）。

□【 遠洋漁業 】…遠方の公海に出漁。1970年代以降，漁獲高減少。各国が排他的経済水域において，外国船の操業を規制しているため。

□【 沖合漁業 】…近海に出漁。1990年代以降，漁獲高減少。

□【 沿岸漁業 】…小型漁船による零細漁業。漁獲高は横ばい。

漁業の種類別の生産量

- 遠洋漁業
- 沖合漁業
- 沿岸漁業
- 養殖業

B 4 食料自給率 頻出 長野，熊本

日本は，食料を輸入に依存している。

●概念

□【 食料自給率 】…我が国の食料全体の供給に対する国内生産の割合を示す指標（農林水産省）。

□【 関税 】…国内産業保護のため，輸入品にかける税。

□【 フードマイレージ 】…食品輸送による環境への負荷の指標。

●日本

□2022年度の総合食料自給率は38%となっている。

□品目別では米が99%，小麦が15%，いも類が70%，大豆が 6 %，野菜が79%，果実が39%，肉類が53%，魚介類が54%，である。

●世界

□2020年の食料自給率（カロリーベース）は，オーストラリアは173%，アメリカは115%，イギリスは54%，ドイツは84%，フランスは117%。

□日本の食料自給率（カロリーベース）は低下の傾向。

A 5 貿易

『日本国勢図会2024/25』のデータで，日本の貿易の諸相をみよう。数値は，2022年の総額に占める割合である。

●主要輸出入品（総額に占める割合）

輸出	機械類(36.9)，自動車(13.3)，化学製品(12.0)。
輸入	鉱物性燃料(28.4)，機械類(22.4)，化学製品(11.2)

□1960年の輸出首位は繊維品，輸入首位は繊維原料（加工貿易の時代）。

●主要輸入品の輸入先（上位3位）の割合（%）

□肉類	アメリカ26.8，タイ14.5，オーストラリア12.4
□小麦	アメリカ41.5，カナダ36.8，オーストラリア21.6
□とうもろこし	アメリカ64.4，ブラジル22.8，アルゼンチン6.9
□魚介類	中国17.6，チリ9.7，アメリカ8.6
□果実	アメリカ18.5，フィリピン18.1，中国15.0
□鉄鉱石	オーストラリア52.8，ブラジル32.4，カナダ7.3
□石炭	オーストラリア67.4，インドネシア13.8，カナダ6.1
□原油	サウジアラビア39.5，アラブ首長国連邦37.7，クウェート8.2
□液化天然ガス	オーストラリア43.0，マレーシア15.2，ロシア8.0

●貿易の主要相手国（上位3位）の割合（%）

□輸出	中国19.4，アメリカ18.6，韓国7.2
□輸入	中国21.0，アメリカ9.9，オーストラリア9.8

●主要国との輸出入品目の割合（%）

中国	輸出	機械類43.9，プラスチック5.9，自動車5.3
	輸入	機械類47.2，衣類7.7，金属製品3.6
アメリカ	輸出	機械類39.5，自動車23.6，自動車部品5.6
	輸入	機械類22.0，医薬品11.3，液化石油ガス5.5
サウジアラビア	輸出	自動車63.9，機械類14.6，自動車部品3.7
	輸入	原油94.2，石油製品2.3，アルミニウム1.0
オーストラリア	輸出	自動車50.9，石油製品17.6，機械類13.9
	輸入	石炭45.3，液化天然ガス31.3，鉄鉱石8.2

飛鳥時代～安土桃山時代 頻出度 B

ここが出る! ▶▶
- 古代から中世の時代を5つに区切り，年表，人物，重要事項の3本立てで整理する。年表記載の事項は覚えよう。
- 各時代の代表的な建築，芸術作品については，資料集にて現物も見ておくこと。作品を提示し，名称を答えさせる問題も多い。

A 1 飛鳥時代・奈良時代 [頻出] 埼玉，名古屋市，神戸市，奈良，山口

本格的な政治が始まった飛鳥時代からスタートしよう。

● 年表

飛鳥	604年	聖徳太子が十七条の憲法制定。
	607年	小野妹子を隋に派遣。遣隋使の始まり。
	645年	乙巳の変。中大兄皇子が蘇我氏を滅ぼす。
	672年	壬申の乱。大海人皇子が天武天皇となる。
	701年	大宝律令制定。律令政治の始まり。
奈良	710年	平城京に都を移す。
	743年	墾田永年私財法制定。開墾地の私有を認める。
	752年	東大寺の大仏が完成。

● 人物

□【 聖徳太子 】…冠位十二階，十七条の憲法を制定。

□【 中大兄皇子 】…大化改新を行い，即位して天智天皇となる。

□【 聖武天皇 】…東大寺を建て，大仏を造営。

□【 鑑真 】…唐の高僧で，来日して唐招提寺を開き仏教を広める。

● 律令政治

□中央に2官(神祇官，太政官)と8省，地方は国司を置く。

□【 班田収授法 】…6年ごとに戸籍を作成し，口分田を与える。

□農民には租・調・庸(税金，特産品上納，労役)の義務が課された。

墾田永年私財法で土地の私有が認められ，荘園が拡大する。

● 文化

□飛鳥文化⇒法隆寺(世界最古の木造建築)，釈迦三尊像，百済観音像，玉虫厨子。止利仏師は代表的仏師。曇徴は彩色技法を伝達。

□天平文化⇒東大寺の正倉院宝庫(校倉造)，阿修羅像，唐招提寺。

B 2 平安時代　　頻出 富山，岐阜，愛知，兵庫，神戸市

794年の平安京遷都以降，約400年間が平安時代である。

● 年表

794年	桓武天皇が平安京に都を移す。
894年	遣唐使の停止。菅原道真の建議による。
1016年	藤原道長が摂政となる(摂関政治)。
1069年	後三条天皇が荘園整理令を出す。
1086年	白河上皇が院政を始める。
1156年	保元の乱。後白河天皇 VS 崇徳上皇(前者の勝利)
1159年	平治の乱。平清盛 VS 源義朝(前者の勝利)
1185年	平氏が壇の浦の戦いで滅びる。

● 人物

□【 坂上田村麻呂 】…征夷大将軍となり，東北の蝦夷を征討。

□【 藤原道長 】…1016年に摂政，1017年に太政大臣となる。

□【 平清盛 】…武士初の太政大臣となり，日宋貿易を行う。

● 重要事項

□【 摂関政治 】…天皇が幼いときは摂政，成人後は関白として，天皇の代理として，藤原氏が政治を行った。

□源氏と平氏が棟梁となり，武士団が生まれる。

□優雅な貴族文化(国風文化)。建築としては平等院鳳凰堂，文学作品としては『古今和歌集』，『源氏物語』，『枕草子』などが有名。

A 3 鎌倉時代　　頻出 岩手，山梨，兵庫，神戸市，鳥取，佐賀，大分

鎌倉新仏教は出題頻度が高い。

● 年表

1192年	鎌倉幕府が開かれる。源頼朝が征夷大将軍となる。
1206年	チンギス・ハンがモンゴルを統一。
1221年	承久の乱が起こる。後鳥羽上皇による討幕の企て。京都に六波羅探題を置き，朝廷を監視。
1232年	御成敗式目を制定。武家政治の規範。
1274年	文永の役。最初の元の襲来。
1281年	弘安の役。2度目の元の襲来。
1297年	永仁の徳政令が出る。御家人の土地売買を禁止。
1333年	鎌倉幕府が滅びる。

● 人物

□【 源頼朝 】…1192年に征夷大将軍となり鎌倉幕府を開く。

□【 北条時宗 】…鎌倉幕府の第8代執権。元寇に際し，軍を指揮。

● 重要事項

□将軍と御家人が，御恩と奉公で結ばれた主従関係。

□源頼朝の死後，北条時政が初代執権となり政治の実権を握る。

□執権の下に侍所，政所，問注所を置く。

□地方には守護と地頭が置かれ，前者は軍事と警察，後者は荘園の管理や年貢の取り立てを担った。

⏱□【 元寇 】…1274年と1281年の2度にわたり，元軍が北九州に襲来。

● 鎌倉文化

□力強い武士文化(鎌倉文化)。随筆として『徒然草』(吉田兼好)や『方丈記』(鴨長明)，軍記物として『平家物語』，彫刻として金剛力士像(運慶・快慶)，絵画として蒙古襲来絵巻などが有名。

● 鎌倉新仏教(カッコ内は開祖)

念仏系	浄土宗(法然)，浄土真宗(親鸞)，時宗(一遍)
題目系	日蓮宗(日蓮)
禅系	臨済宗(栄西)，曹洞宗(道元)

B 4 南北朝・室町・戦国時代 頻出 岩手，奈良，愛媛

応仁の乱を契機に，戦国の時代に突入する。

● 年表

1338年	足利尊氏が征夷大将軍となる。
1392年	南北朝が統一される。
1404年	日明貿易(勘合貿易)が始まる。倭寇と区別するため，正式な貿易船であることを示す勘合を使用。
1428年	正長の土一揆が起きる。
⏱ 1467年	応仁の乱が起きる(細川勝元 VS 山名持豊)。実力をのばした大名が争いを繰り広げる戦国時代の幕開け。
1517年	ルターが宗教改革を始める。
1543年	ポルトガル人が種子島に漂着。鉄砲を伝える。
1549年	ザビエルがキリスト教を伝える。
1573年	室町幕府が滅びる。

●重要事項

□【　守護大名　】…武士や地頭を従え，力を強めた守護。

□【　戦国大名　】…**下剋上**の中，実力で一国の支配者となった者。

□【　南蛮貿易　】…ポルトガルやスペインとの貿易。主に銀を輸出し，火薬などを輸入。

●室町文化

□公家文化と武士文化が融合した室町文化。文学としては『太平記』や連歌，芸能として能楽(観阿弥・世阿弥)や侘茶(村田珠光)，建築として金閣(足利義満)や銀閣(足利義政)，美術として水墨画(雪舟)が名高い。

B 5 安土桃山時代　〔頻出〕埼玉，和歌山，宮崎

二大英雄，信長と秀吉の統一事業は有名だ。

●年表

1582年	太閤検地が始まる。
1590年	豊臣秀吉の全国統一。
1592年	文禄の役 ｝朝鮮出兵
1597年	慶長の役
1600年	関ヶ原の戦い。徳川家康が石田三成らを破る。

●織田信長

□室町幕府を滅ぼし，安土城を築く。

□【　桶狭間の戦い　】…1560年，駿河の今川義元を破る。

□【　長篠合戦　】…足軽鉄砲隊を率い，甲斐の武田勝頼軍を破る。鉄砲の活用。

●豊臣秀吉

□【　太閤検地　】…土地台帳により，土地と農民を管理。年貢を徴収。1582年より開始。

□【　刀狩　】…一揆を防ぐため武器を取り上げる。

□【　朝鮮出兵　】…明を征服すべく，1592年と1597年の2度にわたり出兵したがいずれも失敗。

□【　朱印船貿易　】…東南アジアとの貿易。朱印状を使用。

●桃山文化

□狩野永徳の『唐獅子図屏風』，千利休の茶道，建築様式として天守閣・書院造など。出雲の阿国が歌舞伎を始める。

江戸時代～昭和時代 頻出度 **A**

- 続いて近世以降である。江戸時代の統治機構，明治時代初期の近代化政策についてよく問われる。
- 大正から昭和は，戦争から国際協調の時代への過程であった。年表の事項の並べ替えの問題が多い。

A ① 江戸時代初期～中期 　頻出 青森，富山，名古屋市，京都市，熊本

統治機構と三大改革についてよく問われる。

●年表

1603年	江戸幕府の成立(征夷大将軍・徳川家康)。
1637年	島原・天草一揆。キリスト教徒の農民一揆。
1639年	ポルトガル人の来航禁止。
1641年	オランダ商館を長崎の出島に移す。鎖国が完成。
1716年	享保の改革(徳川吉宗)。
1787年	寛政の改革(松平定信)。
1841年	天保の改革(水野忠邦)。

●統治

□老中の下に大目付(大名の監視)，町奉行，勘定奉行が置かれた。

□地方には，京都所司代(朝廷の監視)と大坂城代が置かれた。

□徳川氏の一族の親藩，関ヶ原の戦い以前からの家来を譜代大名，それ以降の家来を外様大名として配置。

□【　武家諸法度　】…1615年制定。大名を厳しく取り締まる。

□【　参勤交代　】…1635年，3代将軍・家光の時に開始。大名に江戸と領地の二重生活を課し，経済力をつけるのを防ぐ。

□江戸の三大改革の中身は，以下のようなものであった。

享保	公事方御定書(裁判や刑罰の基準)，目安箱(庶民の意見聴取)，上げ米(参勤交代軽減)，足高の制。
寛政	囲米(米の貯蓄)，棄捐令(旗本・御家人の借金帳消し)，寛政異学の禁(昌平坂学問所にて朱子学以外を禁止)。
天保	株仲間の解散(物価高騰抑制)，人返し令(江戸への流入者を帰村させ，農村再建)，倹約令(倹約を命じる)。

●文化

□華麗な町人文化である元禄文化。文学作品として浮世草子(井原西鶴『世間胸算用』)，俳諧(松尾芭蕉『奥の細道』)，浄瑠璃(近松門左衛門『曽根崎心中』)，絵画として装飾画(尾形光琳『紅白梅図屏風』)，浮世絵(菱川師宣『見返り美人図』)，演劇として歌舞伎や人形浄瑠璃など。

A 2 江戸時代末期　頻出 山形，千葉，山梨，三重，鳥取，熊本

江戸幕府が衰退し，外国との国交が開けてくる。

●年表

1642年	イギリスで清教徒(ピューリタン)革命。議会による共和制。
1688年	イギリスで名誉革命。
1776年	アメリカ独立宣言。ジェファーソンらが起草。
1789年	フランス革命。人権宣言にて，身分制の廃止，主権在民，自由・平等などを明らかにする。
1792年	ロシアのラクスマンが根室に来航。
1804年	ナポレオンが皇帝になる。
1840年	アヘン戦争。イギリスは清を破り，清は香港を割譲。
1853年	ペリーが浦賀に来る。
1854年	日米和親条約。下田・箱館を開港。
1858年	日米修好通商条約調印。治外法権を相手国に認め，貿易の関税自主権がない不平等条約。
1867年	大政奉還。15代将軍・徳川慶喜が政権を朝廷に返上。

●学問・文化

□【　国学　】…日本の古典を研究。本居宣長が『古事記伝』を著す。

□【　蘭学　】…オランダ語により，西洋の学術を研究。前野良沢・杉田玄白『解体新書』，伊能忠敬『大日本沿海輿地全図』。

□庶民の教育施設の寺子屋，藩士の子弟が学ぶ藩校が各地にできた。

□江戸末期の化政文化。文学として十返舎一九『東海道中膝栗毛』，滝沢馬琴『南総里見八犬伝』が名高い。美術作品としては，喜多川歌麿『ポッピンを吹く女』，葛飾北斎『富嶽三十六景』，歌川広重『東海道五十三次』，東洲斎写楽『大谷鬼次の奴江戸兵衛』が著名。

●開国の動乱

□【　安政の大獄　】…不平等条約調印に反対した吉田松陰らを処罰。

□【　桜田門外の変　】…井伊直弼の暗殺。以後，幕府が衰退する。

□薩英戦争や下関砲撃事件などで外国の武力の強さが知れ渡り，攘夷から討幕へと傾いてくる。

B ③ 明治時代　　頻出 栃木，富山，愛知，奈良，鳥取，大分，沖縄

社会の近代化が始まる。

●年表

1868年	五箇条の御誓文。
1869年	版籍奉還。土地と人民を天皇に返上。
1871年	廃藩置県。藩を廃止して府県を置く。
⏱1872年	学制の発布。近代学校の誕生。
1873年	徴兵令，地租改正。地価の３％を地租として地主に納めさせる。
1874年	民撰議院設立建白書(板垣退助・後藤象二郎ら)。国民の代表者による議会の開設を要求。
1877年	西南戦争。西郷隆盛らの反乱。
⏱1889年	大日本帝国憲法を発布。天皇主権を定め，その臣民の国民の権利は制限。
1894年	治外法権の撤廃(外相・陸奥宗光)。
	日清戦争。日本が勝利し，翌年に下関条約を結ぶ。
1902年	日英同盟。ロシアの南下政策に対抗。
1904年	日露戦争。日本の勝利。翌年にポーツマス条約を結ぶ。
1910年	韓国併合。朝鮮総督府を設置し，植民地支配を開始。
1911年	関税自主権の回復(外相・小村寿太郎)。
	辛亥革命。翌年に中華民国が成立。

●人物

□【 西郷隆盛 】…征韓論が受け入れられず下野。西南戦争を起こすが，政府軍に敗れる。

□【 大久保利通 】…岩倉使節団に参加。殖産興業を進める。

□【 木戸孝允 】…長州藩出身。版籍奉還，廃藩置県に尽力。

⏱□【 福沢諭吉 】…慶應義塾の創始者。著作に『学問のすゝめ』，『西洋事情』など。

□【 大隈重信 】…立憲改進党を結成。東京専門学校を設立。

⏱□【 伊藤博文 】…初代内閣総理大臣。大日本帝国憲法を起草。

●重要用語

□【 文明開化 】…西洋の思想や生活様式を取り入れる。

□【 四民平等 】…身分制を廃止し，国民は平等とする。

□【　富国強兵　】…国を豊かにし，強い軍隊を持つ。

□【　殖産興業　】…外国から技師を招き，官営工場を開く。

A 4 大正・昭和時代　　　頻出 岩手，神奈川，富山，三重

悲惨な戦争を経て，国際協調の時代となる。

●年表

大正	1914年	第一次世界大戦が始まる。
	1917年	ロシア革命。
	1920年	国際連盟成立。本部はスイスのジュネーブ。
	1925年	治安維持法，普通選挙法の成立。25歳以上の男子に選挙権が与えられる。
昭和戦前	1929年	世界恐慌が起きる。
	1931年	満州事変。日本は満州全土を占領。
	1936年	二・二六事件。青年将校が岡田啓介首相らを襲う。
	1937年	日中戦争。
	1939年	第二次世界大戦が始まる。
	1940年	日独伊三国軍事同盟が結ばれる。
	1941年	太平洋戦争が始まる。
	1945年	原爆投下，ポツダム宣言受託。
昭和戦後・平成	1945年	国際連合成立。
	1946年	日本国憲法公布。
	1950年	朝鮮戦争。日本に特需がもたらされる。
	1951年	サンフランシスコ平和条約調印。日本が主権回復。
	1956年	日ソ共同宣言，日本が国際連合加盟。
	1960年	アフリカの17カ国が独立（アフリカの年）。
	1964年	東京オリンピック開催。東海道新幹線開通。
	1965年	日韓基本条約。日韓の国交正常化。
	1972年	沖縄の日本復帰。日中共同声明。日中の国交正常化。
	1989年	冷戦の終結（米ソ首脳のマルタ会談）。
	1990年	東西ドイツの統一。
	1991年	バルト3国が独立，ソ連が解体。
	1993年	EU（ヨーロッパ連合）の発足。

●戦後の民主化

□【　財閥解体　】…1945年に，三井・三菱・住友・安田の四財閥を解体。1947年に独占禁止法を制定。

□【　農地改革　】…1946年，政府が地主から小作地を買い上げ，小作農に払い下げる。寄生地主制がなくなり，自作農が創設される。

日本国憲法と基本的人権 頻出度 **A**

A 1 日本国憲法 頻出 茨城，和歌山，徳島，香川，愛媛

日本国憲法は，1946年11月3日に公布され，1947年5月3日に施行された。5月3日が**憲法記念日**とされているゆえんである。

●日本国憲法の基本原則

□【 **国民主権** 】…主権が国民にあること（主権在民）。

・前文「ここに主権が国民に存することを宣言し，この憲法を確定する」。

・第1条「天皇の地位は，主権の存する日本国民の総意に基く」。

□【 **平和主義** 】…第9条で具体化されている。

・第9条「日本国民は，正義と秩序を基調とする国際平和を誠実に希求し，国権の発動たる戦争と，武力による威嚇又は武力の行使は，国際紛争を解決する手段としては，永久にこれを放棄する」。

□【 **基本的人権の尊重** 】…第11条をみよう。具体的な内容は後述。

・第11条「国民は，すべての基本的人権の享有を妨げられない。この憲法が国民に保障する基本的人権は，侵すことのできない永久の権利として，現在及び将来の国民に与へられる❶」。

●憲法の改正

□日本国憲法は，容易に改正できない硬性憲法である。

□この憲法の改正は，各議院の総議員の3分の2以上の賛成で，国会が，これを発議し，国民に提案してその承認を経なければならない。この承認には，特別の国民投票又は国会の定める選挙の際行はれる投票において，その過半数の賛成を必要とする。（第96条）

□上記の手続きの後，天皇が国民の名において改正憲法を公布する❷。

❶国民の権利は，公共の福祉に反しない限り，最大の尊重を要する（第13条）。
❷天皇の国事行為の一つである。

B 2 基本的人権と新しい人権 （頻出 茨城, 山梨, 長野, 愛知, 香川）

憲法が定める基本的人権と, 社会の変化に伴い認められるようになった「新しい人権」を知っておこう。

●基本的人権

□【 平等権 】…法の下の平等を求める権利。

⇒法の下の平等, **両性**の平等

□【 自由権 】…国家権力でさえ侵せない個人の権利。

⇒思想・良心の自由, 信教の自由, **学問**の自由, 集会・結社・表現の自由, 居住・移転・職業選択の自由, 奴隷的拘束・苦役からの自由など。

□【 社会権 】…人間らしい生活を国家に求める権利。ドイツのワイマール憲法で初めて規定。

⇒生存権（健康で文化的な最低限の生活を営む権利）, 教育を受ける権利, 勤労の権利, 勤労者の団結権など。

□【 参政権 】…政治に参加する権利。

⇒選挙権, **被選挙権**, 最高裁判所裁判官の国民審査, 憲法改正の国民投票

□【 請求権 】…国や地方公共団体に請求できる権利。

⇒損害賠償権, **裁判請求権**, 刑事補償請求権など。

●新しい人権

□【 環境権 】…快適な環境での生活ができる権利。

□【 知る権利 】…政府や地方公共団体が持つ情報を知る権利。

□【 プライバシーの権利 】…私生活をみだらに公開されない権利。

□【 自己決定権 】…治療拒否や尊厳死などを主張する権利。治療には本人の同意（インフォームド・コンセント）が必要。

A 3 国民の義務 （頻出 岩手）

憲法は, 国民の**三大義務**として, 以下のものを定めている。

□【 子どもに普通教育を受けさせる義務 】…「国民は, …その保護する子女に普通教育を受けさせる義務を負ふ」（第26条第2項）。

□【 勤労の義務 】…勤労は権利であると同時に義務でもある。

□【 納税の義務 】…税金を納める義務である。

政治の仕組み

> **ここが出る！** ▶▶
> ・立法権，行政権，そして司法権のような政治権力は，一箇所に集中するのではなく，分散されることが望ましい。それぞれを担う機関，ならびに各々の関係（三権分立）について熟知しておこう。
> ・三権分立の図は頻出。目に焼き付けておこう。

A 1 国会　　頻出 岩手，兵庫，奈良，岡山市，長崎，沖縄

●国会の仕組み

⏱□衆議院と参議院で構成される二院制をとっている。衆議院の定数は465名（任期4年），参議院の定数は248名（任期6年）である。

⏱□【 衆議院の優越 】…任期の短い衆議院のほうが民意を強く反映するので，参議院よりも衆議院の権限が強い。

●国会の種類

□【 通常国会 】…年1回，毎年1月に召集。会期は150日。

□【 臨時国会 】…内閣が必要とみとめる時，あるいはいずれかの議院の総議員の4分の1以上の要求がある時に召集される。

□【 特別国会 】…衆議院解散後の総選挙から30日以内に召集。

□【 緊急集会 】…衆議院の解散中に必要がある場合に召集。

●国会の仕事

□法律の制定，予算の議決，内閣総理大臣の指名（特別国会にて行う），条約の承認，憲法改正の発議，弾劾裁判など。

□法律案は衆参のどちらが先に審議してもよい。両院の審議結果が異なる場合，衆議院で再可決（出席議員の3分の2以上）すれば法律となる。

□予算案は衆議院が先に審議する。参議院の議決が異なり，両院協議会でも一致に至らない場合，衆議院の議決が国会の議決となる。

□内閣総理大臣の指名は，衆議院と参議院の議決が異なり，両院協議会でも一致に至らない場合，衆議院の議決が国会の議決となる。

B 2 内閣　　頻出 青森，山梨，奈良，和歌山，香川，福岡，長崎

●内閣の仕組み

□内閣は，内閣総理大臣（首相）と国務大臣から構成される。

⏱□【 議院内閣制 】…内閣は，国会の信任に基づいて成立し，国会に対して責任を負う。

●内閣の仕事

□法律の執行，国務の総理，外交関係の処理，条約の締結，予算の作成，政令の制定，最高裁判所長官の指名など。

A 3 裁判所　　　　　　　頻出 栃木，愛知，兵庫，広島，佐賀，長崎

●裁判所の種類・仕組み

□【 最高裁判所 】…最も上級の裁判所。長官と14名の判事からなる。

□【 下級裁判所 】…高等裁判所，地方裁判所，簡易裁判所，家庭裁判所の4種類がある。

⏱□【 三審制 】…裁判は3度まで。判決に不服の者は，上の裁判所に上訴する。一審→二審の場合は控訴，二審→三審の場合は上告という。

□裁判は，私人間の争いの民事裁判と，犯罪の有罪・無罪を決める刑事裁判に分かれる。後者では，検察官が原告となる。

●裁判員制度

⏱□有権者から選ばれた裁判員が，重大事件の刑事裁判の第一審に参加する（2009年5月より開始）。裁判官3人と裁判員6人の合議制。

□全員の意見が一致しない場合は，多数決により評決する（ただし，裁判官と裁判員の双方の意見を含む）。

B 4 三権分立　　　　　　　頻出 東京，愛知，鹿児島

国会（立法），内閣（行政），そして裁判所（司法）は相互に均衡し，抑制し合っている。いわゆる三権分立である。以下は，図解である。

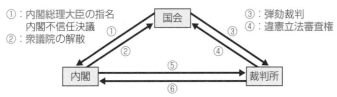

①：内閣総理大臣の指名　　内閣不信任決議
②：衆議院の解散
③：弾劾裁判
④：違憲立法審査権
⑤：最高裁長官指名，最高裁裁判官任命
⑥：行政処分の違憲・違法審査

□国民は，国会議員を選挙し，内閣に世論で働きかけ，最高裁判所の裁判官を10年おきに審査する（国民審査）。

地方自治と選挙

ここが出る！ ▶▶
- 議会と首長の関係，地方財政の実情，地方自治に際して住民が有する権利について知っておこう。
- 選挙の方式としては，どのようなものがあるか。それぞれの基本的な性質を押さえよう。

C 1 地方自治の仕組みと仕事　　頻出 奈良，佐賀

「地方自治は民主主義の学校」と言われる（ブライス）。

● **議決機関（議会）**

□議員…住民の選挙で選ばれる。任期は4年。

□会期…毎年開かれる定例会と臨時会がある。

□仕事…条例の制定・改廃，予算の議決，**決算**の承認，**行政**の監視など。

● **議会と首長の関係**

□議会は，首長の不信任を決議することができる。それには，総議員の3分の2以上の出席，その4分の3以上の賛成が必要。

□その場合，首長は10日以内に議会を解散できる。それをしない時，あるいは解散後の議会で再び不信任の議決があった時は，失職する。

● **地方公共団体の仕事**

□【　自治事務　】…自己決定に基づいて行われる事務。

□【　法定受託事務　】…利便性や効率性から，国に代わって行う事務。

B 2 地方自治と選挙　　頻出 東京，神奈川，京都，長崎，大分，鹿児島

● **参政権**

	衆議院議員	地方議会議員	市町村長	参議院議員	都道府県知事
選挙権	満18歳以上（2016年の参議院選挙より）				
被選挙権	満25歳以上			満30歳以上	

□昔は，多額の税金を納める成人男子しか選挙権を持てなかった。

選挙法公布年	1889	1900	1919	1925	1945
選挙人の性・年齢	男25歳以上	男25歳以上	男25歳以上	男25歳以上	男女20歳以上
直接国税	15円以上	10円以上	3円以上	制限なし	制限なし

●直接請求権

種類	必要な署名数
①条例の制定・改廃請求	有権者総数の50分の1以上の連署
②事務の監査請求	
③議員・首長の解職請求	有権者総数の3分の1以上の連署
④議会の解散請求	

□①は首長，②は監査委員，③と④は選挙管理委員会に請求する。

□①は議会の過半数賛成で議決となり，③と④は住民投票の過半数同意で解職（解散）となる。

●選挙

選挙制度は，公職選挙法に基づく。

□【 小選挙区制 】…定員1名。多数代表制の性格を持つ。政局は安定するが，死票が多くなる。

□【 大選挙区制 】…定員2名以上。少数代表制の性格を持つ。死票は少ないが，政局が不安定になる。

⏱□【 比例代表制 】…得票数に比例して，議席を各政党に与える。小党が分立しやすく，政局が不安定になる欠点がある。

□国会の衆議院選挙は，小選挙区比例代表並立制による。小選挙区で289名，比例代表で176名を選出する。

⏱□参議院選挙は，都道府県単位の選挙区（ただし，鳥取・島根，徳島・高知は合区）で148名，全国の比例代表で100名を選出する。

●例題

A党の得票数が1800，B党が1500，C党が1200，D党が900で，定数が8の場合，比例代表制の**ドント式**による議席の配分数は？

	A党	B党	C党	D党
1で割った商	**1800**	**1500**	**1200**	**900**
2で割った商	**900**	**750**	**600**	450
3で割った商	**600**	500	400	300

（解法）

整数で各党の得票数を割っていき，得られた商の上位8位までをとる。上表の**太字**の数字がそれで，A党は3人，B党は2人，C党は2人，D党は1人となる。

ここが出る! ▶▶

・価格決定の基本的メカニズムを押さえよう。需要曲線と供給曲線の図はよく出題されるので，目に焼き付けておこう。

・国の財政の現状について知っておこう。歳入や歳出の円グラフがよく出る。

C 1 経済活動の主体

⏱ □政府，家計，企業の活動によって，経済は回る。

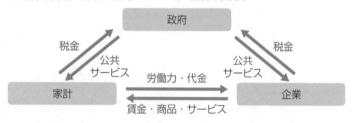

B 2 価格

頻出 富山，神戸市，佐賀

●価格の決まり方

⏱ □価格は，需要側（買い手）と供給側（売り手）の相互作用によって決定される。このような価格を市場価格という。

□以下の例の場合，5,000円に価格が落ち着くことになる。

ある商品の需要曲線と供給曲線

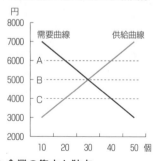

A：6,000円の場合
供給側は40個売りたいが，需要側は20個しか求めていない。20個の超過供給。
〈高すぎる! まけろ!〉

B：5,000円の場合
供給量と需要量が30個で一致。ちょうどいい。均衡価格という。

C：4,000円の場合
需要側は40個求めているが，供給側は20個しか売りたくない。20個の超過需要
〈安すぎる! これじゃ赤字だ!〉

●企業の集中と独占

□【　カルテル　】…生産量や販売価格などについて協定を結ぶこと。

□【　トラスト　】…いくつかの企業が，一つの大企業に合同すること。

□【　コンツェルン　】…親会社が株式保有を通じて，広域部門の複数の
会社を支配し，利益を図ること。

⏱□こうした事態を防ぐため，<u>独占禁止法</u>が制定され，<u>公正取引委員会</u>が
その運用にあたっている。

B 3 金融

頻出 埼玉，千葉，神戸市

●金融

⏱□【　消費者金融　】…個人の生活資金を融通する。

□【　企業金融　】…企業の事業資金を融通する。

●銀行

□金融の主な担い手は銀行である。銀行は，預金を受け入れて（<u>預金</u>業
務），その資金を貸し付ける（<u>貸出</u>業務）。

□銀行は数多くあるが，国の中央銀行として重要な役割を果たすのは<u>日
本銀行</u>，通称「日銀」である。主な役割は以下の3つ。

ア　<u>発券</u>銀行…国の通貨である日本銀行券を発行する。

イ　<u>銀行</u>の銀行…一般の金融機関から預金を受け，一般の金融機関へ
の貸し付けを行う。

ウ　<u>政府</u>の銀行…政府の金の出納，ならびに政府への貸し付け。

●金融政策

原理的にいって，不況の時は「カネ回り」をよくし，好況の時はそれを
抑制する。具体的な操作として，以下のものがある。

⏱□【　公開市場操作　】…通貨量（世の中に出回っているお金の量）を操作
して，経済活動を調節する。

□【　預金準備率操作　】…一般の銀行は，自らが受けている貯金の一定
割合を，支払準備金として日銀に預ける。この割合（<u>預金準備率</u>）を操
作して，通貨量を調節する。

□【　政策金利操作　】…金融機関同士が融資し合う際の金利（コールレ
ート）を調節することで，通貨量を調節する。

●景気変動

□【　インフレーション　】…景気過熱で物価が持続的に上がること。

□【　デフレーション　】…景気後退で物価が持続的に下がること。

□【　スタグフレーション　】…景気停滞と物価上昇が同時に起きること。

●財政の機能

□【 資源配分の調整 】…利益のない事業やサービス（道路や公園の整備，警察，消防など）を行う。

□【 所得の再分配 】…所得の格差是正を行う。**累進課税**や各種の社会保障制度によって，高所得層から低所得層への所得の移転を図る。

□【 景気の調整 】…公共投資や税金の操作によって，景気を調整する。不況時は公共投資を増大し，税額を下げるなど。

□累進課税制度や社会保障制度による景気の自動調節機能を，ビルトイン・スタビライザーという。

●財政の収入

□国の財政収入は，租税と公債発行による資金の借り入れからなる。近年，**公債依存度**が高まっていることが問題視されている。

□租税には，直接税と間接税とがある（直間比率〈国税＋地方税〉は 7：3 ）。なお，国の税金は国税，地方公共団体の税金は地方税という。

・直接税…納税義務者＝租税負担者（所得税，法人税，相続税など）

・間接税…納税義務者≠租税負担者（消費税など）

		直接税	間接税
国税		所得税，法人税，相続税，贈与税など	消費税，酒税，たばこ税，関税など
地方税	道府県税	道府県民税，事業税，自動車税など	道府県たばこ税，地方消費税など
	市町村税	市町村民税，固定資産税，軽自動車税など	市町村たばこ税，入湯税など

□主な公債として，以下のものがある。なお，発行者が国の場合は国債，それが地方公共団体の場合は地方債という。

・赤字公債…財政赤字の埋め合わせのための公債。

・建設公債…公共事業などの財源捻出のための公債。

□2024年度の一般会計歳入内訳は，所得税が15.9％，法人税が15.1％，消費税が21.2％，公債金が31.5％，となっている。

●財政の支出

□2024年度の一般会計歳出内訳は，社会保障関係費が33.5％，地方交付

税交付金が15.8%，国債費が24.0%，となっている。

□国の信用をもとに集められた資金を，社会資本の整備事業などに政府が投資・融資することを財政投融資という。

A 5 消費者保護・環境問題 　頻出 新潟，名古屋市，京都市，熊本

経済について回る，消費者保護と環境問題である。

●消費者保護

□【 製造物責任法 】…製品の欠陥により，消費者が被害を被った場合，製造者は賠償の責任を負う。PL法ともいう。

□【 クーリング・オフ制度 】…訪問販売などで購買契約を結んでも，一定期間内なら，契約を無条件で取り消せる制度。

□【 消費者契約法 】…2001年より施行，不当な契約と気付いてから6か月以内なら，消費者は契約を取り消せる。

●環境保護

□四大公害病として，①水俣病，②新潟水俣病，③イタイイタイ病，④四日市ぜんそく，がある。

□【 PPP 】…環境汚染の損害賠償は，公害を起こした企業が負担すべきという原則。

□【 環境基本法 】…1993年，地球環境保護を想定して制定。

□【 環境アセスメント法 】…大規模開発の前に環境への影響を査定。

□【 循環型社会形式推進法 】…循環型社会に向けた取組を推進。

●環境保全の国際的な取組

1972年	ストックホルムで国連人間環境会議開催。人間環境宣言採択。
1973年	ワシントン条約採択。絶滅の恐れのある野生動物を保護。
1992年	リオデジャネイロで地球サミット(国連環境開発会議)開催。アジェンダ21採択。
1997年	温暖化防止京都会議開催。温室効果ガス5％削減を目指す。
2002年	ヨハネスブルクで環境開発サミット開催。
2015年	パリ協定採択。産業革命前からの気温上昇を2度未満に抑える。SDGs(持続可能な開発目標)を採択。

●日本の文化遺産・自然遺産

文化遺産	原爆ドーム，富士山，富岡製糸場，長崎と天草のキリシタン関連施設，百舌鳥，古市古墳群，縄文遺跡群など。
自然遺産	知床，白神山地，屋久島，小笠原諸島，奄美・沖縄。

社会保障

ここが出る! ▶▶

・労働三権と労働三法を覚えよう。また，それを規定している日本国憲法の条文もみておこう。
・少子高齢化の進展により，社会保障の重要性が高まっている。社会保障制度の下位分類はよく出題されるので，しっかり覚えよう。

C **1** 労働者の権利 　　　　　　　　　頻出 富山

働くにあたって，知っておくべきことだ。

●憲法規定

□すべて国民は，勤労の権利を有し，義務を負ふ（日本国憲法第27条）。

⏱□勤労者の団結する権利及び団体交渉その他の団体行動をする権利は，これを保障する（第28条）。

●労働三権

⏱□【　団結権　】…団結して労働組合を結成する権利。

⏱□【　団体交渉権　】…労働条件や待遇の改善のため，組合が使用者と交渉する権利。

⏱□【　団体行動権　】…団体交渉が決裂した時，組合がストライキなどの争議行為を行う権利。争議権ともいう。

●労働三法

□【　労働基準法　】…賃金，労働時間，休日などの労働条件について定めたもの。

□【　労働組合法　】…使用者と組合の間で労働契約を締結することなどを定めたもの。

□【　労働関係調整法　】…労使関係の公正な調整や，争議行為の予防・解決のための諸事項を定めたもの。

●その他の重要法規・用語

□【　男女雇用機会均等法　】…1985年に制定された法律。募集・採用・配置・昇進に際して，男女差別を禁止。

□【　育児・介護休業法　】…1歳未満（原則）の子を養育する**育児休業**，通算93日（3か月）までの**介護休業**を保障。

□【　ワークライフバランス　】…仕事と生活の調和。

B 2 社会保障　　　　　　　　頻出 岩手，栃木，愛知

日本は，65歳以上人口が21%を超える**超高齢社会**だ。

● 社会保障の種類

⏱️□ 社会保障は，社会保険，公的扶助，社会福祉，公衆衛生の4つの柱からなる。

● **社会保険**

□【 医療保険 】…共済組合，組合管掌健康保険，国民健康保険など。

□【 年金保険 】…高齢になった時や障害を負った時の給付金。日本は，現役世代が払った年金を高齢者に支給する賦課方式。

□【 雇用保険 】…失業者に一定期間給付される資金。

□【 労災保険 】…勤務中の怪我の治療費や補償金。

□【 介護保険 】…介護サービスを受けるために必要な資金を支援。**40歳**から保険料を支払う。

● **公的扶助**

□ **公的扶助**とは，国が最低限の生活を保障する制度。生活保護を中心とする。生活保護は，生活扶助，教育扶助，住宅扶助，医療扶助，出産扶助，生業扶助，葬祭扶助，介護扶助の8種類からなる。

● **社会福祉**

□ **社会福祉**は，社会的に弱い立場にある人々の援助を図る制度。障害者福祉，高齢者福祉，児童福祉の3種類がある。

□ 生活保護法，児童福祉法，身体障害者福祉法，知的障害者福祉法，老人福祉法，母子及び寡婦福祉法を合わせて**福祉六法**という。

● **公衆衛生**

□ **公衆衛生**とは，国民の健康増進や疾病予防のため，生活環境や医療などを整備すること。保健所が主導的な役割を果たす。

C 3 社会保障の歴史

世界と日本について，著名な事項のみを掲げる。

□ 世界…**エリザベス救貧法**(1601年)→**ビバリッジ報告**(1942年)→**世界人権宣言**(1948年)→社会保障憲章(1961年)

□ 日本…**恤救規則**(1874年)→救護法(1929年)→国民健康保険法(1958年)→**国民年金法**(1959年)→**介護保険制度**(2000年)

国際社会

頻出度 **B**

ここが出る！ ▶▶
・国際社会の運営主体である国際連合について詳しく知っておこう。とくに，国連の6つの主要機関は重要である。
・国連関係の機関について，名称，略称，本部所在地を押さえておこう。略称を提示し，正式名称を答えさせる問題がよく出る。

B 1 国際連合

頻出 名古屋市，神戸市，愛媛，長崎

第二次世界大戦が終わった<u>1945</u>年，サンフランシスコ会議で国際連合憲章が採択され，**国際連合**が成立した。現在，<u>193</u>カ国が加盟。

●国連の仕組み

主な機関は以下のとおり。国連本部は<u>ニューヨーク</u>にある。

□【 総会 】…国連の主要な審議機関。1国1票の多数決制。重要事項については，<u>3分の2</u>の賛成を要する。

□【 安全保障理事会 】…国際平和と安全を守るための機関。安保理の常任理事国は，米・英・仏・露・中の5カ国。重要事項については，5カ国全ての賛成が必要（**五大国一致**の原則）。

□【 経済社会理事会 】…経済的・社会的な問題を処理する機関。

□【 国際司法裁判所 】…オランダの**ハーグ**にある国連の司法機関。15人の裁判官からなる。

□【 事務局 】…国連の仕事を遂行する事務職員の組織。

●PKO

□【 PKO 】…国連平和維持活動のこと。加盟国から提供された要員からなる軍（PKF）を紛争現地に派遣し，停戦監視などを行う。

□<u>1992</u>年に，日本は初めてPKOに参加した。

●主権国家の要件

□国家が成り立つ3要素は，<u>領域</u>，主権，<u>国民</u>である。

B 2 国際的な経済協力

頻出 岩手，富山，愛知，神戸市，香川

●経済協力

□【 WTO 】…世界貿易機関。GATTの後を受け1995年発足。

□【 OECD 】…経済協力開発機構。加盟38カ国。

□【 **サミット** 】…主要国首脳会議。アメリカ，イギリス，フランス，ドイツ，イタリア，**日本**，カナダの 7 カ国とEUの首脳の会合。

●地域的な結びつき

□【 **EU** 】…欧州連合。1993年発足。イギリスは2020年 1 月に離脱。

□【 **EFTA** 】…欧州自由貿易連合。本部はジュネーブ。

□【 **APEC** 】…アジア太平洋経済協力会議。1989年，オーストラリアの提唱により発足。

□【 **ASEAN** 】…東南アジア諸国連合。1967年発足。加盟10カ国。

□【 **AU** 】…アフリカ連合。アフリカ55の国・地域が加盟。

□【 **USMCA** 】…アメリカ・メキシコ・カナダ協定。2020年発効。

□【 **MERCOSUR** 】…南米南部共同市場。1995年発足。

●途上国への日本の経済協力

□ODA(政府開発援助)，NGO(非政府組織)による援助活動。JICAは，青年海外協力隊派遣などのボランティア活動を行っている。

●貿易

□【 **フェアトレード** 】…公正価格の取引で，途上国を支える。

	メリット	デメリット
保護貿易	国内の産業を守れる	物資を国外に頼れない
自由貿易	物資を国外から安く得られる	食料自給率低下の恐れ

□円安は「輸出有利・輸入不利」，円高はその反対。外国人が日本を旅行する場合，円安の時の方が割安。

C 3 国際連合関係の機関　　頻出 福島，山口

名称(略称)	本部	主な活動
ユネスコ(UNESCO)	パリ	教育の普及，文化交流
国際労働機関(ILO)	ジュネーブ	労働条件の改善
国連開発計画(UNDP)	ニューヨーク	持続可能な開発の促進
国連環境計画(UNEP)	ナイロビ	環境保全を主導
世界保健機関(WHO)	ジュネーブ	疫病や感染症の撲滅
国際復興開発銀行(IBRD)	ワシントン	途上国の経済構造改革
国際通貨基金(IMF)	ワシントン	為替相場の安定，融資
世界貿易機関(WTO)	ジュネーブ	貿易の国際ルールを確立
国連児童基金(UNICEF)	ニューヨーク	途上国の児童への援助
国連貿易開発会議(UNCTAD)	ジュネーブ	南北問題の解決

●Answer●

□1 社会科の目標と内容は，中学年（第3・4学年）と高学年（第5・6学年）とに分けて示されている。 →P.38〜47

1 ×
第3学年，第4学年，第5学年，第6学年に分かれる。

□2 「我が国の国土の様子と国民生活」は，社会科の第6学年の内容に含まれる。 →P.49

2 ×
第5学年の内容である。

□3 地球表面のあらゆる部分の角度が正しいもので，海図などに用いられる地図をメルカトル図法という。 →P.50

3 ○
著名な3つの図法の区別をつけること。

□4 温帯に属する気候で，夏は高温乾燥で冬は比較的多雨という特性を持つ気候は，西岸海洋性気候である。 →P.53

4 ×
西岸海洋性気候ではなく，地中海性気候である。

□5 日本の南端の島は，北緯20°に位置する与那国島である。 →P.56

5 ×
沖ノ鳥島である。

□6 2022年度の日本の総合食料自給率は38％で，品目別では米が99％と最も高い。 →P.60

6 ○

□7 鎌倉時代の1221年，武家政治に対して，白河上皇が起こした反乱のことを承久の乱という。 →P.63

7 ×
白河上皇ではなく，後鳥羽上皇である。

□8 長州藩の出身で，わが国の初代内閣総理大臣となったのは伊藤博文である。 →P.68

8 ○

□9 国会の衆議院の定数は248名である。 →P.72

9 ×
465名である。

□10 歳出費目で最も多いのは社会保障関係費である。 →P.78

10 ○

□11 労働者を保護する労働三法は，労働基準法，労働組合法，および労働関係調整法である。 →P.80

11 ○
労働三権についても押さえよう。

□12 国際連合の安全保障理事会の常任理事国は，アメリカ，イギリス，フランス，ロシア，インドの5カ国である。 →P.82

12 ×
インドではなく，中国である。

算数

　算数科の内容は多岐にわたるが，各学年で扱う内容を答えさせる問題が多い。新学習指導要領の原文を読み込んでおく必要がある。教科の内容については，文章題が多い。本書の頻出度ランクでＡのついたテーマ，具体的には，方程式の応用，２次関数，三角形，そして図形の面積・体積に関する問題がよく出題される。といっても，基本的な問題ばかりである。本書で要点を押さえると同時に，中学校レベルの問題集で実戦力をつけておこう。

● 算数（学習指導要領）

算数科の目標と内容 頻出度 **A**

- ・算数科の目標を覚えよう。机上の学習だけでなく，日常生活の問題を念頭に置き，活動を通して学ぶことに注意。
- ・算数科の内容はA〜Dの4領域に分かれる。各学年の内容を識別させる問題が多い。とくに，Bの図形の内容がよく出る。

A 1 算数科の目標 　頻出 岩手，福島，埼玉，山梨，愛媛，宮崎

教科全体の目標である。空欄補充の問題が予想される。

⏱ □数量や図形などについての基礎的・基本的な概念や性質などを理解するとともに，日常の事象を数理的に処理する技能を身に付けるようにする。

⏱ □日常の事象を数理的に捉え見通しをもち筋道を立てて考察する力，基礎的・基本的な数量や図形の性質などを見いだし統合的・発展的に考察する力，数学的な表現を用いて事象を簡潔・明瞭・的確に表したり目的に応じて柔軟に表したりする力を養う。

⏱ □数学的活動の楽しさや数学のよさに気付き，学習を振り返ってよりよく問題解決しようとする態度，算数で学んだことを生活や学習に活用しようとする態度を養う。

B 2 算数科の各学年の目標 　頻出 北海道，岩手，福島，香川

1〜6年生の目標を識別できるようにしよう。

●第1学年

⏱ □数の概念とその表し方及び計算の意味を理解し，量，図形及び数量の関係についての理解の基礎となる経験を重ね，数量や図形についての感覚を豊かにするとともに，加法及び減法の計算をしたり，形を構成したり，身の回りにある量の大きさを比べたり，簡単な絵や図などに表したりすることなどについての技能を身に付けるようにする。

□ものの数に着目し，具体物や図などを用いて数の数え方や計算の仕方を考える力，ものの形に着目して特徴を捉えたり，具体的な操作を通して形の構成について考えたりする力，身の回りにあるものの特徴を量に着目して捉え，量の大きさの比べ方を考える力，データの個数に

着目して身の回りの事象の特徴を捉える力などを養う。

□<u>数量</u>や図形に親しみ，算数で学んだことのよさや<u>楽しさ</u>を感じながら学ぶ態度を養う。

● 第2学年

⏱ □数の概念についての理解を深め，<u>計算</u>の意味と性質，基本的な図形の概念，量の概念，簡単な表と<u>グラフ</u>などについて理解し，数量や図形についての<u>感覚</u>を豊かにするとともに，加法，減法及び<u>乗法</u>の計算をしたり，図形を構成したり，<u>長さ</u>やかさなどを測定したり，<u>表</u>やグラフに表したりすることなどについての技能を身に付けるようにする。

□数とその表現や数量の関係に着目し，必要に応じて<u>具体物</u>や図などを用いて数の表し方や計算の仕方などを考察する力，<u>平面図形</u>の特徴を図形を構成する要素に着目して捉えたり，身の回りの事象を図形の性質から考察したりする力，身の回りにあるものの特徴を<u>量</u>に着目して捉え，量の<u>単位</u>を用いて的確に表現する力，身の回りの事象を<u>データ</u>の特徴に着目して捉え，簡潔に<u>表現</u>したり考察したりする力などを養う。

□数量や図形に進んで関わり，数学的に表現・<u>処理</u>したことを振り返り，<u>数理的</u>な処理のよさに気付き生活や学習に<u>活用</u>しようとする態度を養う。

● 第3学年

⏱ □数の表し方，<u>整数</u>の計算の意味と性質，<u>小数</u>及び分数の意味と表し方，基本的な図形の概念，量の概念，<u>棒グラフ</u>などについて理解し，数量や図形についての<u>感覚</u>を豊かにするとともに，整数などの計算をしたり，図形を構成したり，長さや<u>重さ</u>などを測定したり，表や<u>グラフ</u>に表したりすることなどについての技能を身に付けるようにする。

□数とその表現や数量の<u>関係</u>に着目し，必要に応じて<u>具体物</u>や図などを用いて数の表し方や<u>計算</u>の仕方などを考察する力，<u>平面図形</u>の特徴を図形を構成する要素に着目して捉えたり，身の回りの事象を図形の性質から考察したりする力，身の回りにあるものの特徴を<u>量</u>に着目して捉え，量の単位を用いて的確に表現する力，身の回りの事象を<u>データ</u>の特徴に着目して捉え，簡潔に<u>表現</u>したり適切に判断したりする力などを養う。

□第2学年の3番目の項目と同じ。

●第4学年

⏱ □小数及び分数の意味と表し方，四則の関係，平面図形と立体図形，面積，角の大きさ，折れ線グラフなどについて理解するとともに，整数，小数及び分数の計算をしたり，図形を構成したり，図形の面積や角の大きさを求めたり，表やグラフに表したりすることなどについての技能を身に付けるようにする。

□数とその表現や数量の関係に着目し，目的に合った表現方法を用いて計算の仕方などを考察する力，図形を構成する要素及びそれらの位置関係に着目し，図形の性質や図形の計量について考察する力，伴って変わる二つの数量やそれらの関係に着目し，変化や対応の特徴を見いだして，二つの数量の関係を表や式を用いて考察する力，目的に応じてデータを収集し，データの特徴や傾向に着目して表やグラフに的確に表現し，それらを用いて問題解決したり，解決の過程や結果を多面的に捉え考察したりする力などを養う。

□数学的に表現・処理したことを振り返り，多面的に捉え検討してよりよいものを求めて粘り強く考える態度，数学のよさに気付き学習したことを生活や学習に活用しようとする態度を養う。

●第5学年

⏱ □整数の性質，分数の意味，小数と分数の計算の意味，面積の公式，図形の意味と性質，図形の体積，速さ，割合，帯グラフなどについて理解するとともに，小数や分数の計算をしたり，図形の性質を調べたり，図形の面積や体積を求めたり，表やグラフに表したりすることなどについての技能を身に付けるようにする。

□数とその表現や計算の意味に着目し，目的に合った表現方法を用いて数の性質や計算の仕方などを考察する力，図形を構成する要素や図形間の関係などに着目し，図形の性質や図形の計量について考察する力，伴って変わる二つの数量やそれらの関係に着目し，変化や対応の特徴を見いだして，二つの数量の関係を表や式を用いて考察する力，目的に応じてデータを収集し，データの特徴や傾向に着目して表やグラフに的確に表現し，それらを用いて問題解決したり，解決の過程や結果を多面的に捉え考察したりする力などを養う。

□第4学年の3番目の項目と同じ。

●第6学年

⏱□分数の計算の意味，<u>文字</u>を用いた式，図形の意味，図形の体積，<u>比</u><u>例</u>，<u>度数分布</u>を表す表などについて理解するとともに，分数の計算をしたり，図形を<u>構成</u>したり，図形の面積や体積を求めたり，<u>表</u>やグラフに表したりすることなどについての技能を身に付けるようにする。

□数とその表現や計算の意味に着目し，<u>発展的</u>に考察して問題を見いだすとともに，目的に応じて多様な表現方法を用いながら数の表し方や計算の仕方などを考察する力，図形を構成する要素や図形間の<u>関係</u>などに着目し，図形の性質や図形の<u>計量</u>について考察する力，伴って変わる二つの数量やそれらの関係に着目し，変化や対応の特徴を見いだして，二つの数量の関係を表や式，<u>グラフ</u>を用いて考察する力，身の回りの事象から設定した問題について，目的に応じてデータを収集し，データの特徴や傾向に着目して適切な手法を選択して<u>分析</u>を行い，それらを用いて<u>問題解決</u>したり，解決の過程や結果を批判的に考察したりする力などを養う。

□第4学年の3番目の項目と同じ。

B 3 算数科の内容A（数と計算） 頻出 沖縄

『小学校学習指導要領解説・算数編』に出ている，内容構成の表に依拠する。以下，同じとする。

●第1学年

□<u>数</u>の構成と表し方

<u>個数</u>を比べること／個数や<u>順番</u>を数えること／数の大小，順序と<u>数直</u><u>線</u>／<u>2位数</u>の表し方／簡単な場合の<u>3位数</u>の表し方／<u>十</u>を単位とした数の見方／まとめて数えたり等分したりすること

□<u>加法</u>，減法

加法，減法が用いられる場合とそれらの意味／加法，減法の式／<u>1位数</u>の加法とその逆の減法の計算／簡単な場合の<u>2位数</u>などの加法，減法

●第2学年

□数の構成と表し方

まとめて数えたり，分類して数えたりすること／<u>十進位取り記数法</u>／数の相対的な大きさ／一つの数をほかの数の<u>積</u>としてみること／数による分類整理／2分の1，3分の1など簡単な<u>分数</u>

□加法，減法

　2位数の加法とその逆の減法／簡単な場合の3位数などの加法，減法／加法や減法に関して成り立つ性質／加法と減法との相互関係

□乗法

　乗法が用いられる場合とその意味／乗法の式／乗法に関して成り立つ簡単な性質／乗法九九／簡単な場合の2位数と1位数との乗法

●第3学年

□数の表し方

　万の単位／10倍，100倍，1000倍，10分の1の大きさ／数の相対的な大きさ

□加法，減法

　3位数や4位数の加法，減法の計算の仕方／加法，減法の計算の確実な習得

□乗法

　2位数や3位数に1位数や2位数をかける乗法の計算／乗法の計算が確実にでき，用いること／乗法に関して成り立つ性質

□除法

　除法が用いられる場合とその意味／除法の式／除法と乗法，減法との関係／除数と商が1位数の場合の除法の計算／簡単な場合の除数が1位数で商が2位数の除法

□小数の意味と表し方

　小数の意味と表し方／小数の加法，減法

□分数の意味と表し方

　分数の意味と表し方／単位分数の幾つ分／簡単な場合の分数の加法，減法

□数量の関係を表す式

　□を用いた式

□そろばん

　そろばんによる数の表し方／そろばんによる計算の仕方

●第4学年

□整数の表し方

　億，兆の単位

□概数と四捨五入

概数が用いられる場合／四捨五入／四則計算の結果の見積り

□整数の除法

　除数が1位数や2位数で被除数が2位数や3位数の除法の計算の仕方／除法の計算を用いること／被除数，除数，商及び余りの間の関係／除法に関して成り立つ性質

□小数の仕組みとその計算

　小数を用いた倍／小数と数の相対的な大きさ／小数の加法，減法／乗数や除数が整数である場合の小数の乗法及び除法

□同分母の分数の加法，減法

　大きさの等しい分数／分数の加法，減法

□数量の関係を表す式

　四則を混合した式や（　）を用いた式／公式／□，△などを用いた式。

□四則に関して成り立つ性質

□そろばん

　そろばんによる計算の仕方

● 第5学年

□整数の性質

　偶数，奇数／約数，倍数

□整数，小数の記数法

　10倍，100倍，1000倍，10分の1，100分の1などの大きさ

□小数の乗法，除法

　小数の乗法，除法の意味／小数の乗法，除法の計算／計算に関して成り立つ性質の小数への適用

□分数の意味と表し方

　分数と整数，小数の関係／除法の結果と分数／同じ大きさを表す分数／分数の相等と大小

□分数の加法，減法

　異分母の分数の加法，減法

□数量の関係を表す式

● 第6学年

□分数の乗法，除法

　分数の乗法及び除法の意味／分数の乗法及び除法の計算／計算に関して成り立つ性質の分数への適用（分数×整数，分数÷整数）

□文字を用いた式

A 4 　算数科の内容B（図形）　頻出 青森，千葉，京都市，和歌山，佐賀

●第1学年

□図形についての理解の基礎

　　形とその特徴の捉え方／形の構成と分解／方向やものの位置

●第2学年

□三角形や四角形などの図形

　　三角形，四角形／正方形，長方形と直角三角形／正方形や長方形の面

　　で構成される箱の形

●第3学年

□二等辺三角形，正三角形などの図形

　　二等辺三角形，正三角形／角／円，球

●第4学年

□平行四辺形，ひし形，台形などの平面図形

　　直線の平行や垂直の関係／平行四辺形，ひし形，台形

□立方体，直方体などの立体図形

　　立方体，直方体／直線や平面の平行や垂直の関係／見取図，展開図

□ものの位置の表し方

□平面図形の面積

　　面積の単位（cm^2，m^2，km^2）と測定／正方形，長方形の面積

□角の大きさ

　　回転の大きさ／角の大きさの単位と測定

●第5学年

□平面図形の性質

　　図形の形や大きさが決まる要素と図形の合同／多角形についての簡単

　　な性質／正多角形／円周率（3.14 を用いる）

□立体図形の性質

　　角柱や円柱

□平面図形の面積

　　三角形，平行四辺形，ひし形及び台形の面積の計算による求め方

□立体図形の体積

　　体積の単位（cm^3，m^3）と測定／立方体及び直方体の体積の計算による

求め方（メートル法の単位の仕組み）

● **第6学年**

□縮図や拡大図，対称な図形

□概形とおよその面積

□円の面積

□角柱及び円柱の体積

B 5 **算数科の内容C（測定）** 頻出 千葉

内容のCは，1〜3年生は測定，4〜6年生は変化と関係である。

● **第1学年**

□量と測定についての理解の基礎

量の大きさの直接比較，間接比較／任意単位を用いた大きさの比べ方

□時刻の読み方

● **第2学年**

□長さ，かさの単位と測定

長さやかさの単位と測定／およその見当と適切な単位

□時間の単位

● **第3学年**

□長さ，重さの単位と測定

長さや重さの単位と測定／適切な単位と計器の選択

□時刻と時間

A 6 **算数科の内容C（変化と関係）** 頻出 青森，岩手，福島，千葉

● **第4学年**

□伴って変わる二つの数量

変化の様子と表や式，折れ線グラフ

□簡単な場合についての割合

● **第5学年**

□伴って変わる二つの数量の関係

簡単な場合の比例の関係

□異種の二つの量の割合

速さなど単位量当たりの大きさ

□割合（百分率）

●第6学年

□比例

比例の関係の意味や性質／比例の関係を用いた問題解決の方法／反比例の関係

□比

A 7 算数科の内容D（データの活用） 頻出 岩手，広島，大分

新学習指導要領にて，新たに設けられた領域だ。今後は，データ・サイエンティストという仕事への需要が高まる。

●第1学年

□絵や図を用いた数量の表現

●第2学年

□簡単な表やグラフ

●第3学年

□表と棒グラフ

データの分類整理と表／棒グラフの特徴と用い方

●第4学年

□データの分類整理

二つの観点から分類する方法／折れ線グラフの特徴と用い方

●第5学年

□円グラフや帯グラフ

円グラフや帯グラフの特徴と用い方／統計的な問題解決の方法

□測定値の平均

●第6学年

⏱ □データの考察

代表値の意味や求め方[1]／度数分布を表す表やグラフの特徴と用い方／目的に応じた統計的な問題解決の方法

□起こり得る場合

A 8 数学的活動 頻出 富山，京都市，沖縄

算数は，生きた「活動」を通して学ぶ。三角関数は，古代エジプトの測

---

[1]中学校第1学年から移行してきた内容である。

量での必要から生み出された。

●第1学年

⏱□身の回りの事象を観察したり，具体物を操作したりして，数量や形を
見いだす活動。

□日常生活の問題を具体物などを用いて解決したり結果を確かめたりする活動。

□算数の問題を具体物などを用いて解決したり結果を確かめたりする活動。

⏱□問題解決の過程や結果を，具体物や図などを用いて表現する活動。

●第2・3学年

□身の回りの事象を観察したり，具体物を操作したりして，数量や図形に進んで関わる活動。

□日常の事象から見いだした算数の問題を，具体物，図，数，式などを用いて解決し，結果を確かめる活動。

□算数の学習場面から見いだした算数の問題を，具体物，図，数，式などを用いて解決し，結果を確かめる活動。

□問題解決の過程や結果を，具体物，図，数，式などを用いて表現し伝え合う活動。

●第4・5学年

□日常の事象から算数の問題を見いだして解決し，結果を確かめたり，日常生活等に生かしたりする活動。

□算数の学習場面から算数の問題を見いだして解決し，結果を確かめたり，発展的に考察したりする活動。

□問題解決の過程や結果を，図や式などを用いて数学的に表現し伝え合う活動。

●第6学年

□日常の事象を数理的に捉え問題を見いだして解決し，解決過程を振り返り，結果や方法を改善したり，日常生活等に生かしたりする活動。

□算数の学習場面から算数の問題を見いだして解決し，解決過程を振り返り統合的・発展的に考察する活動。

□問題解決の過程や結果を，目的に応じて図や式などを用いて数学的に表現し伝え合う活動。

算数科の指導計画の作成と内容の取扱い 頻出度 B

ここが出る！
- 算数科の抽象的な内容は，具体物を通して児童の直観に訴えるような学習活動を通して習得させる。
- 各学年で取り扱う用語・記号を知っておこう。どの学年のものかを答えさせる問題が出る。

B 1 算数科の指導計画の作成に当たっての配慮事項 [頻出 岩手]

□単元など内容や時間のまとまりを見通して，その中で育む資質・能力の育成に向けて，数学的活動を通して，児童の主体的・対話的で深い学びの実現を図るようにすること。その際，数学的な見方・考え方を働かせながら，日常の事象を数理的に捉え，算数の問題を見いだし，問題を自立的，協働的に解決し，学習の過程を振り返り，概念を形成するなどの学習の充実を図ること。

□各学年の内容は，次の学年以降においても必要に応じて継続して指導すること。数量や図形についての基礎的な能力の習熟や維持を図るため，適宜練習の機会を設けて計画的に指導すること。

□学年間の指導内容を円滑に接続させるため，適切な反復による学習指導を進めるようにすること。

B 2 算数科の内容の取扱いに当たっての配慮事項 [頻出 千葉]

●内容の取扱い

□思考力，判断力，表現力等を育成するため，各学年の内容の指導に当たっては，具体物，図，言葉，数，式，表，グラフなどを用いて考えたり，説明したり，互いに自分の考えを表現し伝え合ったり，学び合ったり，高め合ったりするなどの学習活動を積極的に取り入れるようにすること。

□数量や図形についての感覚を豊かにしたり，表やグラフを用いて表現する力を高めたりするなどのため，必要な場面においてコンピュータなどを適切に活用すること。

□各領域の指導に当たっては，具体物を操作したり，日常の事象を観察したり，児童にとって身近な算数の問題を解決したりするなどの具体

的な<u>体験</u>を伴う学習を通して，数量や図形について<u>実感</u>を伴った理解をしたり，算数を学ぶ<u>意義</u>を実感したりする機会を設けること。

□<u>筆算</u>による計算の技能を確実に身に付けることを重視するとともに，目的に応じて計算の結果の<u>見積り</u>をして，計算の仕方や結果について適切に判断できるようにすること。また，低学年の「A数と計算」の指導に当たっては，<u>そろばん</u>や具体物などの教具を適宜用いて，数と計算についての意味の理解を深めるよう留意すること。

● **数学的活動**

⏱ □<u>数学的活動</u>は，基礎的・基本的な知識及び技能を確実に身に付けたり，思考力，判断力，<u>表現力</u>等を高めたり，算数を学ぶことの楽しさや意義を実感したりするために，重要な役割を果たすものであることから，各学年の内容の「A<u>数と計算</u>」，「B図形」，「C測定」，「C<u>変化と関係</u>」及び「D<u>データの活用</u>」に示す事項については，数学的活動を通して指導するようにすること。

□数学的活動を<u>楽しめる</u>ようにする機会を設けること。

□算数の問題を解決する方法を理解するとともに，自ら<u>問題</u>を見いだし，解決するための構想を立て，実践し，その結果を<u>評価</u>・改善する機会を設けること。

□<u>具体物</u>，図，数，式，表，グラフ相互の<u>関連</u>を図る機会を設けること。

□友達と考えを伝え合うことで学び合ったり，学習の<u>過程</u>と成果を振り返り，よりよく<u>問題解決</u>できたことを実感したりする機会を設けること。

C 3 **用語・記号** 類出 福島

第1学年	一の位　十の位　＋　－　＝
第2学年	直線　直角　頂点　辺　面　単位　×　＞　＜
第3学年	等号　不等号　小数　点　10分の1の位　数直線　分母　分子　÷
第4学年	和　差　積　商　以上　以下　未満　真分数　仮分数　帯分数　平行　垂直　対角線　平面
第5学年	最大公約数　最小公倍数　通分　約分　底面　側面　比例　％
第6学年	線対称　点対称　対称の軸　対称の中心　比の値　ドットプロット　平均値　中央値　最頻値　階級　：

ここが出る! ▶▶

・最大公約数と最小公倍数の求め方を，ひとまず理屈は抜きにして覚えておこう。
・等差数列に関する 2 つの公式を押さえよう。また，自然数の総和の求め方も要注意。それとなく出題されることが多い。

B **1** **四則**　　　　　　　　　　　　頻出 東京，静岡，鹿児島，沖縄

四則とは，加法・減法・乗法・除法の総称のことである。

●四則の混じった計算

上記の 4 つが混じり合っている場合，計算の手順の原則は以下のとおり。

> □乗法ないしは除法を先に計算する。
> 　例　$3+\underline{4 \times 2}=3+\underline{8}=11$
> □カッコがある場合，カッコ内を先に計算する。
> 　例　$6+(\underline{9-10})=6+(\underline{-1})=5$

●分配法則

分配法則を知っておくと，煩雑な計算が楽になることがある。

> □$a(b+c)=ab+ac$
> 　例　$8 \times \left(\dfrac{1}{2}+\dfrac{1}{4}\right)=8 \times \dfrac{1}{2}+8 \times \dfrac{1}{4}=4+2=6$
> □$ab+ac=a(b+c)$
> 　例　$2.56 \times 36+2.56 \times 64=2.56 \times (36+64)=2.56 \times 100=256$

A **2** **公約数と公倍数**　　　　　　　　頻出 岩手，富山，鳥取

公約数と公倍数の概念，それらの求め方を覚えよう。

●概念

□整数 a が整数 b で割り切れる時，b は a の約数，a は b の倍数。

●公約数

□2 つ以上の整数に共通の約数を，それらの公約数といい，その中で最大のものを最大公約数という。下にあるように，12と18の場合，公約数は 1，2，3，6 であり，最大公約数は 6 である。

例　12の約数→**1**，**2**，**3**，4，**6**，12　18の約数→**1**，**2**，**3**，**6**，9，18

□最大公約数は，次のようにして求める。24，36，48を例にしよう。

$$2\,)\underline{\,24\qquad 36\qquad 48\,}$$
$$2\,)\underline{\,12\qquad 18\qquad 24\,}$$
$$3\,)\underline{\,\ 6\qquad\ \ 9\qquad 12\,}$$
$$\quad\ \ 2\qquad\ \ 3\qquad\ \ 4$$

①3つの数を，1以外の小さい数から順に割っていく。1以外の数で割りきれなくなるまで続ける。
②左のタテに並んだ数字（**共通の素因数**）を全てかける。よって，最大公約数は 2×2×3 =12 である。

●公倍数

⏱□2つ以上の整数に共通の倍数を，それらの<u>公倍数</u>といい，その中で最小のものを<u>最小公倍数</u>という。6と9の場合，最小公倍数は<u>18</u>。

例　6の倍数→6，12，**18**，24，30，**36**，42，48，**54**，60，66…
　　9の倍数→9，**18**，27，**36**，45，**54**，63，72，81，90，99…

□最小公倍数は，次のようにして求める。24，36，48を例にしよう。

$$2\,)\underline{\,24\qquad 36\qquad 48\,}$$
$$2\,)\underline{\,12\qquad 18\qquad 24\,}$$
$$3\,)\underline{\,\ 6\qquad\ \ 9\qquad 12\,}$$
$$2\,)\underline{\,\ 2\qquad\ \ 3\qquad\ \ 4\,}$$
$$\quad\ \ 1\qquad\ \ 3\qquad\ \ 2$$

①3つの数を，1以外の小さい数から順に割っていく。いずれの組合せでみても，公約数が1だけになるまで続ける。
②左のタテに並んだ数字，下に並んだ数字を **L字** に全てかける。よって，最小公倍数は 2×2×3×2×1×3×2=144 である。

算　数

数と計算

B 3 数列

頻出 京都市，佐賀

一定の間隔（公差）をおいて数を並べたものを<u>等差数列</u>という。

●等差数列

初項1，公差3の数列を想定してみよう。

| 1 | 4 | 7 | 10 | 13 | 16 | 19 | 22 | 25 | **28** | 31 | 34 | 37 | 40 | 43 | … |

□等差数列の第 n 項の値は，初項＋{公差×(n−1)} で求める。上記の数列の第10項の値は，$1+\{3\times(10-1)\}=1+27=28$。

□等差数列の初項から第 n 項までの総和は，$\frac{1}{2}\times n\times$（初項＋末項）で求める。上の数列の第10項までの総和は，$\frac{1}{2}\times10\times(1+28)=145$。

●自然数の和

⏱□1〜n までの自然数の総和は，$\frac{1}{2}\times n\times(n+1)$ で求める。

□1〜10までの自然数の総和は，$\frac{1}{2}\times10\times(10+1)=55$ となる。

平方根とは何か。それを含む式の計算はどのようにすればよいか。

●概念

□$x^2=a$ の関係が成り立つ時，x を a の<u>平方根</u>という。

□平方根は，プラスとマイナスの双方がある。$2^2=4$，$(-2)^2=4$ である から，4の平方根は2と-2である。**±2** とまとめて書くとよい。

□平方根は，$\sqrt{}$（ルート）という記号で表す。$\sqrt{4}=2$ である。

●平方根を含む式の計算

以下の5つの公式を頭に入れよう。

□$(\sqrt{a})^2=a$	例	$(\sqrt{4})^2=4$
□$\sqrt{a^2}=a$	例	$\sqrt{4^2}=4$
□$\sqrt{a^2b}=a\sqrt{b}$	例	$\sqrt{2^2\times3}=2\sqrt{3}$
□$\sqrt{a}\sqrt{b}=\sqrt{ab}$	例	$\sqrt{2}\times\sqrt{3}=\sqrt{6}$
□$\dfrac{\sqrt{a}}{\sqrt{b}}=\sqrt{\dfrac{a}{b}}$	例	$\dfrac{\sqrt{6}}{\sqrt{3}}=\sqrt{\dfrac{6}{3}}=\sqrt{2}$

●分母の有理化

分母に $\sqrt{}$ を含む数を，分母に $\sqrt{}$ を含まない数に変換することを<u>有理化</u>という。そのやり方は以下のとおり。下段は例である。

□$\dfrac{1}{\sqrt{a}}=\dfrac{1}{\sqrt{a}}\times\dfrac{\sqrt{a}}{\sqrt{a}}=\dfrac{\sqrt{a}}{a}$

$\dfrac{1}{\sqrt{2}}=\dfrac{1}{\sqrt{2}}\times\dfrac{\sqrt{2}}{\sqrt{2}}=\dfrac{\sqrt{2}}{2}$

□$\dfrac{1}{\sqrt{a}+\sqrt{b}}=\dfrac{1}{\sqrt{a}+\sqrt{b}}\times\dfrac{\sqrt{a}-\sqrt{b}}{\sqrt{a}-\sqrt{b}}=\dfrac{\sqrt{a}-\sqrt{b}}{a-b}$

$\dfrac{1}{\sqrt{3}+\sqrt{2}}=\dfrac{1}{\sqrt{3}+\sqrt{2}}\times\dfrac{\sqrt{3}-\sqrt{2}}{\sqrt{3}-\sqrt{2}}=\sqrt{3}-\sqrt{2}$

□$\dfrac{1}{\sqrt{a}-\sqrt{b}}=\dfrac{1}{\sqrt{a}-\sqrt{b}}\times\dfrac{\sqrt{a}+\sqrt{b}}{\sqrt{a}+\sqrt{b}}=\dfrac{\sqrt{a}+\sqrt{b}}{a-b}$

$\dfrac{1}{\sqrt{3}-\sqrt{2}}=\dfrac{1}{\sqrt{3}-\sqrt{2}}\times\dfrac{\sqrt{3}+\sqrt{2}}{\sqrt{3}+\sqrt{2}}=\sqrt{3}+\sqrt{2}$

因数分解に苦しめられた経験を持つ人も多いと思うが，コツさえつか めば，それほど難しいものではない。

●概念

□1つの多項式を，いくつかの単項式や多項式(因数)の積の形に表すことを因数分解という。

□因数分解は，共通の因数をくくり出すことによって行う。

例 $x^2+9x=x(x+9)$ ← 共通の因数は x

$4xy^2-6x^2y+2xy=2xy(2y-3x+1)$ ← 共通の因数は $2xy$

●公式

□$a^2+2ab+b^2=(a+b)^2$ $4x^2+4x+1=(2x)^2+2\times2x\times1+1^2=(2x+1)^2$ ＊$a=2x$，$b=1$
□$a^2-2ab+b^2=(a-b)^2$ $9x^2-12x+4=(3x)^2-2\times3x\times2+2^2=(3x-2)^2$ ＊$a=3x$，$b=2$
□$a^2-b^2=(a+b)(a-b)$ $25x^2-16y^2=(5x)^2-(4y)^2=(5x+4y)(5x-4y)$ ＊$a=5x$，$b=4y$
□$x^2+(a+b)x+ab=(x+a)(x+b)$ $x^2+6x+8=x^2+(2+4)x+2\times4=(x+2)(x+4)$ ＊$a=2$，$b=4$

B 6 単位 頻出 福井，愛知

基本は**メートル法**である。以下は『小学校学習指導要領解説(算数編)』の記述で，例題は福井県の過去問である。

●メートル法の原理

□メートル法では，基にしている単位に，次の表で示すような接頭語を付けて単位を作っている。

ミリ (m)	センチ (c)	デシ (d)		デカ (da)	ヘクト (h)	キロ (k)
1／1000	1／100	1／10	1	10倍	100倍	1000倍

□長さの指導においては，mm，cm，m，kmといった単位を取り扱うが，このときm(ミリ)は1000分の1を表すことや，k(キロ)は1000倍を表すことを理解すると，かさのmL やkL の単位の意味やその単位の大きさが捉えやすくなる。

●例題

□100haは何m^{2}か？ ⇒ 1 haは10000m^{2}だから，100haは1000000m^2。

□27000mgは何kgか？ ⇒ 27000mgは27g。これをkgにすると，27 ÷1000＝0.027kgとなる。

方程式の解き方

> **ここが出る!** ▶▶
> ・方程式の概念と1次方程式の解き方の基本原理を知っておこう。
>   方程式を用いる簡単な文章題に対応できるようにしておこう。
> ・2次方程式の解き方を覚えよう。基本は因数分解だが，複雑な
>   ものは，解の公式を使って解く。

C **1**　1次方程式

方程式とは何か。その解き方の原理はどのようなものか。

● 概念

□【　方程式　】…文字（x など）を含む等式を方程式という。

□【　解　】…方程式を成り立たせる文字の値を方程式の解という。

● 解き方

以下の基本原理を知っておけば，どのような1次方程式でも解ける。

□$x+a=b$ のタイプ　⇒　$x=b-a$ [❶]
例　$x+3=6$　⇒　$x=6-3$　⇒　$x=3$
□$x-a=b$ のタイプ⇒　$x=a+b$
例　$x-3=6$　⇒　$x=6+3$　⇒　$x=9$
□$ax=b$ のタイプ　⇒　$x=\dfrac{b}{a}$
例　$2x=12$　⇒　$x=\dfrac{12}{2}$　⇒　$x=6$
□$\dfrac{x}{a}=b$ のタイプ　⇒　$x=ba$
例　$\dfrac{x}{2}=12$　⇒　$x=12\times2$　⇒　$x=24$

C **2**　連立方程式

頻出 栃木，埼玉，名古屋市，京都

2つの未知数（x, y）を知るには，2つの関係式が要る。いわゆる**連立方程式**について押さえよう。

● 概念

□【　2元1次方程式　】… 2つの文字を含む1次方程式を2元1次方

・・・

❶ある項を，符号を変えて別の辺に移すことを移項という。

程式という。

□【　連立方程式　】… 2 つの 2 元 1 次方程式を組み合わせたものを連立方程式という。

●解き方

□代入法と加減法がある。複雑な連立方程式を解く場合，<u>加減法</u>が多く用いられる。

□①$2x+3y=7$，②$3x-2y=4$ の場合，①を 2 倍，②を 3 倍して，両者を足すと，y が消去される（$13x=26$）。これを解いて，$x=\underline{2}$，$y=\underline{1}$ となる。

B **3**　2 次方程式

2 次方程式とは何か。それはどのようにして解くか。

●概念

□$ax^2+bx+c=0$ となる方程式を，x についての <u>2 次方程式</u>という（a, b, c は<u>定数</u>，$a\neq0$）。

□上記のような方程式を成り立たせる x の値を 2 次方程式の<u>解</u>という。通常，2 次方程式の解は <u>2</u> つある。

●解き方

おおよそ，以下の 3 つがある。<u>解の公式</u>という特効薬もある。

□因数分解して解く。$(x-a)(x-b)=0$ $\Rightarrow$ $x=a$, $x=b$

　例　$x^2-2x-3=0$ $\Rightarrow$ $(x+1)(x-3)=0$　よって$x=-1$, 3

□平方根の原理を使う。$x^2=q$ $\Rightarrow$ $x=\pm\sqrt{q}$

　例　$x^2=5$ $\Rightarrow$ $x=\pm\sqrt{5}$

　　　$(x+2)^2=6$ $\Rightarrow$ $x+2=\pm\sqrt{6}$ $\Rightarrow$ $x=-2\pm\sqrt{6}$

□解の公式を使う。$ax^2+bx+c=0$ $\Rightarrow$ $x=\dfrac{-b\pm\sqrt{b^2-4ac}}{2a}$

　例　$2x^2+3x-5=0$ $\Rightarrow$ $x=\dfrac{-3\pm\sqrt{3^2-\{4\times2\times(-5)\}}}{2\times2}$

　$\Rightarrow$ $x=\dfrac{-3\pm\sqrt{9-(-40)}}{4}$ $\Rightarrow$ $x=\dfrac{-3\pm\sqrt{49}}{4}$

　$\Rightarrow$ $x=\dfrac{-3\pm7}{4}$ $\Rightarrow$ $x=\dfrac{4}{4}$, $-\dfrac{10}{4}$ $\Rightarrow$ $x=1$, $-\dfrac{5}{2}$

算数

方程式の解き方

● 算数（数と式）

方程式の応用

頻出度
A

B **1** **速度算** 頻出 秋田，名古屋市，三重，熊本

方程式の応用問題で，よく出題されるのは**速度算**である。

●ポイント

⏱□次の基本原則を覚えておけばよい。

〈 速さ＝距離÷時間　距離＝速さ×時間　時間＝距離÷速さ 〉

□たとえば，100kmを2時間で走破する自動車の速さは，時速でみて，$100÷2＝50$km である。1時間当たり50km進むという意味である。

●例題

A地点からC地点までの1200mを歩くのに，初めは分速80mで歩いたが，B地点から上り坂になったので，分速40mに速度を落として歩いた。合計所要時間は20分。B地点からC地点までの距離は何mか。

☆B地点からC地点までの距離をxmとする。すると，A地点からB地点までの距離は$(1200-x)$mとなる。時間に着眼して方程式をつくる。

〈時間＝距離÷速さ〉

$$\frac{1200-x}{80}（A～Bの所要時間）+\frac{x}{40}（B～Cの所要時間）=20$$

両辺に80をかけて，$1200-x+2x=1600$　$x=400$　よって400m。

A **2** **割合算** 頻出 秋田，兵庫，奈良，沖縄

次に，**割合算**である。％や比の問題が頻出。

●ポイント

⏱□Aの割合(％)＝$\dfrac{Aの量}{全体の量}×100$

□50人の部員のうち女子が10人の場合，女子の割合は20％である。

●例題

連立方程式を用いる例題を示しておこう。茨城県の過去問である。

> A中学校では，男子生徒のほうが女子生徒よりも40人多く，男子生徒の5％，女子生徒の10％，合わせて29人がソフトテニス部に入っている。A中学校の男子と女子のそれぞれの生徒数を求めなさい。
>
> 　男子生徒を x 人，女子生徒を y 人とする。前者が後者より40人多いことから，次の関係式ができる。$x = y + 40 \cdots$ ①
> 　↓
> 　次に，割合に着眼して方程式を作る。男子生徒の5％は $0.05x$ 人❶，女子生徒の10％は $0.10y$ 人。
> 　↓
> 　この2つを合わせた29人がソフトテニス部に入っているのだから，次の関係式が成り立つ。$0.05x + 0.10y = 29 \cdots$ ②
> 　↓
> 　①と②からなる連立方程式を解いて，$x = 220$ 人，$y = 180$ 人
> 　よって男子は220人，女子は180人となる。

A 3 利益算 　　　　　　　　　　頻出 山形，静岡，佐賀，沖縄

　最後に**利益算**。がめつい人は，この種の問題が得意かもしれない。

●ポイント

□当たり前のことであるが，利益＝売価（定価）－原価である。

●例題

> 　2割の利益を見込んで，ある商品を600円で売りさばいた。この商品の原価（仕入れ値）はいくらか。
> 　☆原価を x 円とする。この原価の2割に当たる額が利益であるから，利益額は $0.2x$ 円と表せる。
> 　利益＝売価－原価であるから，$0.2x = 600 - x$ という式が成り立つ。
> 　両辺を10倍して，$2x = 6000 - 10x$ 　 $x = 500$ 　よって，原価は500円。

❶男子生徒 x 人の5％を a 人とすると，先の公式により，$\dfrac{a}{x} \times 100 = 5$ となる。これを変形して，$a = \dfrac{5x}{100} = 0.05x$ となる。

ここが出る！▶▶

- ・1次関数の基本概念について押さえよう。言葉のみならず，グラフをもとに，視覚的な理解をしておくことが重要である。
- ・1次関数直線の交点の求め方を知っておこう。いくつかの1次関数直線で囲まれてできる図形の面積を求めさせる問題が頻出である。

C **1** 1次関数とは 　　　　　　　　　　　　　頻出 静岡，沖縄

気温が上がればビールの売り上げが伸びる。この場合，ビールの売り上げは，気温の**関数**であるといえる。

● **基本概念**

□ $y=ax+b$ という関係式が成り立つとき，y は x の <u>1次関数</u> であるという。

⏱ □ $y=ax+b$ の a を <u>傾き</u> という。a は，x が1増加したとき，y がどれほど増加するかを表すものである。

⏱ □ y が x に比例するとき，$\dfrac{y}{x}$ の値は <u>一定</u> である（比例定数）。

□ $y=ax+b$ の b を <u>切片</u> という。$x=0$ のときの y の値である。

● **1次関数のグラフ**

□ 傾きが**正**の場合は右上がり，傾きが**負**の場合は右下がりになる。

□ y 軸とは，<u>$(0,\ b)$</u> で交わる。

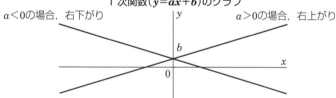

1次関数（$y=ax+b$）のグラフ

$a<0$の場合，右下がり　　　　　　　　$a>0$の場合，右上がり

B **2** 1次関数式の求め方 　　　　　　　　　　　頻出 埼玉，鳥取

1次関数の式はどのようにして求めるか。2つの場合を想定しよう。

● **傾きと1つの点を通ることが分かっている場合**

□ 傾きの値を a に，通る点の座標を x，y に代入し，b を求める。

例題：傾きが 2 で，点(1，6)を通る 1 次関数式を求めよ。
　☆傾きが 2 であるから，$y=2x+b$
　　点(1，6)を通るから，$6=2×1+b$　よって，$b=4$
　　⇒　求める 1 次関数式は，$y=2x+4$ である。

● 2 つの点を通ることが分かっている場合

□ 2 つの点の座標を x と y に代入し，<u>連立方程式</u>をつくり，a と b の値を求める。

例題：2 つの点(1，1)と(3，11)を通る 1 次関数式を求めよ。
　☆2 つの点の座標を x と y に代入し，連立方程式をつくる。
　　点(1，1)を通るから，$1=1×a+b$　→　$1=a+b$…①
　　点(3，11)を通るから，$11=3×a+b$　→　$11=3a+b$…②
　　↓
　　①と②からなる連立方程式を解いて，$a=5$，$b=-4$
　　⇒　求める 1 次関数式は，$y=5x-4$ である。

A 3　1 次関数の問題　　　頻出 青森，福島，栃木，香川，沖縄

　例題をやってみよう。以下は，鳥取県の過去問である。

　次の図のように，2 つの直線 $y=\dfrac{1}{2}x+9$（①）　$y=-2x+4$（②）がある。直線①，②と x 軸との交点をそれぞれ A，B，直線①と直線②との交点を C とする。

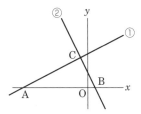

(1) 点 C の座標を求めなさい。

　方程式　$\dfrac{1}{2}x+9=-2x+4$　を解くと $x=-2$

　これが点 x 座標で，y 座標は 8 となる。よって C の座標は$(-2，8)$
(2) 点 C を通り，△ABC の面積を 2 等分する直線の式を求めなさい。

求める直線は，線分 AB の中点を通る。A の座標は$(-18, 0)$，B の座標は$(2, 0)$なので，AB の中点は$(-8, 0)$となる。

　　↓

求める直線は$(-2, 8)$と$(-8, 0)$の 2 点を通るので，

$8 = -2a + b$　$0 = -8a + b$　の連立方程式を解いて，$a = \dfrac{4}{3}$，$b = \dfrac{32}{3}$

となる。よって求める直線の式は，$y = \dfrac{4}{3}x + \dfrac{32}{3}$　となる。

C 4　2 次関数とは

頻出 神戸市，沖縄

2 次関数とは何か。それは，どのようなグラフを描くか。

●基本概念

□$y = ax^2 + bx + c$ の関係式が成り立つとき，y は x の<u>2 次関数</u>であるという。a は<u>定数</u>である。

□この場合，<u>$a \neq 0$</u> である。$a = 0$ としたら，$y = bx + c$ となり，1 次関数式となる。b と c は，値が 0 のときもある。

● 2 次関数のグラフ

□ 2 次関数のグラフは，<u>放物線</u>を描く。$a > 0$ の場合は<u>下</u>に凸，$a < 0$ の場合は<u>上</u>に凸となる。なお，2 つのタイプがある。

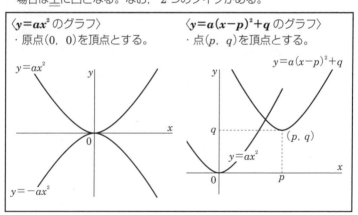

⟨$y = ax^2$ のグラフ⟩
・原点$(0, 0)$を頂点とする。

⟨$y = a(x-p)^2 + q$ のグラフ⟩
・点(p, q)を頂点とする。

□$y = a(x-p)^2 + q$ のグラフは，$y = ax^2$ のグラフを x 軸方向に p，y 軸方向に q だけ平行移動したものである。

□変化の割合＝（y の増加量）／（x の増加量）である。

C 5 　2次関数式の求め方

2次関数式の基本形は，$y=ax^2+bx+c$ である。

3つの点$(-1,6)$，$(2,3)$，$(4,11)$を通る2次関数式を求めよ。

☆3つの未知数を求めるには，3つの関係式が要る。

点$(-1,6)$を通るから，$6=a\times(-1)^2+b\times(-1)+c$

$\Rightarrow$ $a-b+c=6$ …①

点$(2,3)$を通るから，$3=a\times2^2+b\times2+c$

$\Rightarrow$ $4a+2b+c=3$ …②

点$(4,11)$を通るから，$11=a\times4^2+b\times4+c$

$\Rightarrow$ $16a+4b+c=11$ …③

↓

①～③からなる3元1次方程式を解いて，$a=1$，$b=-2$，$c=3$

よって，求める2次関数式は，$y=x^2-2x+3$である。

A 6 　2次関数の問題　　頻出 埼玉，三重，京都，和歌山，長崎

例題をやってみよう。以下は，千葉県の過去問である。

図のように，関数$y=\dfrac{1}{2}x^2$グラフ上に2点 A，Bを，関数$y=-\dfrac{1}{6}x^2$グラフ上に2点 C，Dを，四角形ABCDが長方形となるようにそれぞれとる。ただし，点A，Dのx座標は正とする。長方形ABCDが正方形となるとき，点Aの座標を求めなさい。

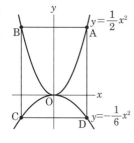

解法：

Aのx座標をtとすると，$A\left(t,\dfrac{1}{2}t^2\right)$，$B\left(-t,\dfrac{1}{2}t^2\right)$，$D\left(t,-\dfrac{1}{6}t^2\right)$ となる。

辺$AB=2t$，辺$AD=\dfrac{1}{2}t^2+\dfrac{1}{6}t^2=\dfrac{2}{3}t^2$ となる。

↓

四角形ABCDが正方形となる場合，$AB=AD$なので，$2t=\dfrac{2}{3}t^2$ という式ができる。これを解いて$t=0$，3だが，tは正の数なので$t=3$ をとる。よって，Aの座標は$\left(3,\dfrac{9}{2}\right)$となる。

ここが出る！ ▶▶
・直線が交わってできる角の種類，およびそれぞれの関係について押さえよう。また，それを利用する問題に対応できるようにしよう。
・多角形の内角（外角）の総和の定理について，ひとまず理屈は抜きにして覚えておこう。

C 1 角の種類
頻出 長崎，鹿児島

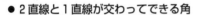

● 2直線が交わってできる角
□ 2直線が交わってできる角のうち，互いに向き合っている角を<u>対頂角</u>という。
□対頂角は<u>等しい</u>。右図でいうと，$\angle a = \angle b$ である。

● 2直線と1直線が交わってできる角

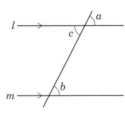

□右図で，$\angle a$ と $\angle b$ のような位置関係にある2つの角を<u>同位角</u>という。
□ $\angle b$ と $\angle c$ のような位置関係にある2つの角を<u>錯角</u>という。
□直線 l と m が平行な場合，同位角は等しくなり（$\angle a = \angle b$），錯角も等しくなる（$\angle b = \angle c$）。

B 2 角と多角形
頻出 東京，岐阜，岡山

内角と**外角**の概念，およびその総和の基本定理について押さえよう。

●内角と外角

□図形の内部にある角を<u>内角</u>という。
□それぞれの内角の外側にできる角を<u>外角</u>という。
□ n 角形には，$\underline{n}$ 個の内角と同じく $\underline{n}$ 個の外角がある。
⏱ □三角形の内角の総和は<u>180°</u>である。

●多角形の内角・外角の和

□五角形には3つ，六角形には4つの三角形が含まれる。つまり，n 角形には，$\underline{(n-2)}$ 個の三角形が含まれると考えられる。

⏱ □よって，n 角形の内角の総和は，__$180° \times (n-2)$__ である。

□多角形の外角の和は__$360°$__である。

●**多角形の対角線の本数**

□n 角形の対角線の本数は，$\{n \times (n-\underline{3})\} \div \underline{2}$ で求める。

●**例題**

山梨県の過去問である。

図の四角形 ABCD において，点 E は∠BCD の二等分線と∠CDA の二等分線の交点である。∠A＝108°，∠B＝60°のとき，∠DEC の大きさを求めよ。

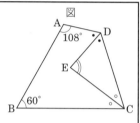

図

解法：

四角形 ABCD の4つの角の総和は，$180 \times (4-2) = 360°$ である。

$108 + 60 + 2\bigcirc + 2\bullet = 360$ 　変形して　$\bigcirc + \bullet = 96$

三角形 DEC の3つの角の総和は$180°$である。

$\angle DEC + \bigcirc + \bullet = 180$

上記より$\bigcirc + \bullet = 96$だから，$\angle DEC = 180 - 96 = 84°$

3　三角形の合同と相似

●**合同条件**

□【　**3辺相等**　】… 3辺が等しい。

□【　**2辺夾角相等**　】… 2辺とその間の角が等しい。

□【　**2角夾辺相等**　】… 1辺とその両端の角が等しい。

●**相似条件**

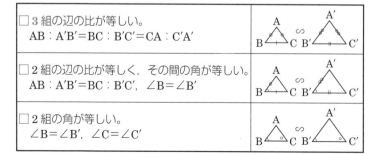

□3組の辺の比が等しい。 　AB：A′B′＝BC：B′C′＝CA：C′A′	
□2組の辺の比が等しく，その間の**角**が等しい。 　AB：A′B′＝BC：B′C′，∠B＝∠B′	
□2組の**角**が等しい。 　∠B＝∠B′，∠C＝∠C′	

三角形

ここが出る! ▶▶

- 三角形の線分比の原理を覚えよう。比例式を使う問題がよく出るので,比例式の解き方(外項積=内項積)を押さえておこう。
- 三平方の定理を用いる問題は頻出である。さまざまなタイプの問題に対応できるよう,基礎事項をしっかりマスターしよう。

A 1 三角形の線分比

頻出 山形,三重,奈良

三角形の相似の性質を利用して,次のようにいうことができる。

●原理

□右図で,BC と DE が平行な場合,△ABC∽△ADE である[1]。
↓

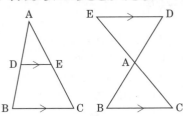

□よって,3辺の線分比は等しくなる。

AB:AD=**AC:AE**=BC:DE

●例題

ごく簡単な例題を示そう。栃木県の過去問である。

次の図のような△ABC がある。BC//
DE であるとき,x の値を求めよ。

☆△ABC∽△ADE であるから,AB:AD=
BC:DE となる。
↓

よって,21:9=x:6
比例式の内項と外項の積は等しいので,9x=21×6=126
よって,x=14cm である。

C 2 中点連結定理

頻出 名古屋市

上記の原理から,**中点連結定理**というものが導かれる。

- -

[1]同位角や錯角の原理から,△ABC と△ADE の2つの角が等しくなることが理解されよう。2つの角が等しいことは,三角形の相似条件に該当する。三角形の相似条件については,前テーマを参照。

□【 中点連結定理 】…右図で，M が AB の中点，N が AC の中点であるならば，MN∥BC，MN＝ $\frac{1}{2}$BC である。

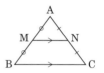

三平方の定理は重要なのでしっかり覚えよう。

● 定理

⏱□【 三平方の定理❷ 】…直角三角形の直角をはさむ 2 辺の長さを a，b とし，斜辺の長さを c とすると，以下の式になる。

〈 $a^2+b^2=c^2$ 〉

〈 $c=\sqrt{a^2+b^2}$ 〉

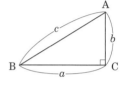

● 特別な直角三角形の 3 辺の比

三平方の定理を応用して，以下の定理を導き出すことができる。

⏱□直角二等辺三角形の 3 辺の比

⇒　$1:1:\sqrt{2}$

⏱□30°，60° の直角三角形

⇒　$1:\sqrt{3}:2$

● 例題

上記の定理を用いる問題は多いが，原理的な問題を掲げよう。

(1)　1 辺が $a$cm の正三角形の高さを求めよ。

☆求める高さは，右図の AD である。

△ABD は，30°と60°の角を持つ直角三角形であるので，AB：AD＝2：$\sqrt{3}$ である。

⇒　AD＝$\frac{\sqrt{3}}{2}$AB＝$\frac{\sqrt{3}}{2}a$（cm）

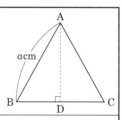

(2)　この三角形の面積を求めよ。

☆三角形の面積＝（底辺×高さ）÷2 である。

△ABC＝$(a \times \frac{\sqrt{3}}{2}a) \div 2 = \frac{\sqrt{3}}{2}a^2 \times \frac{1}{2} = \frac{\sqrt{3}}{4}a^2$（cm²）

❷三平方の定理は，証明（発見）者の名にちなんで，ピタゴラスの定理ともいう。

算数

三角形

B 1 おうぎ形

頻出 和歌山

おうぎ形の弧の長さと面積の求め方を覚えよう。

●公式

⏱ □半径 r，中心角 $a°$ のおうぎ形を考える。

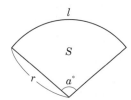

弧の長さ $l = 2\pi r \times \dfrac{a}{360}$

面積 $S^{❶} = \pi r^2 \times \dfrac{a}{360} = \dfrac{1}{2}lr$

B 2 円と接線

頻出 埼玉

●原理

□円 O と直線 l が，点 A で接しているとする。

□この場合，直線 l を接線，点 A を接点という。

□接線は，接点を通る半径に垂直である。つまり，$OA \perp l$ である。

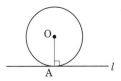

●例題

右図において，線分 PA の長さを求めよ。

直線 l は，点 A において，円 O と接している。

☆直線 l は接線であるから，$\angle OAP = 90°$

よって△OAP は直角三角形である。

三平方の定理により，$OP^2 = OA^2 + PA^2$

$49 = 9 + PA^2 \Rightarrow PA = \sqrt{40} = 2\sqrt{10}$

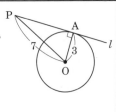

❶円の場合，中心角 a は $360°$ であるから，円の面積 $S = \pi r^2$ となる。$\dfrac{a}{360} = \dfrac{l}{2\pi r}$なので，

$S = \dfrac{1}{2}lr$ ともなる。

円周角とは何か。それは中心角とどのような関係にあるか。

●円周角と中心角

□右図で，∠APB を弧 AB に対する**円周角**，
∠AOB を弧 AB に対する**中心角**という。
↓

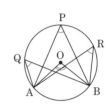

□同じ弧に対する円周角の大きさは全て等しい
（∠APB＝∠AQB＝∠ARB）。

⏱ □円周角の大きさは，弧を同じくする**中心角**の大

きさの半分である（$∠APB＝\frac{1}{2}∠AOB$）。

●円に内接する四角形

ついでに，以下のことを知っておこう。

□円に内接する**四角形**は，次の性質を持つ。

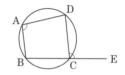

・向かい合う内角の和は**180°**である（∠A＋
∠C＝180°）。
・**外角**の大きさは，その内対角の大きさに等
しい（∠DCE＝∠A）。

●例題

以下の類の問題を即座に解けるようになればしめたものである。

> 右図の∠xの大きさを求めよ。
> ☆∠APB は弧 AB の円周角，∠AOB は弧 AB の
> 中心角である。
> よって，∠AOB＝∠APB×2＝**140°**
> ∠x＝360°－∠AOB＝360°－140°＝220°

C 4 接弦定理

最後に，**接弦定理**というものを知っておこう。

> □円の接線と弦によってつくられる角は，
> その内部の弧に対する円周角に等しい。
> □これを**接弦定理**という。
> ↓
> □右図でいうと，∠ABT＝∠P である。

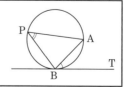

算
数

円

図形の面積・体積 頻出度 A

A 1 直方体・角柱・円柱の表面積と体積 頻出 神奈川，京都

直方体，角柱，そして円柱は，2つの底面を持つ立体である。

● **直方体**

直方体は，四角形の底面を持つ。

□表面積＝（底面積×2）＋側面積

$= (ac \times 2) + \{(ab \times 2) + (bc \times 2)\}$

$= 2(ac + ab + bc)$

□体積＝底面積×高さ＝$ac \times b = abc$

● **円柱**

円柱は，円の底面を持つ。

□表面積＝（底面積×2）＋側面積

$= (\pi r^2 \times 2) + \underline{(2\pi r \times h)}$ ❶

$= 2\pi r^2 + 2\pi rh$

□体積＝底面積×高さ

$= \pi r^2 \times h = \pi r^2 h$

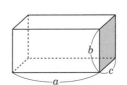

● **例題**

上記の公式，というよりも原理を利用して解く典型問題を掲げる。

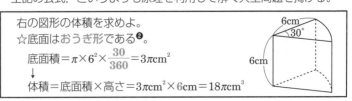

右の図形の体積を求めよ。

☆底面はおうぎ形である❷。

底面積$= \pi \times 6^2 \times \dfrac{30}{360} = 3\pi \mathrm{cm}^2$

↓

体積＝底面積×高さ$= 3\pi \mathrm{cm}^2 \times 6\mathrm{cm} = 18\pi \mathrm{cm}^3$

---

❶展開図をみれば分かるように，円柱の側面は，ヨコが $2\pi r$，タテが h の四角形である。よって，円柱の側面積＝$2\pi r \times h$ である。

❷おうぎ形の面積の求め方については，前テーマを参照。

A 2 角すい・円すい

角すいと円すいは，1つの底面を持つ鋭利な立体である。

●角すい

角すいは，多角形の底面を持つ。

□表面積＝底面積＋<u>側面積</u>

⏱ □体積＝$\frac{1}{3}$×底面積×高さ

$$=\frac{1}{3}Sh$$

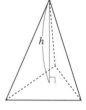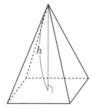

●円すい

円すいは，円の底面を持つ。

□表面積＝底面積＋<u>側面積</u>

$$=\pi r^2+(\pi l^2×\frac{a}{360}) ❸$$

□体積＝$\frac{1}{3}$×底面積×高さ

$$=\frac{1}{3}\pi r^2 h$$

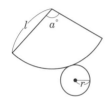

●過去問（大阪府）

底面の直径が 6 cm，母線が 6 cm の円錐の表面積は何cm²か。

☆底面積＝$\pi×3^2=9\pi cm^2$ …①

側面の扇形の弧の長さは，$2\pi×3=6\pi cm$ で半径は 6 cm なので，面積は$\frac{1}{2}×6\pi×6=18\pi cm^2$ …②

よって，円錐の表面積は①＋②＝$27\pi cm^2$

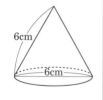

A 3 相似な図形の面積比・体積比

相似な図形の面積比と体積比は，次のようにいうことができる。

⏱ □相似比 $m:n$ ⇒ 面積比 $m^2:n^2$ ⇒ 体積比 $m^3:n^3$

□つまり，相似な図形の面積比は相似比の<u>2乗</u>に等しく，相似な立体の体積比は相似比の<u>3乗</u>に等しい。

・・

❸展開図をみれば分かるが，円すいの側面は，中心角 $a°$，半径 l のおうぎ形である。

ここが出る! ▶▶

・図形の定理，面積の公式などをみてきたが，実際に活用して問題を解けないと意味がない。最近の典型過去問に当たってみよう。

・提示された図に，与えられた情報をもれなく書き込むと，問題の解法が見えてくる。

典型問題を5つ紹介する。公式の知識云々よりも，頭の柔らかさを試す問題が多い。

A 1 三角形・円 頻出 埼玉，神奈川，京都，佐賀

● 三角形

図の三角形 ABC は，直角二等辺三角形である。辺 AB 上に点 D，辺 BC の延長上に点 E をとり，辺 AC と辺 DE が交わる点を F とする。三角形 ADF の面積は三角形 CEF の面積より何 cm² 大きいか。〈鹿児島県〉

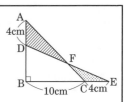

解法：

$\triangle ADF ＋$四角形 $DBCF ＝\triangle ABC＝(10×10)÷2＝50cm^2$ …①

$\triangle CEF ＋$四角形 $DBCF ＝\triangle DBE＝(14×6)÷2＝42cm^2$ …②

①と②から，$\triangle ADF－\triangle CEF＝\underline{8cm^2}$

● 円

図のように，一辺の長さが 2 cm の正方形の内接円の面積を S，外接円の面積を S' とする。このとき，$S'－S$ の値は何 cm²か。ただし，円周率を π とする。〈北海道・札幌市〉

解法：

内接円の直径は 2 cm，外接円の直径は正方形の対角線なので $2\sqrt{2}$ cm となる。

$S＝\pi$ cm²，$S'＝2\pi$ cm²なので，$S'－S＝\underline{\pi \text{ cm}^2}$

●面積

図は台形 ABCD であり，AD//BC である。
台形 ABCD における，線分 AC と線分 BD
の交点を O とし，∠COD＝90°，BO＝3 cm，
CO＝4 cm，AO＝1 cm であるとき，台形
ABCD の面積を求めよ。〈大阪府〉

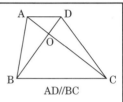

AD//BC

解法：

BO（3 cm）：DO＝CO（4 cm）：AO（1 cm）　⇒DO＝$\frac{3}{4}$cm

台形 ABCD ＝△ABD＋△BCD

△ABD＝$\{(3+\frac{3}{4})\times 1\}\div 2=\frac{15}{8}$cm²

△BCD＝$\{(3+\frac{3}{4})\times 4\}\div 2=\frac{60}{8}$cm²

よって，台形 ABCD の面積は両者を足して$\frac{75}{8}$cm²

●体積①

図の△ABC を，直線 l を回転の軸とし
て，1回転させてできる立体の体積を求め
よ。ただし，円周率は π とする。〈鳥取県〉

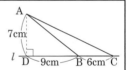

解法：

△ADC の回転体の体積から，△ADB の回転体の体積を引けばいい。

$\left(\frac{1}{3}\pi\times 7^2\times 15\right)-\left(\frac{1}{3}\pi\times 7^2\times 9\right)=245\pi-147\pi=\underline{\underline{98\pi\text{cm}^3}}$

●体積②

図のような1辺が 8 cm の立方体がある。
辺 AE 上に，三角錐 ABDP の体積が64cm³とな
るように，点 P をとる。このとき，辺 EP の長
さは何cmか。〈長崎県〉

解法：

三角錐 ABDP の底である△ABD の面積は32cm²なので，三角錐の

体積＝$\frac{1}{3}\times 32\times$AP となる。これが64cm³の場合，AP＝6 cmとなる。

よって，EP＝8－6＝$\underline{\underline{2\text{cm}}}$

確率・統計

ここが出る！ ▶▶

- ・想定される並べ方や組合せ方の数を，手際よく求めるやり方を知っておこう。樹形図を描くなど，原理的な理解をしておくことが望ましいが，ひとまず，公式だけでも暗記しておこう。
- ・データの傾向を端的に表す代表値を知っておこう。

B **1** 場合の数の原則　　　　　　　　　　　頻出 福島，沖縄

場合の数の大原則は，以下の 2 つである。

●和の法則

□【 和の法則 】…事象 A と B があり，A の起こる場合の数が m 通り，B の起こる場合の数が n 通りとする。このとき，A もしくは B の**いずれかが**起こる場合の数は，$(m+n)$通りである。

> 例：黒玉 3 個，白玉 2 個入っている箱から，2 個取り出す方法の数は？
> 同色の場合 ⇒ 黒黒，白白の 2 通り（●●，○○）
> 異色の場合 ⇒ 黒白の 1 通り（●○）
> よって，同色の場合の数＋異色の場合の数＝2＋1＝3 通り

●積の法則

□【 積の法則 】…事象 A と B があり，A の起こる場合の数が m 通り，B の起こる場合の数が n 通りとする。このとき，A と B が**同時に**起こる場合の数は，$(m×n)$通りである。

> 例：3 つの数字札（ 1 ， 2 ， 3 ）が入っている箱から， 2 回に分けて 2 枚取り出し， 2 桁の数字をつくる方法の数は？
> 1 回目の場合 ⇒ 3 つの中から 1 つを取り出すのだから 3 通り
> 2 回目の場合 ⇒ 残り 2 つの中から 1 つを取り出すのだから 2 通り
> よって， 1 回目の場合の数× 2 回目の場合の数＝3×2＝6 通り❶

A **2** 並べ方　　　　　　　　　　頻出 神奈川，名古屋市，和歌山

並べ方の数は，どのようにして求めるか。

●考え方

□異なる n 個のものから r 個取り出し，順番に並べる並べ方は，次の

❶具体的に示すと， 12 ， 13 ， 21 ， 23 ， 31 ， 32 ， の 6 つである。

ようにして求める。

$$n \times (n-1) \times (n-2) \times (n-3) \times \cdots \{n-(r-1)\} \quad \Leftarrow \quad r \text{ 個の積}$$

□上の例題でいうと，3個の中から2個取り出し，順に並べる方法の数を問うているから，3×2＝6通りとなる。

●公式

⏱□異なる n 個のものから r 個取り出し，順番に並べる並べ方の数を $_n\mathrm{P}_r$ と表す。$_n\mathrm{P}_r = n \times (n-1) \times (n-2) \times \cdots$ である。

□この場合，かける個数は，r の数だけである。

例：異なる5個のものから3個取り出し，順に並べるやり方の数は？

$_5\mathrm{P}_3 = 5 \times (5-1) \times (5-2) = \underline{5 \times 4 \times 3} = \mathbf{60}$通り

＊3個かける。

| A | 3 | 組合せ | 頻出 栃木，熊本 |

次に，**組合せ**の数の求め方である。

⏱□異なる n 個のものから r 個取り出した場合，想定される組合せの数は，

$\dfrac{_n\mathrm{P}_r}{_r\mathrm{P}_r}$ で求める。この場合，$_r\mathrm{P}_r$ を $r!$ と表す。

例：6人から3人の委員を選ぶ選び方の数は？

$_6\mathrm{P}_3 = 6 \times (6-1) \times (6-2) = 6 \times 5 \times 4 = 120$

$3! = 3 \times (3-1) \times (3-2) = 3 \times 2 \times 1 = 6$

よって，$_6\mathrm{P}_3 \div 3! = 120 \div 6 = \mathbf{20}$　想定される選び方の数は20である

| A | 4 | 確率 | 頻出 大阪，神戸市，奈良，長崎，鹿児島 |

最後に，**確率**である。原理のみを掲げておこう。

●考え方

⏱□起こり得る場合の数が n あるうち，事象 A の起こる場合の数が a であるとき，事象 A の起こる確率 $\mathrm{P} = \dfrac{a}{n}$ である。

例：サイコロを投げたとき，奇数の出る確率は？

サイコロの目の数は6であるから，起こり得る場合の数は **6**

うち，奇数（1，3，5）は **3** つ

よって，奇数の出る確率は，$\dfrac{3}{6} = \dfrac{1}{2}$

> A，B，C，D，Eの5人の中から，2人をくじで選びます。C，Dのうち少なくとも1人が選ばれる確率を求めよ。〈埼玉県〉
>
> 解法：
>
> 　5人の中から2人を選ぶやり方は，$\dfrac{_5\mathrm{P}_2}{2!}=10$ 通り
>
> 　うち C，D が選ばれないやり方は，$\dfrac{_3\mathrm{P}_2}{2!}=3$ 通り
>
> 　よって，求める確率は，$\dfrac{(10-3)}{10}=\dfrac{7}{10}$

B 5 度数分布

頻出 栃木，山梨，新潟

　毎年，『全国学力・学習状況調査』が実施されている。公立小学校6年生の**国語**の結果を整理してみよう。2023年度のデータである。

	度数	相対度数
0問	6,525	0.7
1問	6,009	0.6
2問	10,392	1.1
3問	17,555	1.8
4問	27,005	2.8
5問	39,580	4.1
6問	53,488	5.5
7問	70,820	7.3
8問	89,742	9.3
9問	110,628	11.5
10問	130,067	13.5
11問	**140,677**	**14.6**
12問	130,922	13.6
13問	93,712	9.7
14問	37,055	3.8
合計	964,177	100.0

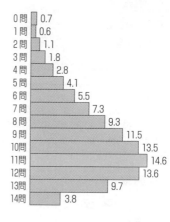

□【 **度数分布** 】…問題は14問。96万4,177人の正答数の分布は，度数分布表の形に整理するとよい。これによると，正答数**11問**の児童が最も多い。

□【 **相対度数** 】…各階級の度数（人数）は，全体を100とした相対度数に換算すると便利な場合がある❷。これによると，全体の14.6%（約7人に1人）が，正答数11問の児童である。

❷500人の学校と1000人の学校の分布を比べる時は，相対度数にする。

⏱□【 ヒストグラム 】…各階級の度数(相対度数)を棒グラフの形に整理したもの(左ページの表の右側)。

3つの代表値をもとに, 上記の分布の特性を端的に表してみよう。

●代表値の種類

⏱□【 平均値 】…(データの値の総和÷データの個数)で求める。左ページの度数分布表から, 正答数の平均値を求めると9.4問となる。

⏱□【 中央値 】…データを小さい順に並べたとき, 真ん中に位置する値である。左ページのデータだと, 96万4,177人の真ん中の児童は10問の階級に含まれる❸。よって, 正答数分布の中央値は10問である。

□【 最頻値 】…文字通り, 最頻(最も多い)値である。左ページの度数分布表でいうと, 正答数11問の階級が最も多い。

□代表値としては平均値がよく使われるが, 一部の極端な値に影響されるので, 中央値が望ましい。

●過去問(秋田県)

次の図は, ある学級の児童20人の夏休みに読んだ本の冊数をまとめたものである。最頻値, 中央値, 平均値をそれぞれ求めよ。ただし, ●は1人とする。

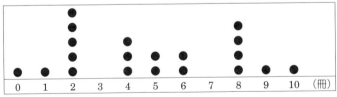

解法:

最頻値は最も多い階級なので, <u>2冊</u>である。

中央値は, ちょうど真ん中の児童である。20人の真ん中の値は, 10番目(4冊)と11番目(5冊)の中間をとる。よって中央値は<u>4.5冊</u>。

平均値は, データの総和をデータの個数で割って出す。

$$\{(0冊×1人)+(1冊×1人)+\cdots(10冊×1人)\}÷20=\underline{4.8冊}$$

⋯⋯⋯⋯⋯⋯⋯⋯⋯⋯⋯⋯⋯⋯⋯⋯⋯⋯⋯⋯⋯⋯⋯⋯⋯⋯⋯⋯⋯⋯⋯⋯⋯⋯⋯⋯⋯⋯

❸相対度数を下から積み上げた累積相対度数を出すとすぐに分かる。

●Answer●

□1 「度数分布を表す表やグラフ」は，第何学年の内容か。 →P.94

□2 数学的活動のうち，「問題解決の過程や結果を，具体物や図などを用いて表現する活動」は，第何学年のものか。 →P.95

□3 1〜100までの自然数の総和を求めよ。 →P.99

□4 x^2-3x-4を因数分解せよ。 →P.101

□5 2次方程式 $x^2+4x-32$を解け。 →P.103

□6 ある商品に2割の利益を見込んで定価をつけたところ，480円となった。この商品の原価はいくらか。 →P.105

□7 傾きが1で，点(2, 2)を通る1次直線の式を求めよ。 →P.106

□8 1次直線 $y=x-2$ と2次曲線 $y=-x^2$ が交わる2つの点を求めよ。 →P.109

□9 5角形の内角の和を求めよ。 →P.111

□10 底辺と高さの長さが3である，直角二等辺三角形の斜辺の長さを求めよ。 →P.113

□11 半径6 cm，中心角が60°のおうぎ形の面積を求めよ。円周率は π とする。 →P.114

□12 相似な立体AとBがある。相似比は2:3である。Aの体積が8 cm³である場合，Bの体積はいくらか。 →P.117

□13 サイコロを2回投げたとき，1回目が奇数で，2回目が偶数になる確率を求めよ。 →P.121

□14 代表値の一つで，データを小さい順に並べたとき，ちょうど真ん中にくる値を何というか。 →P.123

1 第6学年

2 第1学年

3 5050

4 $(x+1)(x-4)$

5 $x=4,\ -8$

6 400円
方程式 $1.2x=480$ を立てて解く。

7 $y=x$
暗算で解けるように。

8 $(1, -1)$と$(-2, -4)$

9 540°

10 $3\sqrt{2}$
$1:1:\sqrt{2}$ という比を覚えること。

11 $6\pi cm^2$
半径6 cmの円の6分の1である。

12 $27cm^3$
体積の比は，相似比の3乗である。

13 $\dfrac{1}{4}$

$\dfrac{1}{2}\times\dfrac{1}{2}$である。

14 中央値
メディアンともいう。

理科

　理科の内容は，大きく，第一分野（物理，化学）と第二分野（生物，地学）に分かれる。第一分野では，仕事，電流，そして化学変化についてよく問われる。計算問題も頻出である。対応できるようにしよう。また，ガスバーナーなどの器具の取扱いに関する問題もよく出る。こうした部分で，しっかり点数を稼ぎたいものである。第二分野では，植物やヒトのからだのつくり，水蒸気，そして地震の問題が頻出である。こちらも，計算問題が多い。

● 理科（学習指導要領）

理科の目標と内容

頻出度 **A**

A 1 理科の目標 　頻出 秋田，埼玉，神奈川，鳥取，香川，愛媛，沖縄

観察・実験などを通した、問題解決の力量を養う。

□自然に親しみ、理科の見方・考え方を働かせ、見通しをもって観察、実験を行うことなどを通して、自然の事物・現象についての問題を科学的に解決するために必要な資質・能力を次のとおり育成することを目指す。

□自然の事物・現象についての理解を図り、観察、実験などに関する基本的な技能を身に付けるようにする。

□観察、実験などを行い、問題解決の力を養う。

□自然を愛する心情や主体的に問題解決しようとする態度を養う。

●各学年で育成する問題解決の力

第3学年	主に差異点や共通点を基に、問題を見いだすといった問題解決の力。
第4学年	主に既習の内容や生活経験を基に、根拠のある予想や仮説を発想するといった問題解決の力。
第5学年	主に予想や仮説を基に、解決の方法を発想するといった問題解決の力。
第6学年	主により妥当な考えをつくりだすといった問題解決の力。

B 2 理科の各学年の目標 　頻出 秋田，埼玉，福井，広島，愛媛

「**物質・エネルギー**」と「**生命・地球**」に分かれる。

●第3学年

〈A　物質・エネルギー〉

□物の性質，風とゴムの力の働き，光と音の性質，磁石の性質及び電気

の回路についての理解を図り，観察，実験などに関する基本的な技能を身に付けるようにする。

□物の性質，風とゴムの力の働き，光と音の性質，磁石の性質及び電気の回路について追究する中で，主に差異点や共通点を基に，問題を見いだす力を養う。

□物の性質，風とゴムの力の働き，光と音の性質，磁石の性質及び電気の回路について追究する中で，主体的に問題解決しようとする態度を養う。

〈B　生命・地球〉

□身の回りの生物，太陽と地面の様子についての理解を図り，観察，実験などに関する基本的な技能を身に付けるようにする。

□身の回りの生物，太陽と地面の様子について追究する中で，主に差異点や共通点を基に，問題を見いだす力を養う。

□身の回りの生物，太陽と地面の様子について追究する中で，生物を愛護する態度や主体的に問題解決しようとする態度を養う。

●第4学年

〈A　物質・エネルギー〉

□空気，水及び金属の性質，電流の働きについての理解を図り，観察，実験などに関する基本的な技能を身に付けるようにする。

□空気，水及び金属の性質，電流の働きについて追究する中で，主に既習の内容や生活経験を基に，根拠のある予想や仮説を発想する力を養う。

□空気，水及び金属の性質，電流の働きについて追究する中で，主体的に問題解決しようとする態度を養う。

〈B　生命・地球〉

□人の体のつくりと運動，動物の活動や植物の成長と環境との関わり，雨水の行方と地面の様子，気象現象，月や星についての理解を図り，観察，実験などに関する基本的な技能を身に付けるようにする。

□人の体のつくりと運動，動物の活動や植物の成長と環境との関わり，雨水の行方と地面の様子，気象現象，月や星について追究する中で，主に既習の内容や生活経験を基に，根拠のある予想や仮説を発想する力を養う。

□人の体のつくりと運動，動物の活動や植物の成長と環境との関わり，

雨水の行方と地面の様子，気象現象，月や星について追究する中で，生物を愛護する態度や主体的に問題解決しようとする態度を養う。

●第5学年

〈A　物質・エネルギー〉

□物の溶け方，振り子の運動，電流がつくる磁力についての理解を図り，観察，実験などに関する基本的な技能を身に付けるようにする。

□物の溶け方，振り子の運動，電流がつくる磁力について追究する中で，主に予想や仮説を基に，解決の方法を発想する力を養う。

□物の溶け方，振り子の運動，電流がつくる磁力について追究する中で，主体的に問題解決しようとする態度を養う。

〈B　生命・地球〉

□生命の連続性，流れる水の働き，気象現象の規則性についての理解を図り，観察，実験などに関する基本的な技能を身に付けるようにする。

□生命の連続性，流れる水の働き，気象現象の規則性について追究する中で，主に予想や仮説を基に，解決の方法を発想する力を養う。

□生命の連続性，流れる水の働き，気象現象の規則性について追究する中で，生命を尊重する態度や主体的に問題解決しようとする態度を養う。

●第6学年

〈A　物質・エネルギー〉

□燃焼の仕組み，水溶液の性質，てこの規則性及び電気の性質や働きについての理解を図り，観察，実験などに関する基本的な技能を身に付けるようにする。

□燃焼の仕組み，水溶液の性質，てこの規則性及び電気の性質や働きについて追究する中で，主にそれらの仕組みや性質，規則性及び働きについて，より妥当な考えをつくりだす力を養う。

□燃焼の仕組み，水溶液の性質，てこの規則性及び電気の性質や働きについて追究する中で，主体的に問題解決しようとする態度を養う。

〈B　生命・地球〉

□生物の体のつくりと働き，生物と環境との関わり，土地のつくりと変化，月の形の見え方と太陽との位置関係についての理解を図り，観察，実験などに関する基本的な技能を身に付けるようにする。

□生物の体のつくりと働き，生物と環境との関わり，土地のつくりと変化，月の形の見え方と太陽との位置関係について追究する中で，主にそれらの働きや関わり，変化及び関係について，より妥当な考えをつくりだす力を養う。

□生物の体のつくりと働き，生物と環境との関わり，土地のつくりと変化，月の形の見え方と太陽との位置関係について追究する中で，生命を尊重する態度や主体的に問題解決しようとする態度を養う。

A 3 理科の内容 　頻出 千葉，島根，香川，佐賀，沖縄

　『小学校学習指導要領解説・理科編』（2017年6月）に載っている，内容項目を押さえておこう。各学年のものを区別できるようにすること。

●第3学年

〈A　物質・エネルギー〉

□物と重さ（形と重さ／体積と重さ）

□風とゴムの力の働き（風の力の働き／ゴムの力の働き）

□光と音の性質（光の反射・集光／光の当て方と明るさや暖かさ／音の伝わり方と大小）

□磁石の性質（磁石に引き付けられる物／異極と同極）

□電気の通り道（電気を通すつなぎ方／電気を通す物）

〈B　生命・地球〉

□身の回りの生物（身の回りの生物と環境との関わり／昆虫の成長と体のつくり／植物の成長と体のつくり）

□太陽と地面の様子（日陰の位置と太陽の位置の変化／地面の暖かさや湿り気の違い）

●第4学年

〈A　物質・エネルギー〉

□空気と水の性質（空気の圧縮／水の圧縮）

□金属，水，空気と温度（温度と体積の変化／温まり方の違い／水の三態変化）

□電流の働き（乾電池の数とつなぎ方）

〈B　生命・地球〉

□人の体のつくりと運動（骨と筋肉／骨と筋肉の働き）

□季節と生物（動物の活動と季節／植物の成長と季節）

□<u>雨水</u>の行方と地面の様子（地面の傾きによる水の流れ／土の粒の大きさと水のしみ込み方）

□<u>天気</u>の様子（天気による1日の気温の変化／水の自然蒸発と結露）

□<u>月と星</u>（月の形と位置の変化／星の明るさ，色／星の位置の変化）

● 第5学年

〈A　物質・エネルギー〉

□物の<u>溶け方</u>（重さの保存／物が水に溶ける量の限度／物が水に溶ける量の変化）

□<u>振り子</u>の運動（振り子の運動）

□電流がつくる<u>磁力</u>（鉄心の磁化・極の変化／電磁石の強さ）

〈B　生命・地球〉

□植物の<u>発芽</u>，成長，結実（種子の中の養分／発芽の条件／成長の条件／植物の受粉，結実）

□<u>動物</u>の誕生（卵の中の成長／母胎内の成長）

□<u>流れる水</u>の働きと土地の変化（流れる水の働き／川の上流・下流と川原の石／雨の降り方と増水）

□<u>天気</u>の変化（雲と天気の変化／天気の変化の予想）

● 第6学年

〈A　物質・エネルギー〉

□<u>燃焼</u>の仕組み（燃焼の仕組み）

□<u>水溶液</u>の性質（酸性，アルカリ性，中性／気体が溶けている水溶液／金属を変化させる水溶液）

□<u>てこ</u>の規則性（てこのつり合いの規則性／てこの利用）

□<u>電気</u>の利用（発電，蓄電／電気の変換／電気の利用）

〈B　生命・地球〉

□<u>人の体</u>のつくりと働き（呼吸／消化・吸収／血液循環／主な臓器の存在）

□植物の<u>養分</u>と水の通り道（でんぷんのでき方／水の通り道）

□<u>生物と環境</u>（生物と水，空気との関わり／食べ物による生物の関係／人と環境）

□<u>土地</u>のつくりと変化（土地の構成物と地層の広がり／地層のでき方／火山の噴火や地震による土地の変化）

□<u>月と太陽</u>（月の位置や形と太陽の位置）

B 4 思考力,判断力,表現力等及び学びに向かう力,人間性等

第3学年	(比較しながら調べる活動を通して)自然の事物・現象について追究する中で,差異点や共通点を基に,問題を見いだし,表現すること。
第4学年	(関係付けて調べる活動を通して)自然の事物・現象について追究する中で,既習の内容や生活経験を基に,根拠のある予想や仮説を発想し,表現すること。
第5学年	(条件を制御しながら調べる活動を通して)自然の事物・現象について追究する中で,予想や仮説を基に,解決の方法を発想し,表現すること。
第6学年	(多面的に調べる活動を通して)自然の事物・現象について追究する中で,より妥当な考えをつくりだし,表現すること。

B 5 理科の指導計画の作成と内容の取扱い 〔頻出〕岩手,福島

● 指導計画の作成に当たっての配慮事項

□単元など内容や時間のまとまりを見通して,その中で育む資質・能力の育成に向けて,児童の主体的・対話的で深い学びの実現を図るようにすること。その際,理科の学習過程の特質を踏まえ,理科の見方・考え方を働かせ,見通しをもって観察,実験を行うことなどの,問題を科学的に解決しようとする学習活動の充実を図ること。

● 内容の取扱いに当たっての配慮事項

□問題を見いだし,予想や仮説,観察,実験などの方法について考えたり説明したりする学習活動,観察,実験の結果を整理し考察する学習活動,科学的な言葉や概念を使用して考えたり説明したりする学習活動などを重視することによって,言語活動が充実するようにすること。

□観察,実験などの指導に当たっては,指導内容に応じてコンピュータや情報通信ネットワークなどを適切に活用できるようにすること。

□天気,川,土地などの指導に当たっては,災害に関する基礎的な理解が図られるようにすること。

□個々の児童が主体的に問題解決の活動を進めるとともに,日常生活や他教科等との関連を図った学習活動,目的を設定し,計測して制御するという考え方に基づいた学習活動が充実するようにすること。

仕事・力学

ここが出る! ▶▶

・動滑車や複合滑車を使う場合，物体を引き上げるのに必要な力が，通常の場合とどのように異なるのかを知っておこう。

・日常生活でもよく使われる「てこ」の原理，これを利用した道具としては，どのようなものがあるか。

C 1 仕事の原理

　理科でいう**仕事**は，日常生活的な意味の仕事とは異なる。

□物体に力を働かせて，力の向きに物体を動かすことを<u>仕事</u>という。

□仕事量は，加えた<u>力</u>の大きさ（F）×動かした<u>距離</u>（S）で数値化できる。

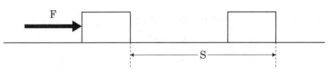

□10kg 重の物体を押して 5m 動かしたならば，仕事量＝10kg 重×5m ＝**50kg 重 m**（500J）となる。1kg 重 m≒10J である。

B 2 滑車と斜面を使った仕事　　頻出 愛知，奈良，広島，佐賀

　物体を引き上げるのに必要な力，ひもを引く距離は，滑車の種類によって異なる。**仕事量**そのものは，素手の場合と変わりない。

●定滑車と動滑車

〈定滑車〉	〈動滑車〉
□物体の重さと<u>同じ</u>力が要る。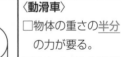	□物体の重さの<u>半分</u>の力が要る。
□ひもを引く距離は，物体を引き上げる距離と<u>同じ</u>。	□ひもを引く距離は，物体を引き上げる距離の <u>2</u> 倍。
□5 kg の物体を 5 m 引き上げる場合の仕事量は，5kg 重×5m ＝25kg 重 m である。	□5 kg の物体を 5 m 引き上げる場合の仕事量は，**2.5kg 重× 10m**＝25kg 重 m である。

●複合滑車

1つの定滑車と複数の動滑車を組み合わせた**複合滑車**もある。この場合，先ほどみた原理を累積すればよい。

　右図は，2つの動滑車(A，B)と1つの定滑車(C)を組み合わせた複合滑車である。

□物体を引き上げるのに必要な力は，2つの動滑車を使うのであるから，物体の重さの半分の半分，つまり**4分の1**である。

□一方，ひもを引く距離は，2つの動滑車を使うのであるから，物体を引き上げる距離の2倍の2倍，つまり**4倍**である。

□この場合，5kgの物体を5m引き上げる場合の仕事量(W)は？

$$W=\left(5\text{kg 重}\times\frac{1}{4}\right)\times(5\text{m}\times4)=25\text{kg 重m}$$

●斜面を利用した仕事

次に，**斜面**を使った仕事についてみてみよう。

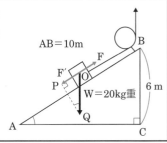

□右図で，斜面に沿って引き上げる力 F は，滑り落ちようとする力 F' に等しい。

□△ABC∽△QOP であるから，

F'(OP)：W(QO)＝BC：AB

F'＝(W×BC)÷AB

F(F')＝(20×6)÷10＝12kg 重 ❶

AB＝10m

W＝20kg重

6 m

B 3 　仕事率　頻出 佐賀

⏱□仕事率＝仕事量÷要した時間で求められる。10秒かけて10kgの物体を5m動かした場合，仕事率は，(10×5)÷10＝**5kg 重 m/秒**。

□W という単位の場合，**50**W となる。1kg 重 m/秒＝10W である。

- -

❶図のような斜面を使って物体を6m 持ち上げる場合，12kg 重の力で10m 引きずることになるから，仕事量は 12kg 重×10m＝120kg 重 mとなる。仕事量としては，素手で持ち上げる場合(20kg 重×6m＝120kg 重 m)と変わりない。

●用語

□【 力点 】…力を加える点。

□【 支点 】…動かない点。

□【 作用点 】…力がものに加えられる点。

●原理

□力点と支点の距離をA, 支点と作用点の距離をBとする。

A＞B	作用点にはたらく力が**大きくなる**（楽できる）。 例）ペンチ, はさみ, くぎぬき, せんぬき など。
A＜B	作用点にはたらく力が**小さくなる**（繊細な作業をする）。 例）**ピンセット**, パンばさみ（トング） など。

●つり合い

□右図のようなシーソーを想定する
場合, 次のようにいえる。

〈 $F_1 \times d_1 = F_2 \times d_2$ 〉

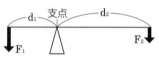

□右図の場合, 30kg の荷物を持ち上げるのに必要な力 F_x は？

↓

$30 \times 2 = F_x \times 6$

これを解いて, $F_x = 10$kg 重❷となる。

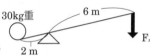

●例題

右図のような, 水平に保たれて
いる装置がある❸。

(1)物体 A の重さを求めよ。

$5g \times 10cm = A \times 5cm$

よって, A＝10g

(2)d の長さを求めよ。

$30 \times 10cm = (5+10) \times d$

$15d = 300$ よって, d＝20cm

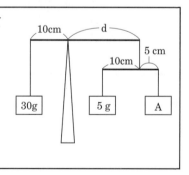

----

❷素手で持ち上げる場合の 3 分の 1 の力で済むことになる。N（ニュートン）という単位の場合, 100N となる。1kg 重≒10N である。

❸問題を解くに当たって, 棒や糸の重さは度外視するものとする。

B 5 ばね

頻出 山梨，奈良

あるおもりをぶら下げると，$x$cm 伸びるばねがある。このばね2本を直列，並列につないで同じおもりを下げると…。

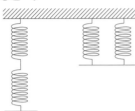

□直列つなぎ(左)の場合，どのばねにも同じ大きさの力が加わる。2本とも，1本の時と同じく$x$cm 伸びる。

□並列つなぎ(右)の場合，ばね1本の伸びは，本数に反比例する。2本とも，1本の時の半分の0.5$x$cm 伸びる。

□ばねの伸びは，加えた力の大きさに比例する(フックの法則)。

B 6 圧力と浮力

頻出 東京，石川，大阪，鳥取

●圧力

尖ったものに触れると痛いのは，接触面が小さいからである。

⏱□圧力＝力の大きさ÷面積　で求める。

> 質量2.7kgで，一辺の長さが10cmの立方体の物質がある。この立方体を水平な机の上に1つの面が底になるように置いたとき，机にはたらく圧力は何N／m²か，求めなさい。ただし，100gの物体にはたらく重力の大きさを1Nとする。(京都府の過去問)
> ☆上記の公式の分子と分母を求めよう。
> 分子：2.7kg(2700g)の物質にはたらく重力は，27Nである。
> 分母：上記の立方体の底の面積は，0.1m×0.1m＝0.01m²である。
> 　↓
> よって，圧力＝27N÷0.01m²＝2700N／m²　となる。

●浮力

プールに入ると体が軽くなるのは，浮力がはたらくからである。

□水中の物体には下向きの圧力(a)と上向きの圧力(b)がはたらくが，下面のほうが深い所にあるので，aよりbが大きくなる。この差分が浮力として，上向きの力としてはたらく。

⏱□【 アルキメデスの原理 】…浮力は，物体が押しのけた液体の重さに等しい。物体の体積と同体積の水の重さである。

光学・音

頻出度 B

ここが出る! ▶▶
- 光が凸レンズを通過することで，どのような像ができるか。物体の位置による判別問題が出る。
- 波形のグラフのオシロスコープは頻出。1秒当たりの振動数(Hz)を求めさせる問題が多い。

B 1 凸レンズ

頻出 東京，鹿児島

　凸レンズは中央部が厚く，平行光線を収束させる作用をもつ。光が凸レンズを通過することで，どういう像ができるか。

●用語

□【 焦点 】…光軸に平行な光が凸レンズを通過した後，集まる点。

□【 実像 】…屈折・直進した光が一点に集まることでできる像。

□【 虚像 】…物体の側に見える像。

●凸レンズでできる像

　物体の位置によって，どういう像ができるかは異なる。レンズの中心と焦点の距離(**焦点距離**：F)が判別ポイントとなる。

□焦点距離の2倍(2F)よりも，物体が遠い位置にある場合，当該物体より小さな逆さの実像ができる。

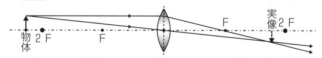

□焦点距離の2倍(2F)の位置に物体がある場合，当該物体と同じ大きさの逆さの実像ができる。

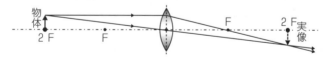

□物体が，焦点距離の2倍(2F)と焦点距離(F)の間にある場合，当該物体より大きな逆さの実像ができる。

□物体が焦点距離（F）の位置にある場合，像はできない。

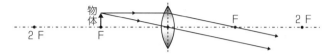

□物体が焦点距離内にある場合，当該物体よりも大きな<u>虚像</u>ができる。

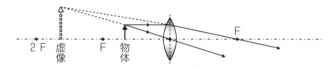

● 光の反射と屈折

B 2 音　　　　　　　　　　　　頻出 北海道，愛知，山口，鹿児島

オシロスコープは，音の振動を波形で表示する装置である。

□横軸は<u>時間</u>，縦軸は振動の<u>振れ幅</u>を表す。

⏱□ 1秒間の振動回数を<u>振動数</u>という。単位は <u>Hz</u> を用いる。

□右上の図の場合，計測時間を0.01秒とすると，1秒当たりの振動数は，8÷0.01＝<u>800</u>Hz となる（波が 8つである）。

> ピアノである音を鳴らしたところ，ピアノの弦が 1分間に26400回振動した。この時の振動数を求めよ。（千葉県の過去問）
> 振動数は，<u>1秒</u>間の振動回数である。1分間（60秒）の振動回数が26400回なので，振動数は，26400÷60＝<u>440</u>Hzとなる。

□空気中の音の速さは，毎秒<u>340</u>m ほどである。

□【　<u>ドップラー効果</u>　】…音源が近づくと音は高く（波長が短い），遠ざかると低く聞こえる（波長が長い）。

□弦をはじいた時の音を大きくするには，弦の張りを<u>強く</u>し，弦の長さを<u>短く</u>する。

エネルギー

頻出度 **B**

B 1 エネルギーの種類 　　　　　　　　　　頻出 愛知，鹿児島

運動，位置，弾性の３つのエネルギーがある。

●**運動エネルギー**

□質量 m(kg) の物体が，速さ v(m/秒) で動いているとき，この物体が持っている運動エネルギーの大きさは，m に比例する。また，v の二乗に比例する。

⏱□運動エネルギー $K=\dfrac{1}{2}mv^2$ となる。

□時速50km の自動車と時速100km の自動車の運動エネルギーは，自動車の質量を w とおくと，<u>$1250w$</u> と $5000w$ である❶。時速50km の速度違反でもたらされる惨劇の大きさは，単純にみて <u>4</u> 倍となる。

●**位置エネルギー**

□一定の高さにある物体は，<u>位置エネルギー</u>を持っている。

⏱□高さ h(m) の位置にある，質量 m(kg) の物体が持っている位置エネルギーを U とすると，$U=mgh$❷ となる。

●**弾性エネルギー**

□ばね定数 k のばねを xm 伸ばしたとき，ばねの弾性力によるエネルギーを U とすると，$U=\dfrac{1}{2}kx^2$ となる。

●**力学的エネルギーの保存**

⏱□縮められた(伸ばされた)ばねは<u>弾性</u>エネルギーを持つが，自然の長さ

---

❶時速50km の場合，運動エネルギー $K=\dfrac{1}{2}\times w\times50^2=1250w$ となる。ここでは，相対的な大きさを比べることが目的であるので，時速を秒速に換算していない。

❷g は重力加速度である。一般に $g=9.8$(m/s²)とされる。

になるにつれ，それは<u>ゼロ</u>になり，代わって<u>運動</u>エネルギーが増す。

□運動エネルギー(K)と弾性エネルギー(U)の和は<u>一定</u>である。

C 2 落下運動

球の落下運動については，次のようにいえる。

□時間と速さは<u>比例</u>の関係にある。

□落下距離は，時間と共に **2 次関数**的に増える。

□球の運動の向きにはたらく力の大きさは<u>一定</u>である（重力のみであるから）。

A 3 エネルギーの変化　　　頻出 山形，福井，京都，宮崎

位置エネルギーは高さ，運動エネルギーは速さに関係する。**振り子**を例に，考えてみよう。

●図解

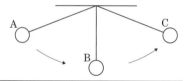

振り子の位置	A	A～B	B	B～C	C	
位置エネルギー	最大	減少	0	増加	最大	＊高さに比例
運動エネルギー	0	増加	最大	減少	0	＊速さの2乗に比例

●ポイント

□高い位置にあるほど，<u>位置エネルギー</u>は大きい（A と C の位置で最大）。

□速度が速いほど，<u>運動エネルギー</u>は大きい（B の位置で最大）。

□結果，双方のエネルギーの総和は常に等しくなる（<u>エネルギー保存の法則</u>）。

●振り子の周期

□振幅が小さいとき，振り子の周期（おもりが 1 往復する時間）は，<u>糸の長さ</u>で決まる。おもりの質量は関係ない。

$$□振り子の周期 = 2\pi \times \sqrt{\dfrac{糸の長さ}{重力加速度}}$$

□糸の長さを 2 倍にすると，振り子の周期は $\sqrt{2}$ 倍になる。

理科

エネルギー

電流と電圧

ここが出る! ▶▶

・回路のつなぎ方によって，電流や電圧の総和の求め方は異なる。押さえておこう。

・オームの法則を覚えよう。電流(電圧)値から，回路の抵抗値を求めさせる問題が頻出である。

B 1 電流回路

頻出 神奈川

2個の豆電球をつなぐ場合，つなぎ方は2種類ある。

□【 直列回路 】…豆電球を直列につないだ回路をいう。

□豆電球の数が増えるほど，豆電球の明るさは減じる。

□【 並列回路 】…豆電球を並列につないだ回路をいう。

□豆電球の数に関係なく，明るさは1個のときと同じ。

A 2 電流

頻出 東京，富山，静岡，愛知

電流とは，回路における電気の流れをいう。単位は，アンペア(A)を使う。電流の性質は，回路のつなぎ方によって異なる。

□直列回路を流れる電流の強さは，回路のどの部分でも等しい。

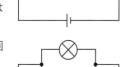

$<I_1=I_2=I_3>$

□並列回路の場合，本路の電流の強さ＝分路の電流の強さの総和

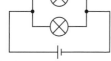

$<I_1=I_2+I_3>$

A 3 電圧

頻出 岩手，広島

回路に電流を流そうとする力の大きさを**電圧**という。単位は，ボルト(V)を使う。電圧も，回路のつなぎ方によって性質を異にする。

□直列回路の場合，電源の電圧＝各抵抗にかかる電圧の<u>総和</u>。

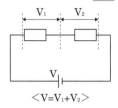

$<V=V_1+V_2>$

□<u>並列回路</u>の場合，各抵抗にかかる電圧＝電源の電圧。

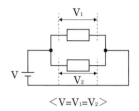

$<V=V_1=V_2>$

A 4 　電流と電圧の関係　　　★超頻出★

●オームの法則

□電流は電圧に<u>比例</u>する。回路の<u>電気抵抗</u>が大きければ，それだけ必要な電圧は大きくなる。

⏱□よって，次の式が成り立つ。電圧(V)＝<u>電流(I)×抵抗(R)</u>。これを<u>オームの法則</u>という。抵抗の単位としては，オーム(Ω)が使われる。

●回路のつなぎ方と電気抵抗

抵抗の総量を R，回路の各抵抗を R_1，R_2，R_3 とする。

□直列回路の場合　⇒　$R=R_1+R_2+R_3$

□並列回路の場合　⇒　$\dfrac{1}{R}=\dfrac{1}{R_1}+\dfrac{1}{R_2}+\dfrac{1}{R_3}$

●例題

右図は，2本の電熱線(抵抗値 $6\,\Omega$)を並列につないだ回路である。電源の電圧は何 V か。

☆回路全体の抵抗値を R とする。

$\dfrac{1}{R}=\dfrac{1}{6}+\dfrac{1}{6}$　⇒　$R=3\,\Omega$

オームの法則より，電圧＝$4A\times3\,\Omega=12V$

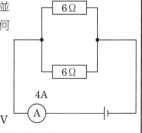

●電流計と電圧計の使い方

□電流計と電圧計は，直接<u>電源</u>につないではいけない。

□電流計は回路に<u>並列</u>，電圧計は回路に<u>直列</u>につないではいけない。

□導線の－側は電流計の－端子の<u>右端</u>，電圧計の－端子の<u>左端</u>につなぐ。

理

科

電流と電圧

電流と発熱

ここが出る！

・電力は，電圧と電流の積で求められることを押さえよう。
・電流による発熱の原理について知っておこう。ある電力のポットで，一定量の水を沸騰させるにはどれくらいの時間がかかるかなど，実生活の場面に即した問題が出る。対応できるようにしておこう。

B 1 電力 頻出 山形，愛知，大分

　筆者の足元に，[100V－800W]と書かれた電気ストーブがある。100Vの電源につなぐと，800Wの**電力**を消費するという意味である。

●電力

□電力とは，文字どおり，電気器具の能力のことをいう。

□電力の大きさは，電圧と電流の積で求められる。

　⇒　電力（W）＝電圧（V）×電流（A）である。

●電力量

□消費電力の総量（電力量）は，当然，使用する時間に比例する。

□電力量（J）＝電力（W）×時間（秒）で求める。

●過去問（鹿児島県）

> 　電圧100Vの直流電源に200Ωの抵抗をつなぎ，30秒間電流を流した。
> (1)　抵抗に流れた電流は何Aか。
> 　電圧＝抵抗×電流だから，電流＝100V÷200Ω＝0.5A
> (2)　抵抗で消費した電力は何Wか。
> 　電力＝電圧×電流だから，電力＝100V×0.5A＝50W
> (3)　抵抗で消費した電力量は何Jか。
> 　電力量＝電力×時間だから，電力量＝50W×30秒＝1500J

B 2 電流による発熱 頻出 山梨

　ストーブの**発熱量**は，電力と時間の関数である。

●発熱量

□電熱機器の発熱量は，電力と時間の積で求める。

⇒　発熱量(J)＝電力(W)×時間(秒)で求める。

●過去問(山梨県)

図のような方法で水をあたためる実験を行った。

図

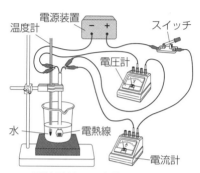

(1)　電圧計は6.0V，電流計は0.5Aを指していた。このときの電熱線の電力は何Wか。

電力＝電圧×電流だから，電力＝6.0V×0.5A＝3.0W

(2)　5分間電流を流したとき，この電熱線の発熱量は何Jか。

発熱量＝電力×時間だから，発熱量＝3.0W×300秒＝900J

C 3 水の温度を上げる熱量　　頻出 福井，神戸市

発熱機器を使って，水の温度を上昇させる場合を考えてみよう。

●基本事項

□水1gの温度を1℃上げるのに必要な熱量は1カロリー(cal)である。

□熱量(cal)＝水の質量(g)×水の温度変化(℃)で求める。

□20℃の水100gを100℃まで上げて沸騰させた場合，100g×80℃＝8000calの熱量が加えられたことになる。

●単位の換算

□1J≒0.24cal という関係が分かっている(裏返せば，1cal≒4.2J)。

□〔100V-800W〕のストーブを100Vの電源につないで5分間運転した場合の発熱量(240000J)は，240000×0.24≒57600cal となる。

□576gの水を100℃上昇させることのできる熱量に値する。

● 理科（物理）

電流と磁界

ここが出る! ▶▶

・電流と磁界の関係について押さえよう。右ねじの法則とフレミング左手の法則を知っていれば対応できる問題がほとんどである。

・電磁誘導によって生じる電流の向きを求めさせる問題がよく出る。対応できるようにしよう。

C 1 磁界　　　　　　　　　　　　　　　頻出 兵庫

まずは，磁石に関する基本事項をおさらいすることから始めよう。

□【 磁極 】…磁石の磁性が強い部分。N極とS極がある。

□【 磁力 】…磁極間や磁極と鉄との間にはたらく力。

□【 磁界 】…磁力の空間。

⏱□【 磁力線 】…磁極間を結ぶ線。N極から出て，S極に向かう。磁力線の向きは，磁界の向きに相当する。

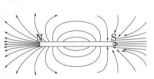

B 2 電流のまわりの磁界　　　　　　　　頻出 東京，鹿児島

導線に電流を流すと，そのまわりに磁界ができる。

●電流のまわりの磁界

⏱□磁界の向きは，電流の流れる方向に対して右回りである。

□右ねじに例えると，ねじの進む向きが電流の向き，ねじの回る向きが磁界の向きとなる。

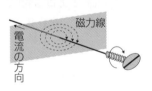

●コイルのまわりの磁界

コイルに電流を流すと電磁石になり，強い磁力を生み出せる。

□電流に向きによって，磁界の向きは異なる。

□図のように，右手でコイルを握ったとき，親指の向きが磁界の向きに相当する。

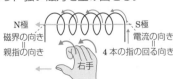

B 3 磁界の中で電流が受ける力 　頻出 静岡，兵庫，神戸市，佐賀

　　磁極の間を通る導線に電流を流すと導線がふれる。磁石の磁界と電流のまわりの磁界が力を及ぼし合うことによる。

●電気ブランコ
□電気ブランコをつくると，ブランコは図のようにふれる。

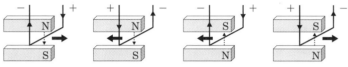

＊導線の→は電流の向き，…→は磁界の向きを表す。

●フレミングの左手の法則
□導線が受ける力の向きは，磁界の向きと電流の向きに依存する。

□左手の3本の指を使うと，右図のように一般化できる。これをフレミングの左手の法則という。

B 4 磁界の変化と電流 　頻出 福井，愛知

　　コイルに磁石を近づけたり遠ざけたりすると，コイルに電流が生じる。これを電磁誘導という。このとき生じる電流を誘導電流という。

□近づける磁石の極と同じ極が，コイルにできる。遠ざける磁石の極とは反対の極が，コイルにできる。

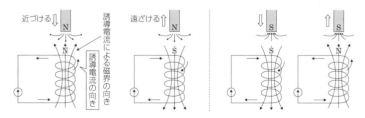

□磁界の向きに着眼して，誘導電流の向きを求めることができる。

□大きな誘導電流を流すには，コイルの巻き数を多くし，磁石の出し入れを速くするとよい。

● 理科（化学）

物質の状態と溶液

頻出度 A

・物質の三態とその変化に関する事項を押さえよう。状態変化の際，体積は変わるが，質量は不変であることがポイント。

ここが出る! ▶▶
- 物質の三態とその変化に関する事項を押さえよう。状態変化の際，体積は変わるが，質量は不変であることがポイント。
- 溶液の濃度と溶解度曲線について理解しよう。これらに関する簡単な計算問題がよく出る。

A 1 物質の状態

頻出 京都，奈良，香川，鹿児島

●物質の三態

□【 **固体** 】…一定の体積と形を持つ。手ごたえあり。

□【 **液体** 】…一定の体積は持つが形は不定。どんな形にもなる。

□【 **気体** 】…一定の体積や形がない。

●物質の状態変化

⏱□加熱ないしは冷却すると，上記の三態は変化する（下図）。

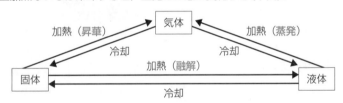

□物質が溶ける温度を<u>融点</u>，沸騰する温度を<u>沸点</u>という。

□状態変化の際，体積は変化するが，<u>質量</u>は変化しない。

●空気と水の体積の変化

	閉じ込めた状態で圧したとき	温めたとき
空気	変化する（縮まる）	変化する（増える）
水	変化しない	変化する（増える）

●純物質と混合物

□【 **純物質** 】… 1種類の物質だけでできたもの。例：窒素，酸素，二酸化炭素，水，鉄，銅，塩化ナトリウム，塩化水素，エタノール。

□【 **混合物** 】… 2種類以上の純物質が混ざってできたもの。例：空気，海水，岩石，石油，塩化ナトリウム水溶液，塩酸，**牛乳**。

B 2 密度 頻出 埼玉

⏱□【 **密度** 】…物質 1 cm³ 当たりの質量(g)をいう。密度は，物質によって決まっている。

〈 密度(g/cm³)＝質量(g)÷体積(cm³) 〉

□密度は一般に，<u>固体</u>で大きく，<u>気体</u>で小さくなる。室温での密度は，アルミニウムが2.70，<u>鉄</u>が7.87，<u>銅</u>が8.96，<u>鉛</u>が11.35，<u>金</u>が19.32。

A 3 溶液 頻出 茨城，神奈川，福井，愛知，兵庫，宮崎

液体の中には，物質を溶かしているものもある。これを**溶液**という。

●基本事項

□物質が液体に溶けることを<u>溶解</u>という。この場合，物質を溶かしている液体を<u>溶媒</u>，溶かされた物質を<u>溶質</u>という。

□砂糖水の例でいうと，溶媒は<u>水</u>，溶質は砂糖である。

●溶液の濃度

何のことはない。**溶質**が溶液全体に占める割合(%)のことである。

□濃度(%)＝ $\dfrac{溶質の質量(g)}{溶液の質量(g)} \times 100$

●溶解度

□溶媒100g に対して溶けることのできる溶質の量を<u>溶解度</u>という。

□溶解度は物質によって異なる。また，溶媒の<u>温度</u>によっても異なる。

□右図は，水100g に溶ける量。100℃の熱湯には，485g もの<u>砂糖</u>が溶ける。

□【 **飽和溶液** 】…溶質が限界量まで溶けた溶液。

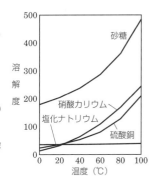

C 4 物質の分離

溶液は**混合物**である。混合物を分離して，純物質をつくる方法は？

⏱□【 **ろ過** 】…ろ紙などを使って，液体中の個体をこし分ける。

□【 **蒸留** 】…混合物を沸騰させると，**沸点**の低い物質が先に気体になる。それを集めて冷却し，純粋な液体を得る。

理科

物質の状態と溶液

ここが出る！ ▶▶
- 主要な気体の製法について覚えよう。とくに，どのような装置でつくるのかが重要。
- 主要な気体の性質を押さえよう。性質を列挙して，どの気体のものかを判別させる問題がよく出る。

B 1 二酸化炭素（CO_2）　　頻出 神奈川，鹿児島

●製法

⏱□炭酸カルシウム（<u>石灰石</u>）にうすい塩酸を注ぐ。

$$CaCO_3 + 2HCl \longrightarrow CaCl_2 + H_2O + CO_2$$

□<u>炭酸水素ナトリウム</u>を加熱する。

$$2NaHCO_3 \longrightarrow Na_2CO_3 + H_2O + CO_2$$

□二酸化炭素は，空気より重いので，<u>下方置換法</u>で集める（右図）。

希塩酸

石灰石　　二酸化炭素

●性質

□①<u>水</u>にやや溶けやすい，②空気より<u>重い</u>，③ものを燃やすはたらきはない，④<u>石灰水</u>を白く濁らせる，⑤水溶液は<u>酸性</u>。

B 2 酸素（O_2）

●製法

□二酸化マンガンに<u>過酸化水素水</u>を注ぐ。

$$2H_2O_2 \xrightarrow{MnO_2} 2H_2O + O_2$$

□二酸化マンガン（MnO_2）は，<u>触媒</u>としての役割を果たす。

⏱□酸素は水に溶けにくいので，<u>水上置換法</u>で集める。

過酸化水素水

二酸化マンガン

●性質

□①水に溶けにくい，②無色・<u>無臭</u>，③ものを<u>燃やす</u>はたらきがある。

B ③ 水素（H₂）

●製法

□<u>亜鉛</u>にうすい塩酸を加える。$Zn + 2HCl \longrightarrow ZnCl_2 + H_2$

□水を電気分解する。$2H_2O \longrightarrow O_2 + 2H_2$

□水素は，水に溶けにくいので，<u>水上置換法</u>で集める。

●性質

□①<u>燃える気体</u>である，②ものを燃やすはたらきはない。

B ④ アンモニア（NH₃）　　　　　　　　頻出 千葉，東京

●製法

□塩化アンモニウムに水酸化カルシウムを加え，加熱する。

$2NH_4Cl + Ca(OH)_2 \longrightarrow CaCl_2 + 2H_2O + 2NH_3$

□アンモニアは空気より軽いので，<u>上方置換法</u>で集める。

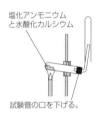

塩化アンモニウム
と水酸化カルシウム

試験管の口を下げる。

●性質

□①空気より<u>軽い</u>，②水に非常に溶けやすい，③水溶液は<u>アルカリ性</u>。

●アンモニア噴水

□アンモニアを上方置換で丸底フラスコに集め，ガラス管で，<u>フェノールフタレイン溶液</u>（P液）を加えた入れた水とつなげる。

□スポイトでフラスコ内に<u>水</u>を少し入れると，アンモニアが溶けて，P液入りの水を吸い上げる。フラスコ内は赤色の噴水のようになる。

□P溶液は，<u>アルカリ</u>性で赤色になる。

A ⑤ 気体の特徴の整理　　　　　　　　頻出 東京，福井，兵庫

名称	におい	収集法	水への溶解性	水溶液の性質
水素	なし	水上置換	溶けにくい	＊＊
酸素	なし	水上置換	溶けにくい	＊＊
アンモニア	刺激臭	上方置換	よく溶ける	アルカリ性
二酸化炭素	なし	水上置換 下方置換	少し溶ける	酸性
窒素	なし	水上置換	溶けにくい	＊＊
塩化水素	刺激臭	下方置換	よく溶ける	酸性

理

科

気

体

ここが出る！ ▶▶

・化学変化の分解の主要事例を押さえておこう。とくに，炭酸水素ナトリウムの分解が頻出。装置や手順も併せて覚えよう。
・主要な元素記号や化学式をみておこう。化学反応式を書かせる問題に対処する際，必要な知識となる。

C 1 物質の基本原理

●物質のつくり

□【 **原子** 】…物質の最小単位をいう。多くの金属は，原子でできている。例：**亜鉛**(Zn)，**銅**(Cu)，**鉄**(Fe)，**マグネシウム**(Mg)

□【 **分子** 】…原子がいくつか結びついたものをいう。例：酸素(O_2)，**水素**(H_2)，塩素(Cl_2)

●物質の変化

□【 **物理変化** 】…形や大きさが変わっても，物質そのものは変化しない。例：氷→水。

□【 **化学変化** 】…物質そのものが変化して，別の物質に変わること。例：ロウを燃やすと，**二酸化炭素**と水ができるような変化。

A 2 分解
頻出 福井，佐賀

ある物質が，いくつかの物質に分かれる化学変化を**分解**という。

●炭酸水素ナトリウムの分解

□化学反応式は以下のとおり。

炭酸水素ナトリウム

　→炭酸ナトリウム＋水＋二酸化炭素

$2NaHCO_3 \longrightarrow Na_2CO_3 + H_2O + CO_2$

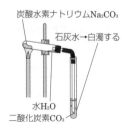
炭酸水素ナトリウムNa_2CO_3
石灰水→白濁する
水H_2O
二酸化炭素CO_2
石灰水の白濁から確認できる。

□分解は，右のような装置で行う。

①炭酸水素ナトリウムの粉末を<u>加熱</u>。

②発生する気体を<u>石灰水</u>に通す。

③試験管の口に水滴（H_2O）がつく。

④石灰水が<u>白く濁る</u>（CO_2 発生）。

⑤試験管に白い個体が残る（Na_2CO_3）。

●その他

その他の事例について，化学反応式のみを掲げておこう。

□酸化銀 ⟶ 銀＋酸素（$2Ag_2O \longrightarrow 4Ag + O_2$）

□炭酸アンモニウム ⟶ アンモニア＋水＋二酸化炭素

$(NH_4)_2CO_3 \longrightarrow 2NH_3 + H_2O + CO_2$

□水 ⟶ 水素＋酸素（$2H_2O \longrightarrow 2H_2 + O_2$）

□塩化銅 ⟶ 銅＋塩素（$CuCl_2 \longrightarrow Cu + Cl_2$）

B 3 化合

2つ以上の物質が結びついて，新しい物質ができる化学変化を**化合**
という。鉄と硫黄の化合についてよく問われる。

●鉄と硫黄の化合

⏱ □化学反応式は以下のとおり
である。

鉄＋硫黄 ⟶ 硫化鉄

（$Fe + S \longrightarrow FeS$）

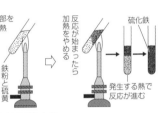

□以下の手順で行う。

①鉄粉と硫黄の混合物を試験管に入れて熱する。

②混合物は赤くなり，最後に，黒い物質に変わる。これが硫化鉄。

●硫化鉄の特徴

鉄と硫黄が化合してできた硫化鉄は，次のような特徴を持つ。

□磁石につかない。

□うすい塩酸を加えると，腐卵臭の硫化水素が発生する。

A 4 酸化と燃焼　　　　頻出 青森，山梨，大阪，奈良

物質が酸素と化合する化学変化を**酸化**という。銅の酸化が頻出。

●銅の酸化

⏱ □化学反応式は以下のとおり。

銅＋酸素 ⟶ 酸化銅（$2Cu + O_2 \longrightarrow 2CuO$）

□銅粉の質量は，加熱後には増加する。4gの銅は，加熱後に5gに増
加（1gの酸素が結びついた）。

□銅の質量と，結びつく酸素の質量の比は，およそ4：1である。
4gの銅には，およそ1gの酸素が結びつく。

理

科

化学変化

●**鉄とマグネシウムの酸化**

□鉄＋酸素 ⟶ 酸化鉄（$2Fe+O_2 \longrightarrow 2FeO$）

□マグネシウム＋酸素 ⟶ 酸化マグネシウム（$2Mg+O_2 \longrightarrow$ **$2MgO$**）❶

●**燃焼**

□【 **燃焼** 】…激しく光や熱を出し，物質が酸素と化合すること。

⏱□酸素の入ったびんにロウソクを入れると，激しく燃えて<u>二酸化炭素</u>が
できる（石灰水が白濁する）。びんの中の酸素の割合は<u>減少</u>。

□ふたを閉めると，酸素（空気）の供給がなくなるので，ロウソクは消える。

B 5 還元　　　　　　　　　　　　　頻出 山口，熊本，鹿児島

酸化物から酸素を取り除く化学変化を**還元**という。酸化銅の還元についてみてみよう。

⏱□化学反応式は以下のとおり。

酸化銅＋炭素 ⟶ 銅＋二酸化炭素

$2CuO+C \longrightarrow 2Cu+$ **CO_2**

□酸化銅と炭素❷の混合物を試験管で加熱
すると，次のことが観察される。

①**黒色**の酸化銅が，赤銅色の<u>銅</u>に変化。

②発生する気体を石灰水に通すと，**白濁**
する（<u>二酸化炭素</u>の発生）。

酸化銅と炭素
の混合物

石灰水

A 6 化学変化と質量変化

これまで，化学変化についてみてきた。最後に，化学変化に関わる重要法則を2つ覚えよう。

●**法則**

□【 **質量保存の法則** 】…化学変化の前後において，物質の質量は変わらない。

⏱□【 **定比例の法則** 】…同じ化合物ならば，その成分の質量の割合は一定。151ページの酸化銅の場合，銅と酸素の比は，<u>4：1</u>である。

----

❶マグネシウムの質量と，結びつく酸素の質量の比は，およそ**3：2**である。1.2gのマグネシウムには，およそ0.8gの酸素が結びつく。

❷炭素は，還元剤としての役割を果たす。還元剤には，酸素を奪いやすい物質が使われる。

●過去問（千葉県）

　マグネシウムが飛び散らない容器を使い，実験を行った。マグネシウムの質量を変えて行い，マグネシウムが全て反応したとき，表のような結果となった。

表

加熱前の質量(g)	0.3	0.6	0.9	1.2
加熱後の質量(g)	0.5	1.0	1.5	2.0

　1.5g のマグネシウムを加熱した後，質量を量ると2.3g であった。このとき，反応しないで残っているマグネシウムの質量は何 g か。

解法：

　○結びついた酸素は，2.3－1.5＝0.8g である。

　○表から，マグネシウムと酸素は「3：2」の比で結びつくことが分かる。0.8g の酸素には1.2gのマグネシウムが結びついたことになる。

　○よって，反応していないマグネシウムは1.5－1.2＝0.3gである。

C 7 化学式と原子量・分子量　　　　頻出 愛知，佐賀，鹿児島

●化学式

□原子の結びつきを表したものを化学式という。水(H_2O)は，水素原子(H)が 2 個，酸素原子(O)が 1 個結びついたものである。

□主な物質の化学式をみておこう。

　水(H_2O)，一酸化炭素(CO)，二酸化炭素(CO_2)，メタン(CH_4)，酸化マグネシウム(MgO)，塩化水素(HCl)，塩化ナトリウム(NaCl)，塩化鉛($PbCl_2$)，塩化亜鉛($ZnCl_2$)，硫酸銅($CuSO_4$)，酸化銅(CuO)，硫酸(H_2SO_4)，硝酸(HNO_3)，アンモニア(NH_3)，水酸化ナトリウム(NaOH)

●原子量と分子量

□【　原子量　】…炭素原子の質量を12.0とした場合の相対質量。水素(H)は1.0，酸素(O)は16.0，硫黄(S)は32.0，塩素(Cl)は35.5，鉄(Fe)は55.9である。

□【　分子量　】…分子の相対質量で，当該分子を構成する原子の原子量の総和となる。たとえば水(H_2O)の分子量は，1.0×2＋16.0＝18.0となる。

理科

化学変化

電気分解と水溶液・器具

> **ここが出る！** ▶▶
> ・塩化銅水溶液の電気分解の実験についてよく問われる。化学反応式はもちろん，実験装置の図もしっかりみておこう。
> ・酸性水溶液とアルカリ性水溶液のうち，主なものの性質を知っておこう。また，各々の強度に応じた，指示薬の色の変化も確認のこと。

A **1** 電気分解　　　　　　**頻出** 富山，岐阜，大阪，熊本，鹿児島

　テーマ10にて，分解という化学変化について触れたが，その方法の一つに**電気分解**というものがある。

●電解質

⏱□そのままでは電流を通さないが，水に溶かすと（水溶液にすると）電流を通す物質がある。このような物質のことを電解質という。

□電解質を分解する場合，電気分解という方法がとられる。

●塩化銅水溶液の電気分解

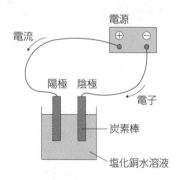

□上のような装置で，塩化銅水溶液に電流を流すと，陽極では塩素が発生し，陰極の炭素棒には銅が付着する。

□陽極では，塩化物イオン❶が電子を放出して塩素となる。$2Cl^- \longrightarrow Cl_2 + 2e^-$

□陰極では，銅イオンが電子をもらって銅となる。$Cu^{2+} + 2e^- \longrightarrow Cu$

□よって，$CuCl_2 \longrightarrow Cu + Cl_2$

----

❶**イオン**とは，原子が電子をおびたものをいう。

●水の電気分解

□水は電解質ではないので，希硫酸を加えて，電流が通るようにする。

□電流を流すと，陽極から酸素，陰極から水素が発生する。体積の比は，およそ「酸素 **1**：水素 **2**」となる。

⏱ □化学反応式は，$2H_2O \longrightarrow 2H_2 + O_2$ となる。

B 2 イオン化傾向 頻出 岐阜

2つの金属を電解質に浸すと，電流が生じることがある。なぜか。

●電池の原理

□亜鉛と銅を電解質の水溶液に浸し導線でつなぐと，亜鉛が溶けて電流が発生する。

□亜鉛は電子を放出し陽イオンになることで，次第に溶けていく。放出された電子は導線を通って銅へと流れる。流れてきた電子は，銅板上で水溶液中の水素イオンにもらわれ，銅板からは水素が発生する。

□これが，ボルタ電池の原理である。陽イオンへのなりやすさ（イオン化傾向）が金属によって異なることを利用している。

●イオン化傾向の順位

□イオン化傾向の順位として，以下のものを知っておきたい。

> リチウム ＞ マグネシウム ＞ 亜鉛 ＞ 鉄 ＞ 銅 ＞ 金

□金はイオンになりにくいが，濃塩酸と濃硝酸を混ぜた王水には溶ける。

A 3 水溶液の性質 頻出 東京，大阪，佐賀

水溶液には，**酸性**のものと**アルカリ性**のものがある（食塩水は中性）。塩酸と水酸化ナトリウムは，法律で劇物に指定されている。

●水溶液の性質

□水溶液は，物質が水に溶解した液体をさす。全体が透明で，濃度が均一で，時間が経っても沈殿物が生じない。

●酸性

酸の水溶液中には，水素イオンが多量に存在し，すっぱい味がする。

□【 塩酸 】…塩化水素を水に溶かしたもの，無色で**刺激臭**。金属と反応して水素を発生する（銅とは反応しない）。

□【 硫酸 】…無色で不揮発性，水に溶けると発熱，脱水性。金属と反

理 科

電気分解と水溶液・器具

155

応して<u>水素</u>を発生する(銅とは反応しない)。

□【 硝酸 】…無色で刺激臭,発煙する。

□【 炭酸水 】…二酸化炭素の水溶液。金属とは反応しない。

● アルカリ性

アルカリの水溶液中には,<u>水酸化物イオン</u>が多く苦味がする。

□【 水酸化ナトリウム 】…水に溶けやすい,CO_2 を吸収。

□【 石灰水 】…水酸化カルシウムの水溶液。二酸化炭素で白く濁る。

□【 アンモニア水 】…特有の刺激臭,金属とは反応しない。

A 4 酸とアルカリの反応　　　　　　　　頻出 徳島

性質が異なる酸とアルカリを反応させるとどうなるか。

● 中和

⏱ □酸とアルカリを混ぜると,互いの性質を打ち消し合う化学変化が起きる。これを<u>中和</u>という。

□水素イオンと水酸化物イオンが結びついて<u>水</u>ができ,酸の陰イオンとアルカリの陽イオンが結びついた化合物(<u>塩</u>)もできる。

□つまり,〈 酸+アルカリ → 塩+水 〉である。

● 塩酸と水酸化ナトリウム水溶液の中和反応

⏱ □塩酸+水酸化ナトリウム → 塩化ナトリウム+水

$HCl + NaOH \longrightarrow NaCl + H_2O$

□この場合,新しくできる化合物(塩)は,<u>塩化ナトリウム</u>である。

A 5 指示薬の色の変化　　　　　　　　頻出 佐賀,鹿児島

酸性やアルカリ性の強度に応じた,指示薬の色の変化をみよう。

● 色の変化

	←酸性		中性		アルカリ性→
BTB液	黄色		緑色		青色
フェノールフタレイン液	無色		無色		赤色
ムラサキキャベツ液	赤色	桃色	紫色	緑色	黄色
リトマス紙		赤色←青色	変化なし	赤色→青色	

● リトマス紙の使い方

⏱ □リトマス紙は指でさわらず,<u>ピンセット</u>で持つ。

□リトマス紙に水溶液をつける際は,<u>ガラス棒</u>で少量つける。

B 6 ガスバーナー

頻出 秋田，福井，京都市

●火のつけ方

□２つのねじが閉まっていることを確認し，元栓を開く。

□火をつけ，ガス調節ねじを回し，炎を適当な大きさに調節する。

⏱□空気調節ねじを回し，青色の炎にする。

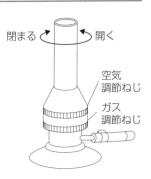

閉まる ⟳ ⟲ 開く

空気調節ねじ

ガス調節ねじ

●火の消し方

□空気調節ねじを閉める。

□ガス調節ねじを閉める。

□元栓を閉める。

B 7 アルコールランプ

学校の理科の授業では，まだまだ健在である。

●火のつけ方

□エタノールを７〜８分目ほど入れる。

⏱□マッチで横から点火する。

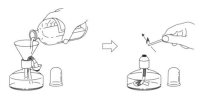

●火の消し方

□横からふたをかぶせて消火。口で吹き消してはいけない。

B 8 メスシリンダー

頻出 千葉，神戸市

メスシリンダーは，液量を測る器具である。

□水平な台に置く。

□目の位置を液面と同じ高さにする。

⏱□１目盛りの10分の１まで読み取る。

□液面のへこんだ面の値を読む。

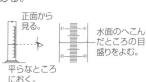

正面から見る。

水面のへこんだところの目盛りをよむ。

平らなところにおく。

● 理科（生物）

生物の観察と生物の細胞 頻出度 **B**

A **1** **観察器具の操作**　　　　　　　　頻出 福井，京都市，奈良

　よく用いる**ルーペ**と**顕微鏡**について，その操作方法を知っておこう。

●ルーペ

□ルーペは，**目**に近づけて固定。

□観察するものを<u>前後</u>に動かして，ピントを合わせる。

●顕微鏡の操作手順

□<u>接眼</u>レンズをつけ，次に<u>対物</u>レンズをつける。

□<u>反射鏡</u>の向きを変えて，視野全体を明るくする。

□<u>プレパラート</u>をステージにのせ，調節ねじを回して，<u>対物レンズ</u>とステージをできるだけ近づける。

□対物レンズとプレパラートを離しながら**ピント**を合わせる。

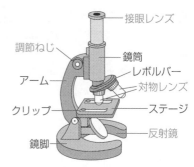

●顕微鏡の扱い方

□倍率は，<u>レボルバー</u>を動かして<u>対物</u>レンズを切り替えることで合わせる。または，接眼レンズを取り換える。

⏱□倍率を高くすると，視野は<u>狭く</u>，明るさは<u>暗く</u>なる。

⏱□倍率＝<u>接眼</u>レンズの倍率×<u>対物</u>レンズの倍率である。接眼レンズの倍率は，長い方が<u>低い</u>。対物レンズはその逆である。

□対物レンズは，最初は最も<u>低い</u>倍率のものにする。

□顕微鏡でみえる像は，実物と上下左右が**反対**であるので，観察対象を動かす時は，そのことを考慮する。

C 2 プレパラートのつくり方 　　　　　　頻出 秋田

　顕微鏡を使うには，観察するものをガラス板にのせた，**プレパラート**
をつくる必要がある。

□手順は，以下のとおり。

　①試料をスライドガラス　　②試料に水を一滴落とす　　③カバーガラス
　　にのせる　　　　　　　　　　　　　　　　　　　　　　をかける

□カバーガラスをかける時，空気が入らないようにする。

B 3 生物のからだと細胞 　　　頻出 山形，千葉，愛知，神戸市，奈良

●生物の基本分類

□【　単細胞生物　】…からだが1個の細胞からできている生物。クロ
　レラ，ミカヅキモ，**アメーバ**，ゾウリムシなど。

□【　多細胞生物　】…からだが多数の細胞からできている生物。

●細胞のつくり

　細胞のつくりを押さえよう。＊印のものは，植物細胞のみにある。

□【　核　】…細胞の中心。

□【　細胞質　】…核以外の部分の総称。

□【　葉緑体＊　】…光合成の場となる。

□【　液胞＊　】…老廃物のため場所。

□【　細胞膜　】…細胞質を包む膜。

□【　細胞壁＊　】…細胞膜の外側の壁。

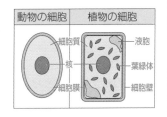

動物の細胞	植物の細胞
細胞質	液胞
核	葉緑体
細胞膜	細胞壁

●細胞分裂

　生物が生長するとは，**細胞分裂**によって細胞が増えることである。

□①核内部の染色体が倍増する。

□②染色体❶がひも状になる。

□③染色体が中央に集まる。

□④染色体が両極に移動する。

□⑤中央に細胞板ができ，細胞質が分
　裂する。

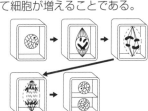

❶染色体は，酢酸カーミンで染色して見やすくできる。

● 理科（生物）

植物と光合成

ここが出る! ▶▶
- 花の基本的なつくりとはたらきを覚えよう。とくに，種子や果実ができるメカニズムが重要である。
- 植物の分類についてよく問われる。分類の観点と，各類の具体例を知っておこう。

C ① 花のつくり

●基本的つくり

□【 花被 】…花びらと花びらの付け根にあるがくからなる。

□【 おしべ 】…やくと花糸からなる。やくには花粉が入っている。

□【 めしべ 】…柱頭，花柱，子房からなる。子房の中には**胚珠**がある。

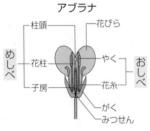

アブラナ

（柱頭，花びら，花柱，やく，子房，花糸，がく，みつせん／めしべ，おしべ）

●受粉

□めしべの柱頭におしべの花粉がつくことを受粉という。

⏱□受粉すると，子房の中の胚珠は種子になり，子房は果実になる。

●裸子植物

子房がなく，胚珠がむき出しの花を裸子植物という。

□裸子植物は，雄花と雌花からなる。

□雌花の胚珠に花粉がつくと，種子になる。**果実**はできない。

B ② 種子のつくり

●種子の3部分

□【 種皮 】…種子の表面をつつみ，内部を保護する。

□【 胚 】…子葉，幼根，そして胚軸からなる。この部分が発芽する。

□【 胚乳 】…胚が発芽する際の栄養分。胚乳がない場合，子葉に養分が蓄えられる。

●発芽の3条件

⏱□種子の発芽には，適当な温度，水分，そして空気の3条件が要る。土や日光は必要ではない。

□<u>湿った</u>脱脂綿の上の種子は発芽するが，<u>乾いた</u>脱脂綿の上の種子は発芽しない（<u>水</u>が必要）。

□水に浸った種子は発芽しないが，半分だけ水に浸った種子は発芽する（<u>空気</u>が必要）。

●遺伝

□【　優性の法則　】…対立形質の純系どうしをかけ合わせたとき，子は，いずれか一方と同じ形質を現すこと。子に現れる方を<u>優性形質</u>，現れない方を劣性形質という。

□対になっている親の遺伝子は，<u>減数分裂</u>により，分かれて別々の生殖細胞に入る。

□対立形質の純系からできた子どうしを再びかけ合わせると，孫の代では，優性形質を現すものが<u>3</u>，劣性形質を現すものが<u>1</u>の比で現れる。

□【　メンデル　】…エンドウを材料として，遺伝の規則性を発見。

B 3 葉・茎・根のつくり　　　　　　　　頻出 沖縄

植物の**葉**と茎の断面図をみてみよう。

●葉のつくり

□葉の裏側には<u>気孔</u>がある。

□この気孔が開閉することで，水蒸気や<u>空気</u>などの気体の出入りを調節する。

□植物の体内の水が水蒸気となって外部に出ていく現象を<u>蒸散</u>という。

●茎のつくり

□茎の内部には，道管と師管の束からなる<u>維管束</u>が通っている。

□道管は<u>水分</u>，師管は光合成でできた<u>栄養分</u>の通り道となる。

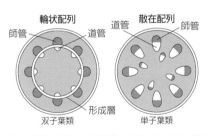

輪状配列　　　　散在配列
師管　道管　　　道管　師管
形成層
双子葉類　　　　単子葉類

□維管束は，<u>双子葉類</u>は輪状，<u>単子葉類</u>は散在する形で並んでいる。双子葉類と単子葉類の説明は，次ページを参照。

●根のつくり

□双子葉類の根は<u>主根</u>と側根からなり，単子葉類の根は<u>ひげ根</u>である。

大枠は種子をつくるか否かである。

● 種子植物

□【 裸子植物 】…子房がなく，胚珠がむき出しの植物。

□【 被子植物 】…胚珠が子房の中にある植物。種子が発芽する時，子葉が2枚出る植物を双子葉類，1枚出る植物を単子葉類という。

□双子葉類のうち，花弁がくっついているものを合弁花類，離れているものを離弁花類という。

	双子葉類(合弁)	双子葉類(離弁)	単子葉類
葉脈	網状脈	網状脈	平行脈
根	主根と側根	主根と側根	ひげ根
茎の維管束	輪状配列	輪状配列	ばらばらに分布
子葉の数	2枚	2枚	1枚
花弁の様子	くっついている	離れている	＊＊
具体例	アサガオ，タンポポ，ツツジ	アブラナ，サクラ，エンドウ	チューリップ，イネ，トウモロコシ，ネギ

● 種子をつくらない植物

	シダ植物	コケ植物
根・葉・茎の区別	あり	あいまい
葉緑体	あり	あり
維管束	あり	なし
増え方	胞子で増える	胞子で増える
具体例	ワラビ，ゼンマイ	スギゴケ，ゼニゴケ

森林は，光合成により酸素を供給してくれている。

● 光合成とは

□【 光合成 】…植物が，光のエネルギーを得て，水と二酸化炭素から，デンプンなどの有機物と酸素を生み出すはたらきをいう。

□光合成は，主に葉の葉緑体の中で行われる。

□なお，光合成の化学反応式を示すと，以下のようである。

$6CO_2 + 12H_2O + 光エネルギー → C_6H_{12}O_6 (ブドウ糖) + 6H_2O + 6O_2$

●実験①

光合成には**光**と**葉緑体**が必要であることを確かめる実験を紹介する。

□アサガオのふ入りの葉の一部をアルミニウムはくで覆い，**光**が当たらないようにする。

□数時間光を当てた後，葉をとり，熱湯に少しつけて，温めた**エタノール❶**につける。

□この葉に**ヨウ素液**を加え，どの部分の色が変わるかを確認する。
↓

□ふの部分(C，D)とアルミニウムはくで覆った部分(B)は，色の変化なし。Aの部分は，デンプンができているため，**青紫色**に変化。

□よって，光合成には，**葉緑体と光**が必要であることが分かる。

ふの部分

アルミニウムはくで覆った部分

ふの部分

●実験②

次に，光合成には光と CO_2 が必要であることを確認する実験である。

□中性(緑色)の**BTB液❷**を入れた3本の試験管を用意する。

□うち2本にオオカナダモの水草を入れ，片方をアルミニウムはくで覆う。残り1本には何も入れない。
↓　光を当てると…

A　オオカナダモ

B　アルミニウムはく

C　植物は入っていない

□Aは**青色**になる。光合成により CO_2 が減って，アルカリ性になった。

□Bは**黄色**になる。水草が光合成を行わず，もっぱら呼吸を行ったことにより，CO_2 が増え，**酸性**になった。

□Cは色の変化なし。中性のままである。

□よって，光合成には**光と二酸化炭素**が必要であることが分かる。

❶葉の葉緑素を溶かして脱色し，ヨウ素液による色の変化を見やすくするため。
❷息(二酸化炭素)を吹き入れて中性(緑)にしたものである。BTB液は，中性では緑色，酸性では黄色，アルカリ性では青色を呈する。

身近な動物

ここが出る! ▶▶

・ヒトや鳥獣などのセキツイ動物の特徴について知っておこう。とくに食物による分類が重要である。

・各類の虫の図を凝視して，それぞれの特徴を視覚的に確認しておこう。トンボの足を書かせる問題がよく出る。

B **1** **セキツイ動物**　　　　　　　　頻出 秋田，名古屋市，鹿児島

　背骨を持つ動物を**セキツイ動物**という。セキツイ動物について，3つの観点からやや詳しくみてみよう。

● からだ

□頭，胴，そして尾の3部分からなる。

□背骨がからだの中央を通り，からだ全体を支えている。

□頭には頭骨があり，脳を保護している。

□手足の骨は関節で連結しているので，なめらかな運動が可能である。

● 食物

　食物によって，3つに分類される。

⏱□【　草食動物　】…草をすりつぶす**臼歯**と，草を噛み切る**門歯**が発達。ウサギやウマなどが該当。

□【　肉食動物　】…獲物をかみ殺すための鋭い**犬歯**が発達。臼歯は凸凹状。ライオンやネコなどが該当。

□【　雑食動物　】…草食動物と肉食動物の中間的存在。クマやヒトなどが該当。

● 呼吸

　各々の動物は，生活する場所に適した方法で呼吸している。

□【　えら呼吸　】…**水中**で生活する魚類は，胸の部分のえらから，水に溶けている酸素を吸う。

□【　肺呼吸　】…**陸上**で生活するセキツイ動物には肺があり，肺呼吸する。ヒトが肺で呼吸することはよく知られている。

● メダカのオスとメスの見分け方

⏱□メダカのオスとメスの見分け方がたまに出るので，紹介しておこう。背びれの切れ目の有無と，尻びれの形に着目する。

オス　　　　　　　　　メス

切れ目あり

尾びれの後部が小さい

B 2 無セキツイ動物　　頻出 福井，奈良，香川，長崎

背骨を持たない動物を**無セキツイ動物**という。

●節足動物

	からだの区分	足の数
昆虫類	頭部・胸部・腹部	6 本(胸部に 3 対)
甲殻類	頭胸部・腹部	8～10本(頭胸部に 4～5 対)
クモ類	頭胸部・腹部	8 本(頭胸部に 4 対)
多足類	頭部・胴部	多数

昆虫類　　　　　甲殻類　　　　　クモ類　　　　多足類

●昆虫の成長のプロセス

さなぎの時期がある完全変態と，それがない不完全変態に分かれる。

□卵→幼虫→さなぎ→成虫となるもの。チョウ，カ，ハチなど。

□卵→幼虫→成虫となるもの。バッタ，カマキリ，トンボなど。

C 3 動物の増え方　　頻出 富山

□【 有性生殖 】…雄の精巣の精子と，雌の卵巣の卵が受精❶し，受精卵となり，細胞分裂の繰り返しにより，子となること。

□【 発生 】…受精卵が細胞分裂を繰り返し，成長・分化して，組織や器官をつくる過程。

□カエルの受精卵が細胞分裂をし，おたまじゃくしになる過程は以下。

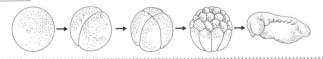

・・

❶受精によって子の細胞は，両方の親から半数ずつ染色体を受け継ぐ。

理科

身近な動物

動物の分類と生物のつながり

頻出度 B

B 1 動物の分類

頻出 秋田，栃木，山梨，兵庫，佐賀，長崎

　動物の分類の仕方にはいろいろあるが，前テーマの2大分類を掘り
下げてみることにしよう。

● **セキツイ動物**

□セキツイ動物には，5つの類がある。それぞれについて，生まれ方
や体温の変化の有無などをみてみよう。

	ホ乳類	鳥類	ハ虫類	両生類	魚類
生まれ方	胎生	卵生	卵生	卵生	卵生
卵の殻	＊＊	あり	あり	なし	なし
体温	恒温	恒温	変温	変温	変温
呼吸	肺	肺	肺	えら，肺❶	えら
心臓のつくり	2心房2心室	2心房2心室	2心房2心室	2心房1心室	1心房1心室

□具体例は以下。ホ乳類：コウモリ，**イルカ**，クジラ／鳥類：**ペンギ
ン**，フクロウ，カラス／ハ虫類：**カメ**，ワニ，ヤモリ／両生類：**カエ
ル**，イモリ，**サンショウウオ**／魚類：サメ，**メダカ**，フナ。

● **無セキツイ動物**

□次に，無セキツイ動物である。4つの下位分類を紹介する。

	生まれ方	からだの形状	事例
節足動物	卵生	外側に殻がある。	＊前テーマ参照。
軟体動物❷	卵生	外とう膜と殻をもつ。	**タコ**，ハマグリ
キョク皮動物	卵生	放射状のからだ。	ウニ，**ヒトデ**
原生動物	分裂	1個の細胞からなる。	アメーバ

❶両生類の子はえら呼吸，親は肺呼吸をする。

❷軟体動物は，頭足類と貝類からなる。イカやタコは前者に該当する。

生物界は「**食う・食われる**」の世界で，そうでなければならない。生態系の中で，生物の数量は一定に保たれている。

●食物連鎖

⏱□【 **食物連鎖** 】…「食う・食われる」という生物同士の関係をいう。

□食物連鎖は，生産者が第1次消費者に，第1次消費者が第2次消費者に，第2次消費者が第3次消費者に…食べられる過程である。

●生態ピラミッド

□生物の個体数は，生産者を底辺とした**ピラミッド型**で表現される。

□【 **生産者** 】…光合成によって，自力で有機物を生み出せる緑色植物（①）。

□【 **第1次消費者** 】…植物を食べる草食動物（②）。

□【 **第2次消費者** 】…草食動物を食べる小型肉食動物（③）。

□【 **第3次消費者** 】…小型肉食動物を食べる大型肉食動物（④）。

●分解者

消費者の死骸や排出物を分解してくれる，縁の下の力持ちがいる。

□【 **分解者** 】…消費者の死骸や排出物を，**二酸化炭素**や水や無機物に分解する菌類や細菌類。

□分解物は，生産者（緑色植物）の光合成に利用される❸。

●炭素の循環

⏱□炭素は，以下のように循環する。Aは光合成，Bは呼吸を意味する。

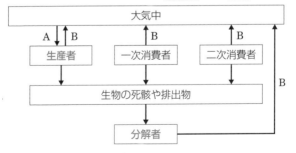

❸いってみれば，生産者→消費者→分解者→生産者→…というようなサイクルができていることになる。光合成については，テーマ13を参照。

● 理科(生物)

ヒトのからだ①－血液と呼吸－ 頻出度 **B**

ここが出る! ▶▶

・血液循環のしくみについて詳しく知ろう。とくに，そのポンプ役を果たす心臓の部位を答えさせる問題がよく出る。

・ヒトは肺で呼吸するが，肺呼吸がなされるとき，そこでは具体的にどのようなことが行われているか。確認しておこう。

C **1** **血液の成分**

血液は，血しょうという液体と，3種の血球からなる。各々のはたらきについてみてみよう。

□【 **血しょう** 】…うすい黄色の液体。栄養分や老廃物などを溶かして運搬する。

⏱□【 **赤血球** 】…ヘモグロビンという色素をもつ。ヘモグロビンは**酸素**と結合し，それを全身の組織へと運搬する。

□【 **白血球** 】…体内に侵入してきた細菌を殺す。

□【 **血小板** 】…出血したとき，血液を凝固させ，止血させる。

A **2** **血液の循環**　　　頻出 栃木，愛知，和歌山，鳥取

血液は体内を**循環**する。そのしくみを押さえよう。

● 心臓

心臓は，血液を循環させるポンプの役割を果たしている。心臓は，血液が流入する心房と，血液を送り出す心室からなる。

⏱□【 **左心房** 】…肺から送られてきた（きれいな）血液❶を左心室に送る。

□【 **左心室** 】…左心房から送られてきた血液を全身に送り出す。

⏱□【 **右心房** 】…全身から送られてきた（汚れた）血液❷を右心室に送る。

□【 **右心室** 】…右心房から送られてきた血液を肺に送り出す。

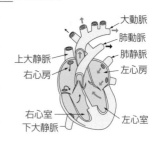

❶酸素を多く含む。鮮紅色をしている。動脈血という。

❷二酸化炭素を多く含む。暗紅色をしている。静脈血という。

●血管

⏱□【　動脈　】…血液を心臓から全身に送る血管。血液の圧力（血圧）が高い。

⏱□【　静脈　】…全身から血液が心臓に送り返される血管。動脈に比して血圧は低い。静脈内には各所に**弁**があり，血液の逆流を防いでいる。

□【　毛細血管　】…動脈と静脈をつなぐ細い血管。

●血液循環

肺循環と体循環に分かれる。

□【　肺循環　】…汚れた血液が心臓から出て（①），肺を通り，きれいな血液となって心臓に戻る（②）循環。

〈　右心室　→　肺　→　左心房　〉

□【　体循環　】…きれいな血液が心臓から出て（③），全身をめぐり，汚れた血液となって心臓に戻る（④）循環。

〈　左心室　→　全身　→　右心房　〉

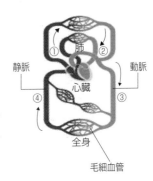

血液に引き渡す酸素は，**呼吸**によって得ている。

●呼吸とは

□【　呼吸　】…必要な酸素を体内に取り入れ，不要な二酸化炭素を体外に出すはたらき。

⏱□ヒトをはじめとした高等動物は肺で呼吸し，水中で生活する生物の多くはえらで呼吸する。

●肺でのガス交換

□肺では，血液中の二酸化炭素が取り除かれ，逆に酸素が与えられる。このことをガス交換という。

□ヒトの肺は，肺胞という小さな袋が集まってできている。この肺胞と，それを取り巻く毛細血管を流れる血液の間でガス交換が行われる（右図）。

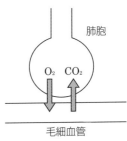

□肺そのものには，ふくらんだり，しぼんだりする筋肉はない。

理科

ヒトのからだ①─血液と呼吸─

169

ヒトのからだ②－消化と吸収－

頻出度 **B**

B 1 消化のながれ

頻出 神奈川，長崎

　食物を分解し，養分として吸収できるようにすることを**消化**という。食物は，以下のような順序で消化器官を巡っていく。

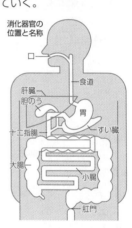

消化器官の位置と名称

□【 口 】…食物を歯で噛み砕く。
　↓
□【 食道 】…食物を口から胃に送る。
　↓
□【 胃 】…食物を胃液と混ぜる。
　↓
□【 十二指腸 】…食物をすい液と混ぜる。
　↓
□【 小腸 】…食物を腸液と混ぜ，養分を吸収。
　↓
□【 大腸 】…水分や無機塩類を吸収。

B 2 消化器官のはたらき

頻出 茨城，徳島

　各器官の消化液に含まれる**消化酵素**は，食物中の養分を分解する。詳細をみてみよう。消化酵素の名称とはたらきを覚えること。

消化器官	消化液	消化酵素	酵素のはたらき
口	だ液	アミラーゼ	デンプンを麦芽糖に分解
胃	胃液	ペプシン	タンパク質をペプトンに分解
すい臓	すい液	トリプシン	タンパク質をポリペプチドに分解
		リパーゼ	脂肪を脂肪酸とモノグリセリドに分解
		アミラーゼ	デンプンを麦芽糖に分解

| 小腸 | 腸液 | マルターゼ | 麦芽糖をブドウ糖に分解 |
| | | ペプチターゼ | ポリペプチドをアミノ酸に分解 |

C 3 養分の吸収と老廃物の排出

消化器官で分解された養分は，小腸内の**柔毛**から吸収される。

●養分の吸収

□ブドウ糖とアミノ酸は，小腸の柔毛内の毛細血管に吸収される。

□脂肪酸とモノグリセリドは，柔毛内のリンパ管に吸収される。

□ひだや柔毛があることで表面積が大きくなり，養分を効率的に吸収できる。

●老廃物の排出

□胃液やすい液によってタンパク質が分解されると，有害なアンモニアが生じる。

□アンモニアは，肝臓に送られ，無毒の尿素に変えられる。

□尿素はじん臓にて尿になり，尿道から体外に放出される。

A 4 だ液のはたらきを調べる実験 　頻出 栃木，佐賀

デンプンのりを入れたA～Dの試験管に，**だ液**ないしは水を加え，試験管の周りの温度環境を変えてみた。デンプンが糖化された試験管はどれか？

●実験結果

試験管	加えるもの	試験管の周りの温度環境	結果	
A	だ液	35～40℃の湯につける。	ヨ反応×	べ反応○
B	水	35～40℃の湯につける。	ヨ反応○	べ反応×
C	だ液	0℃の氷水につける。	ヨ反応○	べ反応×
D	水	0℃の氷水につける。	ヨ反応○	べ反応×

＊ヨ反応＝ヨウ素液反応(デンプン→青紫色)

べ反応＝ベネジクト液反応(糖→加熱→赤褐色)

●考察

□B～Dでは，ヨ反応があるので，デンプンが残っている。Aでは，ヨ反応がなく，べ反応があるので，デンプンが糖化されている。

□だ液の糖化作用は，低温になるとはたらかないことが分かる。

ここが出る！ ▶▶

- 乾湿計を使った，湿度の求め方を知っておこう。湿度表を提示した問題がよく出る。
- 飽和水蒸気量の概念と，それをもとにした湿度の求め方を知っておこう。この点に関する計算問題が頻出である。

B 1 気象の観測　　　　　　　　　　頻出 大阪，愛媛，鹿児島

●温度の観測

□温度計に直射日光を当てない。

□温度計の感温部（球部）を空気に十分接触させる。

□水平の目線から目盛りを正しく読み取る。

●湿度の観測

　乾湿計を使う。乾湿計は，乾球と，湿った布を巻いた湿球からなる。

□乾球温度と湿球温度を測る。

□双方の差と，乾球温度から湿度（％）を求める。その際，湿度表❶を用いる。

●風と天気

　↗は，「北東の風，風力4，雨」という記号である。

⏱ □風向は，16方位で表す（南，南南東，南東，東南東，東…など）。

□風力は，0〜12の13階級で表す（矢羽根の数で表現）。

□主な天気記号⇒快晴（○），晴れ（①），くもり（◎），雨（●），雪（⊗）

●晴れた日の気温変化

□日射が最も強いのは正午頃だが，晴れた日には，午後2時頃に最高気温となる日が多い。

□太陽放射でまず地面があたたまり，その後，地面からの熱で空気があたたまるため。

C 2 気圧　　　　　　　　　　　　　　頻出 神奈川

　水中では水圧を受けるのと同様，大気中では**気圧**を受ける。

....

❶乾球温度の値と，乾球温度と湿球温度の差の値から，湿度（％）を求めることができるようにした表である。実物については，中学理科の教科書などを参照のこと。

●気圧とは

□【 気圧 】…大気中の圧力。上空ほど，上にある空気の量が少ないので，気圧は小さくなる。

□【 等圧線 】…気圧が等しい地点を結んだ線を等圧線という。4hPa（ヘクトパスカル）ごとに引かれ，20hPaごとに太い線になる。

□風は，気圧の高い所から低い所に向かって吹く。

□気圧の差が大きいほど，**強い風**が吹く。

●高気圧・低気圧と風

□北半球の場合，高気圧の中心から時計回りに風が吹き出す。高気圧の中心付近では下降気流が生じる。

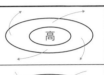

□同じく北半球の場合，低気圧の中心に向かって反時計回りに風が吹き込む。低気圧の中心付近では上昇気流が生じ，雲ができやすい。

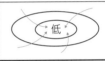

B 3 大気中の水　　　　　　頻出 千葉，沖縄

●飽和水蒸気量

□空気 1 m³ に含むことができる水蒸気量の最大値を飽和水蒸気量という。

□飽和水蒸気量は，**気温**が高くなるほど大きくなる。10℃では9.4g，20℃では17.3g。

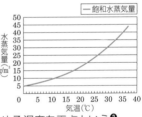

— 飽和水蒸気量
（グラフ 縦軸：水蒸気量（g/m³）0〜50，横軸：気温（℃）0〜40）

□空気中の水蒸気が凝結し，水滴になり始める温度を露点という❷。

□湿度が同じ場合，気温が高いほど露点は高く，気温が同じ場合，湿度が高いほど露点は高い。

●湿度の求め方

□湿度は，空気 1 m³ 中に含まれる水蒸気量が，同じ気温における飽和水蒸気量に占める割合（%）のことである。

□ 1 m³ 中に9.4g の水蒸気を含む20℃の空気の場合，湿度は，（**9.4÷17.3**）×100＝54.3%である。

....

❷ 1 m³ 中に17.3g の水蒸気を含む30℃の空気の場合，露点は**20℃**である。17.3g が飽和水蒸気量となるのが20℃であることに由来する。上記のグラフを参照。

● 理科（地学）

天気

ここが出る！ ▶▶

- 日本の天気に影響を与える気団と前線について知っておこう。とくに，寒冷前線と温暖前線の違いの判別が重要である。
- 春夏秋冬の気圧配置と，各々の天気の特徴を押さえよう。また，天気図も重要。どの季節のものかを答えさせる問題が出る。

B 1 気団

温度や湿度が一様な大気のかたまりを**気団**という。日本の天気に影響を与える気団は，以下の4つである。

名称	発現地	時期	性質	地図
シベリア気団	シベリア大陸	冬	北西季節風でくる，寒冷・乾燥。	シベリア気団 寒冷・乾燥／オホーツク海気団 寒冷・湿潤／揚子江気団 温暖・乾燥／小笠原気団 温暖・湿潤
小笠原気団	日本の南東海上	夏	南東風でくる，**温暖・湿潤**。	
オホーツク海気団	オホーツク海	梅雨期	北東気流でくる，**寒冷・湿潤**。	
揚子江気団	長江流域	春，秋	偏西風でくる，温暖・乾燥。	

A 2 前線と天気

頻出 秋田，山形，山梨，和歌山，沖縄

性質の異なる2つの気団が接する**前線**では，天気が悪くなる。

●寒冷前線

寒冷な空気が活発な場合，寒冷前線（▼▼▼）ができる。

□寒気が暖気の下に入り込み，それを押し上げて進む。

□その結果，強い上昇気流が生じ，積雲状の雲となり，雷雨を伴う。

□寒冷前線の通過後は気温が下がり，北寄りの風が吹き，天気が回復。

●温暖前線

温暖な空気が活発な場合，温暖前線（●●●）ができる。

□暖気が寒気の上にはい上がって進む。

□層雲状の雲が生じ，広い範囲にわたって，長時間雨が降る。

□温暖前線の通過後は気温が上がり，南寄りの風が吹き，天気が回復。

●**停滞前線**

□寒気と暖気の勢力が等しい場合，停滞前線（◥◣◥◣）ができる。

⏱□種類としては，6月頃の梅雨前線と9月頃の秋雨前線がある。

●**閉塞前線**

□寒冷前線が温暖前線に追いついた時，閉塞前線（◢◣◢◣）ができる。

□寒冷前線に似た寒冷型閉塞前線と，温暖前線に似た温暖型閉塞前線がある。

A 3 日本の四季 頻出 富山，福井，鹿児島

日本は**四季**の国である。各季節の気圧配置，天気の特徴を押さえよう。天気図もよく見ておこう。

●**四季の天気**

	気圧配置	特徴	天気図
冬	西高東低	北西の季節風が吹く 日本海側に多量の雪 太平洋側は乾燥・晴天	シベリア気団 高気圧 低気圧
春	西からの移動性高気圧	春一番（南からの突風） 五月晴れ（3〜4日おきの晴天） 三寒四温（小刻みな天気変化）	低気圧 揚子江気団 → 移動性高気圧 → 低気圧
梅雨	東西に長い梅雨前線	広域にわたる雨 6月末〜7月の豪雨 北海道には影響は少ない	オホーツク海気団 冷たい空気 暖かい空気 小笠原気団
夏	南高北低	南東の季節風が吹く 晴天，高湿度 積乱雲の発達，激しい雷雨	低気圧 高気圧 小笠原気団
秋	移動性高気圧	小刻みな天気の変化 台風 秋雨前線による長雨	春と同じ

●**天気の変化**

⏱□高気圧，低気圧，そして前線は西から東へ移動する。

□よって，天気は西から東へ変化する。

理科 天気

175

ここが出る！

・半ば常識知ではあるが，太陽の動き方の原理を押さえよう。太陽の南中高度を問う問題がたまに出るので，公式を覚えておこう。

・夜空にみえる星の動きと，それぞれの季節でよくみえる星座について知っておこう。

C 1 太陽の日周運動

□太陽は，東の地平線から出て，西の地平線に沈む。

□われわれが立っている地球が西から東の方向に自転しているため，こうした見かけの動きが観察される。

A 2 太陽の年周運動　　頻出 山形，神奈川，兵庫，鹿児島，沖縄

昔の人は，太陽の位置とできる影を手がかりにして，時刻を知っていた[1]。

● 太陽の道すじの変化

□春分・秋分には，太陽は真東から昇り，真西に沈む。昼と夜の長さは等しい。

□夏至には，太陽は真東・真西よりも北寄りに出没する。昼の時間が長い。

□冬至には，太陽は真東・真西よりも南寄りに出没する。夜の時間が長い。

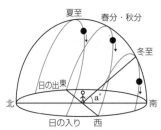

● 太陽の南中高度の変化

太陽は，ちょうど南の位置にくるとき，最も高くなる。このときの地平線との角度を南中高度という。

□上図でいうと，冬至の日の南中高度はa°である。

□日本付近では，南中高度は，夏至で高く，冬至で低い。

□地面に立てた棒の影は，太陽の日周運動と逆の方位に動き，太陽の高度が高いほど短くなる。

⸺⸺⸺⸺⸺⸺⸺⸺⸺⸺⸺⸺⸺⸺⸺⸺⸺⸺⸺⸺⸺⸺⸺⸺

[1]日時計という道具を使っていた。

⏱□南中高度は土地の位置によっても異なる。北半球の土地の場合，南中高度は次のようにして求められる。理屈は抜きにして覚えよう❶。

春分・秋分の日	⇒	90°－土地の緯度
夏至の日	⇒	90°－（土地の緯度－23.4°）
冬至の日	⇒	90°－（土地の緯度＋23.4°）

A 3 星の動き

頻出 東京，名古屋市，京都，奈良

日周運動と年周運動に分かれる。

●日周運動

□地球の自転により，星は1時間に15°ずつ東から西に動いてみえる。

□北天の星は，北極星の周りを反時計まわりに回転している。

□東天の星は，右斜め上方に昇る。

□南天の星は，東から西へと弧を描いて動く。

□西天の星は，右下方へと沈む。

北

東　　　　南

西

●年周運動

□地球の公転により，星は1か月に30°ずつ東から西に動いてみえる（1年間で1周する）。

□同じ星が同位置にみえる時刻は1日に約4分ずつ，1か月に2時間ずつ早くなる。

A 4 星座

頻出 愛知，名古屋市，奈良，長崎

季節によって，よくみえる星座は異なる。それはなぜか。

●季節の星座

⏱□地球は太陽の周りを公転している（1年で1回転）。各位置にあるとき，太陽と反対位置の星座がよくみえる。

❶北緯35°の東京の場合，夏至の日の南中高度は，90°－(35°－23.4°)≒78°となる。公式中の23.4°という数字は，垂直線に対する地軸の傾きである。

理科

天体

177

□たとえば，夏では<u>さそり座</u>，秋では<u>うお座</u>がよくみえる。

□代表的な星座は，春は<u>しし座</u>・おとめ座，夏は<u>さそり座</u>・はくちょう座，秋は<u>ペガスス座</u>・うお座，冬は<u>オリオン座</u>・ふたご座である。

● **代表的な星座の図**

☆の1等星の名称を覚えること。

さそり座	夏の大三角	冬の大三角
アンタレス	デネブ [はくちょう座] ・ベガ [こと座] アルタイル [わし座]	プロキオン ベテルギウス [こいぬ座] [オリオン座] シリウス [おおいぬ座]

● **月と太陽の見え方**

□地球から月までの距離は約<u>38万</u>kmで，月の直径は約<u>3500</u>kmである。

□大きさの比と，地球から距離の比がほぼ同じであるので，見かけ上，月と太陽はほぼ<u>同じ</u>大きさに見える。

● **月の形の変化（満ち欠け）**

⏱ □月は，地球の周りを<u>公転</u>している❷。

□<u>太陽光</u>を受けて光る部分は，月の位置によって異なる。

□その結果，地球からみえる月の形は，日によって異なる。

□<u>満月</u>になるのは，月が太陽の反対側に来たときである❸。

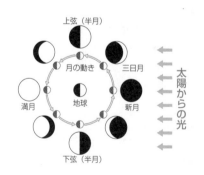

● **月の形と動き**

上弦の月と下弦の月は，イラストも見ておくこと。

❷地球型惑星のうち，地球と火星は衛星を持つ。

❸満月から次の満月までは約29.5日かかる。月の公転周期にほぼ対応している。

三日月	夕方，西の空の低いところに見え，やがて沈む。
上弦の月	夕方，南の空の高いところに見え，夜中にかけて沈む。
満月	日の入りと同時に東に昇り，日の出頃に西に沈む。満月は太陽と反対側にあるので，太陽とは逆現象になる。
下弦の月	夜中に東に昇り，日の出頃に南中する。

●日食と月食

□【 日食 】…地球からみたとき，太陽が月にかくれる現象。太陽－月－地球の順に並ぶとき(新月のとき)に起こる。

□【 月食 】…地球が太陽と月の間に入り，地球の影が月にかかって月が欠けて見える現象。太陽－地球－月の順に並ぶとき(満月のとき)に起こる。

C 6 太陽系　　　　　頻出 東京，神奈川，大阪

●太陽と惑星

□【 太陽系 】…太陽の周りを公転する天体の体系。

□太陽の周囲を8つの惑星が公転している。太陽から近い順に，水星，金星，地球，火星，木星，土星，天王星，海王星となる。

□地球より内側(太陽寄り)の軌道を回っている惑星を内惑星，その逆を外惑星という。水星，金星，地球，火星は密度の大きい地球型惑星で，その他は密度の小さい木星型惑星である。

●太陽の構造

□中心の核は約1600万℃，表面の光球は約6000℃。

□【 黒点 】…周りより温度が低いので，黒くみえる箇所。黒点の位置の変化により，太陽が自転していることが分かる(高緯度ほど自転周期は長い)。

●金星

□金星は内惑星であるので，真夜中にはみえない。

□金星は，明け方の東の空か，夕方の西の空にみえる。

□地球からの距離に応じて，みえる金星の大きさは異なる。明けの明星は地球から遠ざ

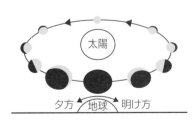

かるのでだんだん小さくなり，宵の明星はその反対である。

● 理科(地学)
地層と化石

ここが出る! ▶▶
・地層のつくりとでき方について押さえよう。図を提示して, 層の名称を答えさせる問題がよく出る。
・堆積岩の種類と化石の機能を知っておこう。前者については, 実物の写真を選ばせる問題も出るので, 百科事典などで確認のこと。

C 1 地層のつくり

頻出 大阪

大地は, 砂岩や泥岩などが層状に重なった**地層**からできている。

●地層の模様

□【 層理 】…地層の断面に平行なしま模様。成分を異にする1つ1つの層(単層)が重なっている。

□【 葉理 】…単層内部にみられる筋のような模様。ラミナともいう。

□【 斜交葉理 】…層理に斜めに交わる筋模様。クロスラミナともいう。

●地層の重なり

□【 地層累重の法則 】…地層は下から上に重なる。下位の地層ほど古く, 上位の地層ほど新しい。

B 2 地層のでき方

頻出 北海道, 山形, 兵庫, 神戸市

岩石の変形や, その積み重なりという観点から考えてみよう。

●風化

□地層をつくる岩石は, 風や流水などによって削られ, 形が変わる。このことを風化という。

□風化には, 物理的風化と化学的風化とがある。石灰岩が炭酸によって溶かされ, 鍾乳洞ができることは, 後者の例に該当する。

●堆積

□川の岩石は, 流水によって運ばれ, 海に流れ込み, 海底に堆積する。そして地層になる。

れき層　砂層　粘土層　現在の海水面

□れきや大粒の砂は, 海岸付近に堆積する(れき層)。以後, 海岸から離

れるに伴い，砂層，粘土層ができる❶。

● 河川の作用

□河川は，①岩石を削り取る侵食作用，②土砂を運ぶ運搬作用，③運んだ土砂を川底や河口に積もらせる堆積作用，を持つ。

⏱□河川が曲がっているところでは，外側の流れが速いので，削られて崖になる。内側は流れが遅く，石や砂が積もって河原ができる。

C 3 堆積岩 頻出 鹿児島

堆積岩は，岩石や鉱物の破片などが堆積してできる。

● 風化や浸食によってできるもの

⏱□【 れき岩 】…れきが堆積してできた岩石。コンクリートに類似。

□【 砂岩 】…砂が堆積してできた岩石。硬くて等質。

□【 泥岩 】…泥が堆積してできた岩石。

□3つの岩は，岩石中の土砂の粒の大きさで区別する。これらの岩の粒は丸みをおびている（火山灰の粒は角ばっている）。

● 生物の遺骸や化学物質からなるもの

⏱□【 石灰岩 】…サンゴ，フズリナなどの遺骸が堆積してできた岩石。希塩酸をかけると泡が出る。

⏱□【 チャート 】…放散虫などの遺骸が堆積してできたもの，あるいは海水中の二酸化ケイ素が沈殿して固まったもの。非常に硬い。

● 火山の噴出物

□【 凝灰岩 】…火山灰などが堆積してできた岩石。比較的軽い。火に強いので，建築用石材として用いられる。

C 4 化石 頻出 佐賀

化石は，過去を知るための手がかりとなる。

□【 示相化石 】…地層が堆積した当時の環境を知る手がかりとなる化石。例：アサリの化石は，そこが浅海底であったことを示唆する。

□【 示準化石 】…地層が堆積した時代を知る手がかりとなる化石。例：フズリナやサンヨウチュウは古生代の示準化石であり，アンモナイトやフクイサウルスは中生代の示準化石である。

❶粘土は沈みにくいので，沖まで運ばれて堆積する。地層に含まれる粒が小さいほど，海岸から遠く離れているとみなすことができる。

地層の変形と火成岩 頻出度 B

C 1 地層の変形型
頻出 大阪, 沖縄

地層には, 不格好なものもある。

● 整合と不整合

□【 整合 】…複数の層が連続して重なっているもの。

□【 不整合 】…層の重なり方が, ある面❶を境にして, 連続的でなくなるもの。その生成のプロセスの例を, ごく簡単な模式図で示そう。

①海底に層が堆積して, 地層ができる。

②それが地上に隆起し, 傾斜させられる。

③再び海底に沈み, その上に新たな層が堆積。

  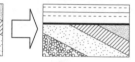

● しゅう曲と断層

□【 しゅう曲 】…地層が波うったもの。両側からの力でできる。

□【 断層 】…地殻変動などで生じた割れ目を境に地層がずれたもの。縦方向のずれと横方向のずれがある。

B 2 火山とマグマ
頻出 佐賀

● 火山の種類

□【 盾状火山 】…流れやすい溶岩が出る。**マウナロア**火山など。

□【 成層火山 】…溶岩と火山灰の噴出が繰り返される。桜島など。

□【 ドーム状火山 】…粘性の強い溶岩が出る。昭和新山など。

□【 カルデラ 】…火山の山頂部が凹んだくぼ地。阿蘇山など。

❶不整合面という。③の図でいうと, 太線の部分である。

●特徴の対比

	ドーム状火山	成層火山	盾状火山
模式図	△	⛰	〜
噴火の様子	激しい	⇔	緩やか
マグマの粘り気	強い	⇔	弱い
溶岩の色	白っぽい	⇔	黒っぽい

□SiO_2の含有量が大きいほど粘性が強い。

B 3 火成岩

頻出 千葉，奈良，鳥取，鹿児島

●火成岩の種類

マグマが冷えて固まった火成岩には，2つの種類がある。

	でき方	組織	図
火山岩	マグマが地表で急に冷え固まるとできる。	大きな結晶（斑晶）がまばらに含まれる斑状組織。	斑晶
深成岩	マグマが地下深くでゆっくりと冷え固まるとできる。	サイズの揃った大きな結晶からなる等粒状組織。	

●火成岩の組成

火山岩（深成岩）の3種類と各々の組成を覚えること。

火山岩	流紋岩	安山岩	玄武岩
深成岩	花こう岩	閃緑岩	はんれい岩

鉱物組成

100%
石英
長石
50
角閃石（かくせん）
黒雲母（くろうんも）
その他
輝石
かんらん石
0

色　白っぽい ◀——————▶ 黒っぽい

□石英は無色で不規則に割れる。長石は白色で決まった方向に割れる。
黒雲母は黒色で決まった方向に薄くはがれる。

理科

地層の変形と火成岩

183

地震

ここが出る! ▶▶
- 地震のゆれの原理について知っておこう。初期微動継続時間や震源までの距離を計算させる問題が出る。
- 地震の大きさを測る尺度について知っておこう。また，震源の分布やプレートテクトニクスという考え方を押さえよう。

B **1** **地震のゆれ**　　　頻出 **福井，岐阜，三重，兵庫，神戸市**

地震が起きると，最初は小さくゆれて，少し後になって大きくゆれる。こうした経験知を科学的に考えてみよう。

●**ゆれ方**

□最初の小さなゆれを<u>初期微動</u>といい，少し後の大きなゆれを<u>主要動</u>という。

□<u>地震計</u>には，おおよそ，右のような記録が刻まれる。

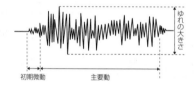

●**P波とS波**

われわれがゆれを感じるのは，震源からの**地震波**が到着した時である。地震波には，2つの種類がある。

□【 **P波** 】…最初に到着する波。Pは，Primary(第1)の頭文字。

□【 **S波** 】…遅れて到着する波。Sは，Secondary(第2)の頭文字。

□P波が到着すると<u>初期微動</u>が，S波が到着すると<u>主要動</u>が始まる。

●**初期微動継続時間**

□P波が到着してからS波が到着するまでの時間が，<u>初期微動継続時間</u>である。この点に関する簡単な計算問題を掲げておこう。

　震源から70km離れた地点における初期微動継続時間を求めよ。P波の速度は秒速7.0km，S波の速度は秒速3.5kmとする。

　　☆P波が到着するまでの時間は，距離÷速さ＝**70**÷7.0＝10秒

　　　S波が到着するまでの時間は，70÷**3.5**＝20秒

　　　よって，初期微動継続時間は，**20**－10＝10秒間である。

C 2 地震の大きさ

震度と**マグニチュード**という概念について押さえよう。

●震度

□【 震度 】…ある地点における，ゆれの大きさを測る尺度。**10**段階に分けられている（ 0 ， 1 ， 2 ， 3 ， 4 ， 5 弱， 5 強， 6 弱， 6 強， 7 ）。

□震度 5 弱になると，大半の人が恐怖を感じる。震度 5 強になると，歩くことが難しくなり，固定していない家具が倒れることがある❶。

●マグニチュード

□【 マグニチュード 】…地震によって放出されるエネルギーの大きさを測る尺度。

□マグニチュードが 1 大きくなると，エネルギーが**32**倍大きくなる。つまり，M 8 の地震は，M 6 の地震の約**1,000**倍のエネルギーを持つ❷。

B 3 地震の分布と原因 　　　　　頻出 宮城，徳島

地震は，どのような所で起こるか。また，その原因は何か。

●地震分布

□日本付近でみると，震源の深さは，太平洋側で浅く，日本海側にいくほど深くなる。

□世界の震源分布をみると，環太平洋地帯に多く分布している。日本は，まさに地震大国である。

●地震の原因

□地震などが，プレートの相互運動によるものとみなす説をプレートテクトニクスという。

□日本付近の地震は，右図の 4 枚のプレートのひずみによるものと考えられる。プレート内の活断層が動いて起きる地震もある。

□2011年の東北地方太平洋沖地震は前者，1995年の兵庫県南部地震は後者に該当する。

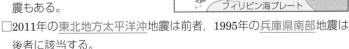

----

❶気象庁ホームページの「震度とゆれの状況」を参照。
❷32×32＝1,024 であるから，およそ1,000倍である。

●Answer●

□1　「天気による1日の気温の変化」は，第4学年の「生命・地球」の内容に含まれる。
→P.130

1　○

□2　高い位置にあるほど，運動エネルギーは大きい。
→P.139

2　×
位置エネルギーである。

□3　オームの法則によると，電流（I）は，電圧（V）と抵抗（R）の積で求められる。
→P.141

3　×
オームの法則は，V＝IRである。

□4　磁界の向きは，電流の流れる方向に対して右回りである。
→P.144

4　○

□5　物質が状態変化しても，質量は変化しない。
→P.146

5　○

□6　アンモニアは，空気より軽いので，上方置換法で集めることができる。
→P.149

6　○

□7　炭酸水素ナトリウムを分解すると，炭酸ナトリウムと水と塩素ができる。
→P.150

7　×
塩素ではなく，二酸化炭素である。

□8　双子葉類の茎の断面図をみると，師管と道管が輪状配列になっている。
→P.161

8　○

□9　BTB溶液は，アルカリ性になると緑色を呈する。
→P.163

9　×
青色である。

□10　唾液に含まれる消化酵素のペプシンは，デンプンを麦芽糖に分解する。
→P.170

10　×
ペプシンではなく，アミラーゼである。

□11　冬では，南高北低の気圧配置になり，北西の季節風が吹く。
→P.175

11　×
西高東低である。

□12　火山岩は，大きな結晶がまばらに含まれる斑状の組織からなっている。
→P.183

12　○
深成岩は，等粒状の組織を持つ。

□13　地震の際，S波が到着すると初期微動，P波が到着すると主要動が始まる。
→P.184

13　×
P波とS波が逆である。

□14　プレートの相互運動によって地震が起こるとする説をプレートテクトニクスという。
→P.185

14　○

生活

　生活科については，郷土色の強い問題（ローカル問題）がほとんどであるので，一般的な出題傾向を指摘することは難しい。自分が受けようとする自治体の出題傾向を，各人で見極めてもらうしかなさそうである。しかし，新学習指導要領に記載された教科の目標と内容は共通であるので，こちらはしっかりみておく必要がある。また，指導計画作成の配慮事項や内容の取扱いに関する事項も頻出。新学習指導要領の原文を読み込んでおこう。

● 生活（学習指導要領）

生活科の目標

ここが出る! ▶▶

- 生活科は，1989年の学習指導要領改訂において，低学年の社会と理科が統合されてできた教科である。教科の3つの目標を覚えよう。
- 教科の目標は，学年の目標として具体化されている。目標が2学年でまとめて示されていることの趣旨を理解しておこう。

A **1** **生活科の目標** 　頻出 北海道，島根，広島，山口，宮崎

　具体的な活動を通して，生活に必要な習慣や技能を身に付ける。入学当初は，生活科を中心とした**スタートカリキュラム**を組む。

● 生活科の目標

　具体的な活動や**体験**を通して，身近な生活に関わる見方・**考え方**を生かし，**自立**し生活を豊かにしていくための資質・能力を次のとおり育成することを目指す。

⏱ □**活動**や体験の過程において，自分自身，身近な人々，**社会及び自然**の特徴やよさ，それらの**関わり**等に気付くとともに，生活上必要な**習慣**や技能を身に付けるようにする。

⏱ □身近な人々，社会及び**自然**を自分との関わりで捉え，自分自身や自分の**生活**について考え，**表現**することができるようにする。

⏱ □身近な**人々**，社会及び自然に自ら働きかけ，意欲や**自信**をもって学んだり生活を豊かにしたりしようとする**態度**を養う。

● 図解

具体的な活動や体験を通して，
身近な生活に関わる見方・考え方を生かし，　　➡　自立し生活を豊かにしていく

〔育成を目指す資質・能力〕

①活動や体験の過程において，自分自身，身近な人々，社会及び自然の特徴やよさ，それらの関わり等に気付くとともに，生活上必要な習慣や技能を身に付けるようにする。
②身近な人々，社会及び自然を自分との関わりで捉え，自分自身や自分の生活について考え，表現することができるようにする。
③身近な人々，社会及び自然に自ら働きかけ，意欲や自信をもって学んだり生活を豊かにしたりしようとする態度を養う。

●補説

□具体的な活動や体験とは，例えば，見る，聞く，触れる，作る，探す，育てる，遊ぶなどして対象に直接働きかける学習活動であり，また，そうした活動の楽しさやそこで気付いたことなどを言葉，絵，動作，劇化などの多様な方法によって表現する学習活動である。

□生活科における見方・考え方は，身近な生活に関わる見方・考え方であり，それは身近な人々，社会及び自然を自分との関わりで捉え，よりよい生活に向けて思いや願いを実現しようとすることであると考えられる。

□生活科では，3つの自立への基礎を養うことを目指す。学習上の自立，生活上の自立，精神的な自立である。

□生活を豊かにしていくとは，生活科の学びを実生活に生かし，よりよい生活を創造していくことである。

B 2 生活科の学年の目標 　　　　　　　頻出 北海道，岡山市，愛媛

学年の目標は2学年でまとめて示されている。

●生活科の学年の目標

> □学校，家庭及び地域の生活に関わることを通して，自分と身近な人々，社会及び自然との関わりについて考えることができ，それらのよさやすばらしさ，自分との関わりに気付き，地域に愛着をもち自然を大切にしたり，集団や社会の一員として安全で適切な行動をしたりするようにする。(1)
>
> □身近な人々，社会及び自然と触れ合ったり関わったりすることを通して，それらを工夫したり楽しんだりすることができ，活動のよさや大切さに気付き，自分たちの遊びや生活をよりよくするようにする。(2)
>
> □自分自身を見つめることを通して，自分の生活や成長，身近な人々の支えについて考えることができ，自分のよさや可能性に気付き，意欲と自信をもって生活するようにする。(3)

●学年の目標の構成

□目標(1)は，学校，家庭及び地域の生活に関する内容である。

□目標(2)は，身近な人々，社会及び自然と関わる活動に関する内容である。

□目標(3)は，自分自身の生活や成長に関する内容である。

生活

生活科の目標

189

> **ここが出る！** ▶▶
> ・生活科の内容は，9つの項目からなる。前テーマでみた学年の
>   3つの目標と関連付けて覚えよう。
> ・学習指導要領解説に載っている，「生活科の内容の階層性」の図は頻
>   出。9つの内容項目が平面的にではなく，立体的に示されている。

B 1 生活科の内容

頻出 北海道，島根，愛媛

　学年の3つの目標に即して，9つの内容項目が挙げられている。**動植物の飼育・栽培**(7)は，2学年にわたって取り扱う。

●学校，家庭及び地域の生活に関する内容

⏱□<u>学校生活</u>に関わる活動を通して，学校の<u>施設</u>の様子や学校生活を支えている人々や友達，<u>通学路</u>の様子やその安全を守っている人々などについて考えることができ，学校での生活は様々な人や施設と関わっていることが分かり，楽しく安心して<u>遊び</u>や生活をしたり，安全な<u>登下校</u>をしたりしようとする。(1)

□<u>家庭生活</u>に関わる活動を通して，家庭における<u>家族</u>のことや自分でできることなどについて考えることができ，家庭での生活は互いに支え合っていることが分かり，自分の<u>役割</u>を積極的に果たしたり，規則正しく<u>健康</u>に気を付けて生活したりしようとする。(2)

⏱□<u>地域</u>に関わる活動を通して，地域の場所やそこで生活したり働いたりしている人々について考えることができ，自分たちの<u>生活</u>は様々な人や場所と関わっていることが分かり，それらに親しみや<u>愛着</u>をもち，適切に接したり<u>安全</u>に生活したりしようとする。(3)

●身近な人々，社会及び自然と関わる活動に関する内容

□公共物や<u>公共施設</u>を利用する活動を通して，それらのよさを感じたり働きを捉えたりすることができ，身の回りにはみんなで使うものがあることやそれらを支えている人々がいることなどが分かるとともに，それらを大切にし，<u>安全</u>に気を付けて正しく利用しようとする。(4)

⏱□身近な<u>自然</u>を観察したり，季節や地域の<u>行事</u>に関わったりするなどの活動を通して，それらの違いや特徴を見付けることができ，自然の様子や<u>四季</u>の変化，季節によって生活の様子が変わることに気付くとと

もに，それらを取り入れ自分の<u>生活</u>を楽しくしようとする。(5)

□身近な<u>自然</u>を利用したり，身近にある物を使ったりするなどして遊ぶ活動を通して，遊びや遊びに使う物を<u>工夫</u>してつくることができ，その面白さや自然の<u>不思議さ</u>に気付くとともに，みんなと楽しみながら<u>遊び</u>を創り出そうとする。(6)

□動物を飼ったり<u>植物</u>を育てたりする活動を通して，それらの育つ場所，変化や<u>成長</u>の様子に関心をもって働きかけることができ，それらは<u>生命</u>をもっていることや成長していることに気付くとともに，生き物への親しみをもち，大切にしようとする。(7)

□自分たちの生活や<u>地域</u>の出来事を身近な人々と伝え合う活動を通して，相手のことを想像したり伝えたいことや<u>伝え方</u>を選んだりすることができ，身近な人々と<u>関わる</u>ことのよさや楽しさが分かるとともに，進んで触れ合い<u>交流</u>しようとする。(8)

● **自分自身の生活や成長に関する内容**

□自分自身の生活や<u>成長</u>を振り返る活動を通して，自分のことや支えてくれた人々について考えることができ，自分が大きくなったこと，自分でできるようになったこと，<u>役割</u>が増えたことなどが分かるとともに，これまでの生活や成長を支えてくれた人々に<u>感謝</u>の気持ちをもち，これからの成長への願いをもって，<u>意欲的</u>に生活しようとする。(9)

B 2 生活科の内容の階層性   頻出 北海道，青森，宮崎

　学習指導要領解説に掲載されている図である❶。それぞれの項目がどの階層に属するかを押さえること。

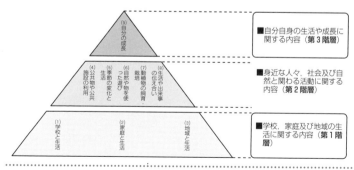

❶『小学校学習指導要領解説・生活科編』(2017年3月)より転載。

生活

生活科の内容

191

ここが出る！ ▶▶

・幼児期の遊びを通した総合的な学びから，教科の座学へと円滑に移行すべく，小学校入学当初ではスタートカリキュラムが組まれる。その中で，生活科はどのような位置を占めるか。

・弾力的な時間割の設定として，どのような例が考えられるか。

B **1** **生活科の指導計画の作成に当たっての配慮事項** 頻出 大分

生活科は，入学当初のスタートカリキュラムの要となる。

●**指導計画の作成に当たっての配慮事項**

⏱□年間や，単元など内容や時間のまとまりを見通して，その中で育む資質・能力の育成に向けて，児童の主体的・対話的で深い学びの実現を図るようにすること。その際，児童が具体的な活動や体験を通して，身近な生活に関わる見方・考え方を生かし，自分と地域の人々，社会及び自然との関わりが具体的に把握できるような学習活動の充実を図ることとし，校外での活動を積極的に取り入れること。

□児童の発達の段階や特性を踏まえ，2学年間を見通して学習活動を設定すること。

⏱□他教科等との関連を積極的に図り，指導の効果を高め，低学年における教育全体の充実を図り，中学年以降の教育へ円滑に接続できるようにするとともに，幼稚園教育要領等に示す幼児期の終わりまでに**育ってほしい姿**との関連を考慮すること。

□特に，**小学校入学当初**においては，幼児期における遊びを通した総合的な学びから他教科等における学習に円滑に移行し，主体的に自己を発揮しながら，より自覚的な学びに向かうことが可能となるようにすること。その際，生活科を中心とした合科的・関連的な指導や，弾力的な時間割の設定を行うなどの工夫をすること。

●**スタートカリキュラムの編成**

『小学校学習指導要領解説・生活編』の記述である。

□スタートカリキュラムにおける合科的・関連的な指導では，児童の発達の特性や幼児期からの学びと育ちを踏まえ，児童の実態からカリキュラムを編成することが特徴であり，児童の成長の姿を診断・評価し

ながら，それらを生かして編成することが求められる。

□そのためには，幼稚園・認定こども園・保育所への訪問や教職員との意見交換，指導要録等を活用するなど，幼児期の学びと育ちの様子や指導の在り方を把握することが重要である。

□スタートカリキュラムを編成する際には，例えば，「がっこうだいすき　なかよしいっぱい」といった大単元を設定することが考えられる。

□スタートカリキュラムの実施に当たっては，児童が安心して学べる学習環境を整えることが重要である。

□スタートカリキュラムにおいて，幼児期の生活に近い活動があったり，分かりやすく学びやすい環境の工夫がされていたり，人と関わる楽しい活動が位置付けられていたりすることが安心につながる。

C 2 生活科の内容の取扱いに当たっての配慮事項 [頻出]岩手

6つ挙げられている。

□地域の人々，社会及び自然を生かすとともに，それらを一体的に扱うよう学習活動を工夫すること。

□身近な人々，社会及び自然に関する活動の楽しさを味わうとともに，それらを通して気付いたことや楽しかったことなどについて，言葉，絵，動作，劇化などの多様な方法により表現し，考えることができるようにすること。また，このように表現し，考えることを通して，気付きを確かなものとしたり，気付いたことを関連付けたりすることができるよう工夫すること。

□具体的な活動や体験を通して気付いたことを基に考えることができるようにするため，見付ける，比べる，たとえる，試す，見通す，工夫するなどの多様な学習活動を行うようにすること。

□学習活動を行うに当たっては，コンピュータなどの情報機器について，その特質を踏まえ，児童の発達の段階や特性及び生活科の特質などに応じて適切に活用するようにすること。

□具体的な活動や体験を行うに当たっては，身近な幼児や高齢者，障害のある児童生徒などの多様な人々と触れ合うことができるようにすること。

□生活上必要な習慣や技能の指導については，人，社会，自然及び自分自身に関わる学習活動の展開に即して行うようにすること。

●Answer●

□1　生活科は，1998年の小学校学習指導要領改訂によって，低学年の社会と理科が統合されてできた教科である。　→P.188

1　×
1989年の改訂でできた教科である。

□2　生活科の目標の一つは，具体的な活動や体験を通して，生活上必要な習慣や技能を身に付けるようにすることである。→P.188

2　○

□3　生活科の学年の目標は，第1学年と第2学年に分けて示されている。　→P.189

3　×
2学年まとめて示されている。

□4　生活科の内容は，8つの内容項目から構成される。　→P.190

4　×
9つの内容から構成される。

□5　生活科の内容の「公共物や公共施設の利用」は，「学校，家庭及び地域の生活に関する内容」という層に属する。　→P.191

5　×
「身近な人々，社会及び自然と関わる活動に関する内容」に属する。

□6　生活科の内容の「自分の成長」は，「身近な人々，社会及び自然と関わる活動に関する内容」という層に属する。→P.191

6　×
「自分自身の生活や成長に関する内容」に属する。

□7　生活科の内容の「季節の変化と生活」は，「身近な人々，社会及び自然と関わる活動に関する内容」という層に属する。→P.191

7　○

□8　小学校入学当初では，生活科を中心とした合科的・関連的な指導や，弾力的な時間割の設定を行うなどの工夫をする。　→P.192

8　○

□9　スタートカリキュラムを編成する際は，児童が安心して学べる学習環境を整える。　→P.193

9　○

□10　生活科では，地域の人々，社会及び自然を生かすとともに，それらを一体的に扱うよう学習活動を工夫する。　→P.193

10　○

□11　生活科の学習活動を行うに当たっては，コンピュータなどの情報機器は一切使わない。　→P.193

11　×

音楽

　音楽科については，新学習指導要領に記載されている
共通歌唱教材がよく出題される。それぞれの曲の作詞
者，作曲者，そして調の種類について正確に押さえてお
こう。これらの出だしの楽譜は，楽典の問題の素材とし
て使われることも多い。その楽典でよく問われるのは，
譜表の読み方，音階と調，そして音楽記号などである。
時折，難しい問題も出るが，多くは基本レベルの問題で
ある。それと，あと一点，西洋音楽史の知識を得ておく
ことも重要である。

音楽科の目標と内容 頻出度 **A**

ここが出る! ▶▶
- 音楽科の３つの目標を覚えよう。新学習指導要領で育成する資質・能力の３本柱と対応付けて頭に入れること。
- 各学年の共通歌唱教材を押さえよう。曲名・作詞者名・作曲者名を，選択肢を与えないで書かせる問題も出る。

A 1 音楽科の目標　　頻出 岩手，福島，山梨，愛媛，高知，沖縄

３つの目標は，新学習指導要領で育成する資質・能力に対応する。

表現及び鑑賞の活動を通して，音楽的な見方・考え方を働かせ，生活や社会の中の音や音楽と豊かに関わる資質・能力を次のとおり育成することを目指す。

⏱ □曲想と音楽の構造などとの関わりについて理解するとともに，表したい音楽表現をするために必要な技能を身に付けるようにする。(1)

⏱ □音楽表現を工夫することや，音楽を味わって聴くことができるようにする。(2)

⏱ □音楽活動の楽しさを体験することを通して，音楽を愛好する心情と音楽に対する感性を育むとともに，音楽に親しむ態度を養い，豊かな情操を培う。(3)

A 2 音楽科の各学年の目標　　頻出 北海道，岩手，愛知，広島，宮崎

似たり寄ったりだが，各学年の目標を識別できるようにしよう。

●低学年

□曲想と音楽の構造などとの関わりについて気付くとともに，音楽表現を楽しむために必要な歌唱，器楽，音楽づくりの技能を身に付けるようにする。

□音楽表現を考えて表現に対する思いをもつことや，曲や演奏の楽しさを見いだしながら音楽を味わって聴くことができるようにする。

□楽しく音楽に関わり，協働して音楽活動をする楽しさを感じながら，身の回りの様々な音楽に親しむとともに，音楽経験を生かして生活を明るく潤いのあるものにしようとする態度を養う。

●中学年

□曲想と音楽の構造などとの<u>関わり</u>について気付くとともに，表したい
　音楽表現をするために必要な<u>歌唱</u>，器楽，音楽づくりの技能を身に付
　けるようにする。

□音楽表現を考えて表現に対する思いや<u>意図</u>をもつことや，曲や演奏の
　<u>よさ</u>などを見いだしながら音楽を味わって聴くことができるようにす
　る。

□進んで音楽に関わり，協働して<u>音楽活動</u>をする楽しさを感じながら，
　様々な音楽に親しむとともに，<u>音楽経験</u>を生かして生活を明るく潤い
　のあるものにしようとする<u>態度</u>を養う。

●高学年

□曲想と<u>音楽</u>の構造などとの関わりについて理解するとともに，表した
　い音楽表現をするために必要な歌唱，<u>器楽</u>，音楽づくりの技能を身に
　付けるようにする。

□<u>音楽表現</u>を考えて表現に対する思いや意図をもつことや，曲や演奏の
　よさなどを見いだしながら音楽を味わって<u>聴く</u>ことができるようにす
　る。

□<u>主体的</u>に音楽に関わり，協働して音楽活動をする<u>楽しさ</u>を味わいなが
　ら，様々な音楽に<u>親しむ</u>とともに，音楽経験を生かして<u>生活</u>を明るく
　潤いのあるものにしようとする態度を養う。

C 3 音楽科の低学年の内容　　　　　　頻出 栃木，島根

　音楽科の内容は，表現と鑑賞に大別される。前者は，歌唱，器楽，音
楽づくりの3本柱からなる。

●表現

〈歌唱〉

□<u>歌唱表現</u>についての知識や技能を得たり生かしたりしながら，曲想を
　感じ取って<u>表現</u>を工夫し，どのように<u>歌う</u>かについて思いをもつこ
　と。

□<u>曲想</u>と音楽の構造との関わり，曲想と<u>歌詞</u>の表す情景や気持ちとの関
　わりについて気付くこと。

□次の（ア）から（ウ）までの技能を身に付けること。

　ア）範唱を聴いて歌ったり，<u>階名</u>で模唱したり暗唱したりする技能

イ）自分の歌声及び発音に気を付けて歌う技能

ウ）互いの歌声や伴奏を聴いて，声を合わせて歌う技能

〈器楽〉

□器楽表現についての知識や技能を得たり生かしたりしながら，曲想を感じ取って表現を工夫し，どのように演奏するかについて思いをもつこと。

□次の(ア)及び(イ)について気付くこと。

　ア）曲想と音楽の構造との関わり

　イ）楽器の音色と演奏の仕方との関わり

□次の(ア)から(ウ)までの技能を身に付けること。

　ア）範奏を聴いたり，リズム譜などを見たりして演奏する技能

　イ）音色に気を付けて，旋律楽器及び打楽器を演奏する技能

　ウ）互いの楽器の音や伴奏を聴いて，音を合わせて演奏する技能

〈音楽づくり〉

□音楽づくりの活動を通して，次の事項を身に付けることができるよう指導する。

　・音遊びを通して，音楽づくりの発想を得ること。

　・どのように音を音楽にしていくかについて思いをもつこと。

　・声や身の回りの様々な音の特徴

　・音やフレーズのつなげ方の特徴

　・設定した条件に基づいて，即興的に音を選んだりつなげたりして表現する技能

　・音楽の仕組みを用いて，簡単な音楽をつくる技能

●鑑賞

□鑑賞についての知識を得たり生かしたりしながら，曲や演奏の楽しさを見いだし，曲全体を味わって聴くこと。

□曲想と音楽の構造との関わりについて気付くこと。

●共通事項

□音楽を形づくっている要素を聴き取り，それらの働きが生み出すよさや面白さ，美しさを感じ取りながら，聴き取ったことと感じ取ったこととの関わりについて考えること。

□音楽を形づくっている要素及びそれらに関わる身近な音符，休符，記号や用語について，音楽における働きと関わらせて理解すること。

⏱□音楽を形づくっている要素は，以下の2種類に分かれる。それぞれの
　要素が，アとイのどちらに属するかを知っておこう。

ア）音楽を特徴付けている要素	音色，リズム，速度，旋律，強弱，音の重なり，和音の響き，音階，調，拍，フレーズなど。
イ）音楽の仕組み	反復，呼びかけとこたえ，変化，音楽の縦と横との関係など。

● **内容の取扱い**

⏱□共通歌唱教材は以下である。

	曲名	作詞者	作曲者
第1学年	うみ	林柳波	井上武士
	かたつむり		
	日のまる	高野辰之	岡野貞一
	ひらいたひらいた		
第2学年	かくれんぼ	林柳波	下総皖一
	春がきた	高野辰之	岡野貞一
	虫のこえ		
	夕やけこやけ	中村雨紅	草川信

□主となる器楽教材については，既習の歌唱教材を含め，主旋律に簡単
　なリズム伴奏や低声部などを加えた曲を取り扱う。

□鑑賞教材は次に示すものを取り扱う。

　ア）我が国及び諸外国のわらべうたや遊びうた，行進曲や踊りの音楽
　　　など体を動かすことの快さを感じ取りやすい音楽，日常の生活に
　　　関連して情景を思い浮かべやすい音楽など，いろいろな種類の曲

　イ）音楽を形づくっている要素の働きを感じ取りやすく，親しみやす
　　　い曲

　ウ）楽器の音色や人の声の特徴を捉えやすく親しみやすい，いろいろ
　　　な演奏形態による曲

B 4 音楽科の中学年の内容　　　頻出 北海道，愛媛，宮崎

「ハ長調」「旋律」といった用語が出てくる。

● **表現**

〈歌唱〉

□歌唱表現についての知識や技能を得たり生かしたりしながら，曲の特

徴を捉えた表現を工夫し，どのように歌うかについて思いや意図をもつこと。

□曲想と音楽の構造や歌詞の内容との関わりについて気付くこと。

□次の(ア)から(ウ)までの技能を身に付けること。

　ア）範唱を聴いたり，ハ長調の楽譜を見たりして歌う技能

　イ）呼吸及び発音の仕方に気を付けて，自然で無理のない歌い方で歌う技能

　ウ）互いの歌声や副次的な旋律，伴奏を聴いて，声を合わせて歌う技能

〈器楽〉

□器楽表現についての知識や技能を得たり生かしたりしながら，曲の特徴を捉えた表現を工夫し，どのように演奏するかについて思いや意図をもつこと。

□次の(ア)及び(イ)について気付くこと。

　ア）曲想と音楽の構造との関わり

　イ）楽器の音色や響きと演奏の仕方との関わり

□思いや意図に合った表現をするために必要な次の(ア)から(ウ)までの技能を身に付けること。

　ア）範奏を聴いたり，ハ長調の楽譜を見たりして演奏する技能

　イ）音色や響きに気を付けて，旋律楽器及び打楽器を演奏する技能

　ウ）互いの楽器の音や副次的な旋律，伴奏を聴いて，音を合わせて演奏する技能

〈音楽づくり〉

□音楽づくりの活動を通して，次の事項を身に付けることができるよう指導する。

　・即興的に表現することを通して，音楽づくりの発想を得ること。

　・音を音楽へと構成することを通して，どのようにまとまりを意識した音楽をつくるかについて思いや意図をもつこと。

　・いろいろな音の響きやそれらの組合せの特徴

　・音やフレーズのつなげ方や重ね方の特徴

　・設定した条件に基づいて，即興的に音を選択したり組み合わせたりして表現する技能

　・音楽の仕組みを用いて，音楽をつくる技能

● 鑑賞

□鑑賞についての知識を得たり生かしたりしながら，曲や演奏のよさなどを見いだし，曲全体を味わって聴くこと。

□曲想及びその変化と，音楽の構造との関わりについて気付くこと。

● 共通事項

□低学年の項目と同じ。

● 内容の取扱い

□共通歌唱教材は以下である。

	曲名	作詞者	作曲者
第3学年	うさぎ		
	茶つみ		
	春の小川	高野辰之	岡野貞一
	ふじ山	巌谷小波	
第4学年	さくらさくら		
	とんび	葛原しげる	梁田貞
	まきばの朝		船橋栄吉
	もみじ	高野辰之	岡野貞一

□主となる器楽教材については，既習の歌唱教材を含め，簡単な重奏や合奏などの曲を取り扱う。

□鑑賞教材は次に示すものを取り扱う。

ア）和楽器の音楽を含めた我が国の音楽，郷土の音楽，諸外国に伝わる民謡など生活との関わりを捉えやすい音楽，劇の音楽，人々に長く親しまれている音楽など，いろいろな種類の曲

イ）音楽を形づくっている要素の働きを感じ取りやすく，聴く楽しさを得やすい曲

ウ）楽器や人の声による演奏表現の違いを聴き取りやすい，独奏，重奏，独唱，重唱を含めたいろいろな演奏形態による曲

A 5 音楽科の高学年の内容 頻出 青森，岩手，埼玉，山梨，広島

「越天楽今様」など，共通歌唱教材の曲名や作曲者を漢字で書けるようにすること。ハ長調やイ短調の楽譜を見て歌ったり，演奏したりする内容も出てくる。鑑賞教材には，洋楽も扱う。

●表現

〈歌唱〉

□歌唱表現についての知識や技能を得たり生かしたりしながら，曲の特徴にふさわしい表現を工夫し，どのように歌うかについて思いや意図をもつこと。

□曲想と音楽の構造や歌詞の内容との関わりについて理解すること。

□次の(ア)から(ウ)までの技能を身に付けること。

　ア）範唱を聴いたり，ハ長調及びイ短調の楽譜を見たりして歌う技能

　イ）呼吸及び発音の仕方に気を付けて，自然で無理のない，響きのある歌い方で歌う技能

　ウ）各声部の歌声や全体の響き，伴奏を聴いて，声を合わせて歌う技能

〈器楽〉

□器楽表現についての知識や技能を得たり生かしたりしながら，曲の特徴にふさわしい表現を工夫し，どのように演奏するかについて思いや意図をもつこと。

□次の(ア)及び(イ)について理解すること。

　ア）曲想と音楽の構造との関わり

　イ）多様な楽器の音色や響きと演奏の仕方との関わり

□次の(ア)から(ウ)までの技能を身に付けること。

　ア）範奏を聴いたり，ハ長調及びイ短調の楽譜を見たりして演奏する技能

　イ）音色や響きに気を付けて，旋律楽器及び打楽器を演奏する技能

　ウ）各声部の楽器の音や全体の響き，伴奏を聴いて，音を合わせて演奏する技能

〈音楽づくり〉

□音楽づくりの活動を通して，次の事項を身に付けることができるよう指導する。

　・即興的に表現することを通して，音楽づくりの様々な発想を得ること。

　・音を音楽へと構成することを通して，どのように全体のまとまりを意識した音楽をつくるかについて思いや意図をもつこと。

　・いろいろな音の響きやそれらの組合せの特徴

・音やフレーズのつなげ方や重ね方の特徴

・設定した条件に基づいて，即興的に音を選択したり組み合わせたりして表現する技能

・音楽の仕組みを用いて，音楽をつくる技能

● 鑑賞

□鑑賞についての知識を得たり生かしたりしながら，曲や演奏のよさなどを見いだし，曲全体を味わって聴くこと。

□曲想及びその変化と，音楽の構造との関わりについて理解すること。

● 共通事項

□低学年の項目と同じ。

● 内容の取扱い

□共通歌唱教材は以下である。

	曲名	作詞者	作歌・作曲者
第5学年	こいのぼり		
	子もり歌		
	スキーの歌	林柳波	橋本国彦
	冬げしき		
第6学年	越天楽今様		慈鎮和尚
	おぼろ月夜	高野辰之	岡野貞一
	ふるさと	高野辰之	岡野貞一
	われは海の子		

□主となる器楽教材については，楽器の演奏効果を考慮し，簡単な重奏や合奏などの曲を取り扱う。

□鑑賞教材は次に示すものを取り扱う。

ア）和楽器の音楽を含めた我が国の音楽や諸外国の音楽など文化との関わりを捉えやすい音楽，人々に長く親しまれている音楽など，いろいろな種類の曲

イ）音楽を形づくっている要素の働きを感じ取りやすく，聴く喜びを深めやすい曲

ウ）楽器の音や人の声が重なり合う響きを味わうことができる，合奏，合唱を含めたいろいろな演奏形態による曲

音楽科の指導計画の作成と内容の取扱い 頻出度 C

C 1 音楽科の指導計画の作成 頻出 宮崎

3番目の項目がよく出題される。入学式や卒業式では，国歌を斉唱するよう指導する。

□題材など内容や時間の<u>まとまり</u>を見通して，その中で育む資質・能力の育成に向けて，児童の主体的・<u>対話的</u>で深い学びの実現を図るようにすること。

□その際，<u>音楽的</u>な見方・考え方を働かせ，他者と協働しながら，<u>音楽表現</u>を生み出したり音楽を聴いてそのよさなどを見いだしたりするなど，思考，判断し，<u>表現</u>する一連の過程を大切にした学習の充実を図ること。

⏱ □国歌「<u>君が代</u>」は，いずれの学年においても歌えるよう指導すること。

C 2 音楽科の内容の取扱い 頻出 北海道，青森，神奈川，京都市

扱う楽器は，学年段階によって異なる。

●全般事項

□音楽によって喚起されたイメージや<u>感情</u>，音楽表現に対する思いや意<u>図</u>，音楽を聴いて感じ取ったことや想像したことなどを伝え合い共感するなど，音や音楽及び言葉による<u>コミュニケーション</u>を図り，音楽科の特質に応じた<u>言語活動</u>を適切に位置付けられるよう指導を工夫すること。

□表現したり鑑賞したりする多くの曲について，それらを創作した<u>著作者</u>がいることに気付き，学習した曲や自分たちのつくった曲を大切にする態度を養うようにするとともに，それらの著作者の<u>創造性</u>を尊重する意識をもてるようにすること。

□また，このことが，<u>音楽文化</u>の継承，発展，創造を支えていることに

ついて理解する素地となるよう配慮すること。

● **歌唱**

🕐 □歌唱教材については，我が国や郷土の音楽に愛着がもてるよう，共通
教材のほか，長い間親しまれてきた唱歌，それぞれの地方に伝承され
ているわらべうたや民謡など日本のうたを含めて取り上げるようにす
ること。

□相対的な音程感覚を育てるために，適宜，移動ド唱法を用いること。

□変声以前から自分の声の特徴に関心をもたせるとともに，変声期の児
童に対して適切に配慮すること。

● **楽器**

□各学年で取り上げる打楽器は，木琴，鉄琴，和楽器，諸外国に伝わる
様々な楽器を含めて，演奏の効果，児童や学校の実態を考慮して選択
すること。

🕐 □第1学年及び第2学年で取り上げる旋律楽器は，オルガン，鍵盤ハー
モニカなどの中から児童や学校の実態を考慮して選択すること。

🕐 □第3学年及び第4学年で取り上げる旋律楽器は，既習の楽器を含め
て，リコーダーや鍵盤楽器，和楽器などの中から児童や学校の実態を
考慮して選択すること。

🕐 □第5学年及び第6学年で取り上げる旋律楽器は，既習の楽器を含め
て，電子楽器，和楽器，諸外国に伝わる楽器などの中から児童や学校
の実態を考慮して選択すること。

● **音楽づくり**

□音遊びや即興的な表現では，身近なものから多様な音を探したり，リ
ズムや旋律を模倣したりして，音楽づくりのための発想を得ることが
できるよう指導すること。その際，適切な条件を設定するなど，児童
が無理なく音を選択したり組み合わせたりすることができるよう指導
を工夫すること。

□つくった音楽については，指導のねらいに即し，必要に応じて作品を
記録させること。作品を記録する方法については，図や絵によるも
の，五線譜など柔軟に指導すること。

□拍のないリズム，我が国の音楽に使われている音階や調性にとらわれ
ない音階などを児童の実態に応じて取り上げるようにすること。

譜表・音符と休符

> **ここが出る！** ▶▶
> ・譜表に関する基本事項と音名の読み方について押さえよう。音名と階名は間違えやすいので注意が必要である。
> ・音符と休符の種類を知っておこう。とくに，それぞれの長さを割り出すための原理的な事項を押さえておくことが重要である。

B 1 譜表

五線にト音記号（𝄞）などの音部記号をつけたものを**譜表**という。

● **譜表の種類**

おおよそ，2つの種類がある。

⏱□【 **ト音譜表** 】…五線にト音記号（𝄞）をつけたもの。第二線（下から二番目）の音がト音である。

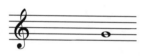

□【 **ヘ音譜表** 】…五線にヘ音記号（𝄢）をつけたもの。第四線（上から二番目）の音がヘ音である。

● **大譜表**

□ト音譜表とヘ音譜表を合わせたものを**大譜表**という。

□ト音譜表の<u>下第一線</u>の音と，ヘ音譜表の<u>上第一線</u>の音は同じ高さ（<u>ハ</u>音）である。

同じ高さ

A 2 音名と階名

われわれがよく口ずさむ「ド・レ・ミ・ファ・ソ・ラ・シ・ド」は音名ではない。音名と階名について正確に知っておこう。

⏱□【 **音名** 】…それぞれの高さの音につけられた名前。日本語では「ハ・ニ・<u>ホ</u>・ヘ・<u>ト</u>・イ・<u>ロ</u>」，英語では「C・D・E・F・G・A・B」の7文字で表す。

□【 **階名** 】…音階のそれぞれの音を呼ぶ名前。お馴染みの「ド・レ・ミ・ファ・ソ・ラ・シ」である。

といろ ハ ニ ホ ヘ ト イ ロ ハ ニ ホ ヘ ト イ ロ ハ

ひらがな音　　カタカナ音　　　　一点音　　　　二点音

英語：C D E F G A B

□「・」が増えるほど，音は高くなる。ハは「一点ハ」，ハは「二点ハ」と読む。低い音の場合はひらがなを使う。

A 3 音符と休符 ★超頻出★

●基礎事項

□【 音符 】…音の長さの割合や音の高さを示す。

□【 休符 】…音を出さない長さの割合を示す。

●音符と休符の種類

□（　）内は，4分音符の長さを1とした場合の長さである。

音符		休符		長さ
o	全音符	〓	全休符	＊ ＊ ＊ ＊ ＊ ＊ ＊ ＊ ＊ ＊ ＊ ＊ ＊ ＊ ＊ ＊ （4）
♩・	付点2分音符	〓・	付点2分休符	＊ ＊ ＊ ＊ ＊ ＊ ＊ ＊ ＊ ＊ ＊ ＊（3）
♩	2分音符	〓	2分休符	＊ ＊ ＊ ＊ ＊ ＊ ＊ ＊（2）
♩・	付点4分音符	〻・	付点4分休符	＊ ＊ ＊ ＊ ＊ ＊ $\left(\frac{3}{2}\right)$
♩	4分音符	〻	4分休符	＊ ＊ ＊ ＊（1）
♪・	付点8分音符	〴・	付点8分休符	＊ ＊ ＊ $\left(\frac{3}{4}\right)$
♪	8分音符	〴	8分休符	＊ ＊ $\left(\frac{1}{2}\right)$
♪	16分音符	〵	16分休符	＊ $\left(\frac{1}{4}\right)$

●補足事項

□音符や休符の右側に付点がつくと，つかないときの長さの1.5倍になる。付点4分音符＝4分音符＋8分音符（♩＋♪）である。

拍子と音程

ここが出る! ▶▶

・拍子記号の意味について理解しよう。各小節の拍数を足し算の形で表すことを求めるなど，やや高度な問題も出る。

・音と音との隔たりの程度を表す音程の概念について知っておこう。楽譜のみならず，鍵盤の図と対応させて理解しておくことが重要。

C 1 縦線と小節

楽譜の区切りに関する事項を知っておこう。

□【 縦線 】…拍子ごとに区切る線のこと。縦線で区切られた区間を<u>小節</u>という。

□【 複縦線 】…曲の区切りなどを表す2本線。拍子が変わるときにひかれる場合がある。

□【 終止線 】…曲の終わりを表す線のこと。右側を太く書く。

B 2 拍子

頻出 北海道，静岡，神戸市

ラジオ体操で，「1・2・3・4，1・2・3・4，…」というとき，「1・2・3・4」が一つの拍子をなしている。

●**拍子とは**

□【 拍子 】…一定数の拍の集まりをいう。拍とは，一定の間隔で起こる音であり，音楽の最も基本的な単位である。

□重い拍を<u>強拍</u>，軽い拍を<u>弱拍</u>という。

●**拍子記号**

□曲の拍子は，<u>拍子記号</u>で示される。例を示そう。

$$\frac{3}{4}$$

・分子は，<u>1小節</u>内の拍数。

・分母は，<u>1拍</u>とする音符の種類。

・1小節内に<u>4分音符</u>が3個ある。

・<u>4分の3</u>拍子と読む。

□8分音符（♪）の場合，1小節内に<u>6</u>個入ることになる。8分音符の拍数（長さ）は，4分音符の<u>2分の1</u>であるからである❶。

●強起と弱起
曲の始まり方には，2種類ある。

⏱□【　強起　】…小節の1拍目（強拍）から始まること。始まり方に安定感がある。

⏱□【　弱起　】…小節の途中（弱拍）から始まること❷。スリリングな始まり方。

B 3 音程　　　　　　　　　　　　　　頻出 長野，徳島

「ドーレ」と「ドーシ」では，音のギャップが異なる。こうした音の隔たりについて，少し理屈をこねてみよう。

●音程とは
⏱□【　音程　】…音と音の高さの隔たりを数字で表したもの。同じ音は「1度」，となりの音は「2度」というように表す。

□音程は，以下のように表す。同じ音が「1度」であることに要注意。なお，8度は<u>1オクターヴ</u>ともいう。

●広い音程とせまい音程
一口に音程といっても，その幅には「広い／せまい」がある。

□鍵盤をみると，「ドーレ」の間には<u>黒鍵</u>があるが，「ミーファ」の間には何もない。

□前者は幅の広い<u>長音程</u>，後者は幅のせまい<u>短音程</u>である。

□双方とも2度であるが，前者を<u>長2度</u>，後者を<u>短2度</u>と表す。

❶8分の3拍子ならば，8分音符を1拍とするので，1小節内に8分音符が3個入ることになる。それぞれの音符の長さについては，前テーマを参照のこと。

❷弱起とは，ドイツ語でアウフタクトという。

音階と調

頻出度 **A**

B 1 音階とは

曲の雰囲気は，**音階**によって決まるといわれる。

□【 音階 】…ある音から１オクターヴ（８度）上の音まで，規則にした
がって階段のように並べた音の列のこと。

□音階の各音は，構成音と呼ばれる。

□重要な役割を果たすのは，主音（第１音），下属音（第４音），そして属
音（第５音）である。

主音　上主音　中音　下属音　属音　下中音　導音

A 2 長音階と長調　　　頻出 石川，愛知，名古屋市

音階には，**長音階**と**短音階**がある。まずは，前者である。

●長音階

□【 長音階 】…階名の「ド」が主音となる。明るい感じの曲が多い。

□それぞれの階名は，調によって音の高さを異にする。

●長調

長音階には，いくつかの種類（**長調**）がある。

□【 ハ長調 】…音名の「ハ」が主音。階名「ド」＝音名「ハ」。

□【 ヘ長調 】…音名の「ヘ」が主音。階名「ド」＝音名「ヘ」。

□【 ト長調 】…音名の「ト」が主音。階名「ド」＝音名「ト」。

□【 ニ長調 】…音名の「ニ」が主音。階名「ド」＝音名「ニ」。

●楽譜による理解

それぞれの長調の楽譜を掲げよう。

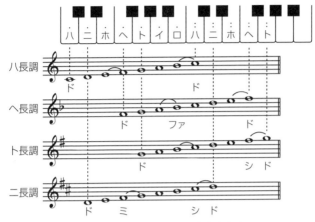

□第3音と第4音，第7音と第8音の間は半音となる。

□音部記号の右の♯や♭は，調号である。曲の調を判別するための手がかりとなる。

A 3 短音階と短調 　　　　　　頻出 山梨，広島

短音階の主音は，階名の「ラ」である。暗い感じの曲が多い。

□【 イ短調 】…音名の「イ」が主音。階名「ラ」＝音名「イ」。

□【 二短調 】…音名の「二」が主音。階名「ラ」＝音名「二」。

□【 ホ短調 】…音名の「ホ」が主音。階名「ラ」＝音名「ホ」。

□【 ロ短調 】…音名の「ロ」が主音。階名「ラ」＝音名「ロ」。

□2音－3音，5音－6音の間は半音となる。

和音

B 1 和音

頻出 福井，三重，神戸市，大分

高さの違う音を重ねたものを**和音**という。

●三和音

□【 三和音 】…ある音の上に，3度ずつ離れた音を2個重ねたもの。

□一番下の音を根音，真ん中の音（根音の3度上の音）を第3音，一番上の音（根音の5度上の音）を第5音という。

□ハ長調とイ短調の各構成音を根音とする三和音をつくると，以下のようになる。○で囲っている和音は，主要三和音である。

□主音を根音とする三和音をⅠ，第2音を根音とする三和音をⅡ…というように表す。

●主要三和音

三和音の中でも重要な役割をもつ3つを**主要三和音**という。

□【 主和音 】…主音を根音とする和音。Ⅰの和音である。

□【 下属和音 】…下属音を根音とする和音。Ⅳの和音である。

□【 属和音 】…属音を根音とする和音。Ⅴの和音である。

●七の和音

□【 七の和音 】…三和音の上に，さらに3度上の音（第7音）を加えたもの。

□ハ長調とイ短調の各構成音を根音とする七の和音をつくってみよう。

□主音を根音とする七の和音はI_7，第2音を根音とする七の和音はII_7…というように表す。

□重要なのは，属音を根音とする七の和音（V_7）である。これを<u>属七の和音</u>という。

C 2 コードネーム

根音の英語名による和音の呼び方を**コードネーム**という。ハ長調の I〜Vの和音について，コードネームを示そう。

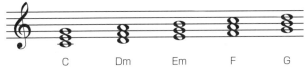

□大文字のアルファベットは，<u>根音</u>の英語名である。

□根音の上に長3度，短3度の順で音が重なっている場合，<u>メイジャーコード</u>である。添え字は不要。上記のCは「シー・メイジャー」と読む。

□根音の上に短3度❶，長3度の順で音が重なっている場合，<u>マイナーコード</u>の意味の「m」を添える。上記のDmは「ディー・マイナー」と読む。

□七の和音の場合は，<u>C_7</u>（Cセブンス）などと表す。

- -

❶半音が含まれる短い音程を短音程という。3度離れている場合，短3度という。音程の長短については，209ページを参照のこと。

音楽の形・記号

ここが出る! ▶▶

- 楽曲の構造を表現する慣例的なやり方を知っておこう。楽譜を提示して，楽曲の形式の名称を答えさせる問題が出る。
- 演奏形態の種類について押さえよう。大問の中の小問にて，それとなく答えさせる問題が多い。こういう部分で稼ぎたいものである。

B 1 楽曲の形式 　　　　　　　　頻出 福島, 名古屋市

楽曲の成り立ちについて理解しよう。

●曲の構成要素

不朽の名作「荒城の月」の楽譜を，以下の3要素に分解してみよう。

⏱ □【 動機 】…楽曲の最小の単位。通常，2小節からなる。

　□【 小楽節 】…動機が2つまとまったもの。通常，4小節からなる。

　□【 大楽節 】…小楽節が2つまとまったもの。

荒城の月　　　　　　　　　　　　　　　　　　　　滝廉太郎作曲

●小楽節と大楽節の表し方

□小楽節は，小文字 a, b を使って表す。a' は a と似た旋律を意味する。b は a や a' と似ていない旋律を意味する。

□大楽節は，大文字 A，B を使って表す。

●形式の種類

大楽節の数によって，3つに分類できる。

□【　一部形式　】… 1 つの大楽節からなる形式。

□【　二部形式　】… 2 つの大楽節「AB」からなる形式。

□【　三部形式　】… 3 つの大楽節(小楽節)からなる形式❶。

□それぞれについて，想定し得るパターンは以下のとおり。

一部形式		二部形式		三部形式
A(aa')	A(ab)	A(aa')	A(aa')	A(aa')
		B(ba')	B(bb')	B(bb')
				A(aa')

●いろいろな形式

□【　変奏形式　】…主題の旋律をさまざまに変化させる形式。

⏱□【　ロンド形式　】…主題が，異なる旋律をはさんで反復する形式。

⏱□【　ソナタ形式　】…提示部，展開部，再現部，終結部の 4 つからなる形式。

B 2　演奏形態　　　　　　　　　　　　頻出 島根，宮崎

声楽と器楽に分けてみてみよう。

●声楽のパート

□女声は高いほうから，ソプラノ，メゾソプラノ，アルトという順になる。男声はテノール，バリトン，バスという順である。

●声楽の演奏形態

□【　独唱　】…ソロ(Solo)。 1 人で歌うこと。

□【　斉唱　】…ユニソン(Unison)。同じ旋律を 2 人以上で歌うこと。

□【　輪唱　】…ラウンド(Round)。同じ旋律を間隔をおいて，追いかけて歌うこと。

□【　重唱　】…アンサンブル(Ensemble)。各声部を 1 人で受け持ち，歌い合わせること。

⏱□【　合唱　】…コーラス(Chorus)。各声部を 2 人以上で受け持ち，歌い合わせること。

●器楽の演奏形態

□【　弦楽合奏　】…弦楽器のみの合奏。

□【　吹奏楽　】…管楽器，打楽器の合奏。

□【　管弦楽　】…管楽器，弦楽器，打楽器の合奏。

❶三部形式は，しばしば「ABA」のサンドイッチ型になる。

●指揮の例

演奏の指揮のやり方は，拍子によって異なる。

2拍子	3拍子	4拍子	6拍子

B 3 変化記号　　　　　　　　　　　頻出 福島，愛媛

ある音の半音高い(低い)音を記すとき，変化記号を使う。

記号	読み方	意味	鍵盤図
♯	シャープ(嬰)	半音上げる	
♭	フラット(変)	半音下げる	
♮	ナチュラル	もとの高さで	

A 4 強弱記号　　　　　　　　　　　頻出 名古屋市，宮崎

基本的な記号は，*f*(フォルテ)と *p*(ピアノ)である。「とても」「少し」「だんだん」という程度の記号も決まっている。

記号	読み方	意味
pp	ピアニッシモ	とても弱く
p	ピアノ	弱く
mp	メッゾ ピアノ	少し弱く
mf	メッゾ フォルテ	少し強く
f	フォルテ	強く
ff	フォルティッシモ	とても強く
crescendo (cresc.)	クレシェンド	だんだん強く
decrescendo (decresc.)	デクレシェンド	だんだん弱く
diminuendo (dim.)	ディミヌエンド	だんだん弱く

A 5 速度標語・記号　　　　　　　　　　　頻出 宮城

速度標語は，曲の最初に書かれ，その曲の速度(テンポ)を指定する。

記号	読み方	意味
Largo	ラルゴ	幅広くゆるやかに
Adagio	アダージョ	ゆるやかに
Andante	アンダンテ	ゆっくり歩くような速さで
Moderato	モデラート	中ぐらいの速さで
Allegretto	アレグレット	やや速く
Allegro	アレグロ	速く
Presto	プレスト	急速に
♩ =112	1分間に♩を112打つ速さ	
ritardando(*rit.*)	リタルダンド	だんだん遅く
a tempo	ア テンポ	もとの速さで

A 6 奏法記号 　　　　　　　　　　　頻出 沖縄

記号	読み方	意味
♩ ♪	スタッカート	その音を短く切って
♩ ♪	テヌート	その音の長さを十分に保って
♩ ♪	アクセント	目立たせて，強調して
♪ ♪	フェルマータ	その音符(休符)をほどよくのばす
♪ ♪	タイ	隣り合った同じ高さの音符をつなぐ
♪ ♪	スラー	違う高さの2つ以上の音符をなめらかに
∨	ブレス	息つぎ

B 7 反復記号 　　　　　　　　　　　頻出 愛知，高知

反復記号は，演奏の順序を示す。

記号	読み方	意味
‖ ‖	リピート	記号の間を反復する
D.C.	ダ カーポ	始めに戻る
D.S.	ダル セーニョ	𝄋(セーニョ)に戻る
Fine	フィーネ	終わり
⊕	ビーデ	次の⊕までとばす
Coda	コーダ	結び

ここが出る! ▶▶

・西洋の著名な音楽家について知っておこう。厳選した31名を紹介する。
・それぞれの音楽家の名前，国籍，そして作品をセットにして覚えよう。これらの事項を結びつけさせる問題が出る。

B 1 音楽家と作品　　頻出 岩手，栃木，愛知，愛媛

4つの時期に分けて，著名な音楽家を紹介しよう。

	名前	生没年	国籍	作品
バロック	ヴィヴァルディ	1678〜1741	イタリア	協奏曲集「調和の霊感」，「和声と創意の試み」，「四季」
	バッハ	1685〜1750	ドイツ	フーガ・ト短調，管弦楽組曲ニ長調
	ヘンデル	1685〜1759	ドイツ	オラトリオ「メサイア」，管弦楽組曲「水上の音楽」
古典派	ハイドン	1732〜1809	オーストリア	オラトリオ「天地創造」，交響曲第94番「驚愕」，第101番「時計」
	モーツァルト	1756〜1791	オーストリア	オペラ「魔笛」，交響曲第40番，トルコ行進曲
	ベートーヴェン	1770〜1827	ドイツ	交響曲第5番「運命」，第9番「合唱付き」，ピアノソナタ「悲愴」，エリーゼのために
ロマン派	ウェーバー	1786〜1826	ドイツ	オペラ「魔弾の射手」，ピアノ曲「舞踏への勧誘」
	シューベルト	1797〜1828	オーストリア	交響曲「未完成」，リート「魔王」，リート集「冬の旅」
	メンデルスゾーン	1809〜1847	ドイツ	バイオリン協奏曲ホ短調，ピアノ曲集「無言歌集」
	ショパン	1810〜1849	ポーランド	ピアノ曲集「練習曲集」，「幻想即興曲」
	シューマン	1810〜1856	ドイツ	ピアノ曲集「謝肉祭」，リート集「詩人の恋」
	リスト	1811〜1886	ハンガリー	交響詩「前奏曲」，ピアノ曲集「超絶技巧練習曲集」

ロマン派	ワーグナー	1813〜1883	ドイツ	オペラ「タンホイザー」，楽劇「トリスタンとイゾルデ」
	ヴェルディ	1813〜1901	イタリア	オペラ「リゴレット」，「椿姫」，「アイーダ」
	スメタナ	1824〜1884	チェコ	連作交響詩「我が祖国」，弦楽四重奏曲「我が生涯より」
	ヨハン・シュトラウスII世	1825〜1899	オーストリア	オペレッタ「こうもり」，ワルツ「美しく青きドナウ」
	ブラームス	1833〜1897	ドイツ	ドイツ　レクイエム，ハンガリー舞曲集
	サン・サーンス	1835〜1921	フランス	交響曲第3番「オルガン」，交響詩「死の舞踏」，「白鳥」
	ビゼー	1838〜1875	フランス	オペラ「カルメン」，管弦楽組曲「アルルの女」
	ムソルグスキー	1839〜1881	ロシア	オペラ「ボリース，ゴドゥノーフ」，ピアノ組曲「展覧会の絵」
	チャイコフスキー	1840〜1893	ロシア	交響曲第6番「悲愴」，バレエ音楽「白鳥の湖」
	ドボルザーク	1841〜1904	チェコ	交響曲「新世界より」，弦楽四重奏曲「アメリカ」
	グリーグ	1843〜1907	ノルウェー	ピアノ協奏曲イ短調，管弦楽組曲「ペールギュント」
	マーラー	1860〜1911	オーストリア	交響曲第1番「巨人」，歌曲集「亡き子をしのぶ歌」
	シベリウス	1865〜1957	フィンランド	交響詩「フィンランディア」，管弦楽組曲「カレリア」
近代・現代	ドビュッシー	1862〜1918	フランス	管弦楽曲「牧神の午後への前奏曲」，ピアノ曲集「前奏曲集」
	ホルスト	1874〜1934	イギリス	管弦楽組曲「惑星」，弦楽合奏曲「セントポール組曲」
	ラヴェル	1875〜1937	フランス	バレエ音楽「ダフニスとクロエ」，「ボレロ」
	ストラヴィンスキー	1882〜1971	ロシア	バレエ音楽「火の鳥」，「ペトルーシュカ」，「春の祭典」
	プロコフィエフ	1891〜1953	ロシア	交響曲第1番「古典的」，バレエ音楽「ロメオとジュリエット」
	ガーシュイン	1898〜1937	アメリカ	管弦楽曲「ラプソディ・イン・ブルー」，オペラ「ポーギーとベス」

ここが出る！

・世界の主な民族音楽について知っておこう。名称と国（地域）を結びつけさせる問題がたまに出る。

・日本の音楽史に関する基礎知識を得ておこう。古来の音楽，著名な楽器，そして代表的な音楽家の3点に着眼しよう。

C 1 世界の音楽

頻出 愛知，沖縄

以下の著名な**民族音楽**を知っておけば足りるであろう。

名称	国・地域	記事
□ヨーデル	スイスなど	アルプスやチロルの民謡。地声と裏声を交替させて歌う。
□フラメンコ	スペイン	歌と踊りとギターが一体化。激しく感情を表現。
□フープダンス	アメリカ	雨乞いなどの願いを込めて，フープを操りながら踊る。
□ゴスペル	アメリカ	聖書のメッセージを伝える歌。スピリチュアルなどが源流。
□京劇	中国	中国の伝統的な古典演劇。音楽，舞踊，演劇の総合芸術。
□オルティンドー	モンゴル	「長い歌」という意味。声を長くのばして歌う民謡。
□ヒメネ	ポリネシア	キリスト教の賛美歌の影響を受けた合唱スタイル。
□ガムラン	インドネシア	青銅や鍵盤打楽器による合奏。
□カッワーリー	パキスタンなど	何度も同じ旋律を繰り返す。地声で熱狂的に歌う。
□セマー	トルコ	音楽に乗って旋回。ネイという葦のたて笛が重要。
□グリオ	西アフリカ	文字のない時代から，歴史や生活教訓などを旋律で伝達。
□フォルクローレ	南米アンデス地方	木や竹をくり抜いて作った縦笛（ケーナ）を使用。

B **2** **日本の音楽** 　頻出 青森, 岩手, 福島, 愛知, 名古屋市, 愛媛

西洋とは一味違った, 深みのある音楽が蓄積されている。

● **古来の音楽**

□【 **雅楽** 】…大陸から伝わった音楽や, 日本古来の音楽を平安時代に様式化したもの❶。

　→ 管弦(器楽合奏)や 舞楽(器楽合奏を伴う舞の曲)がある。

□【 **琵琶楽** 】…琵琶を主体とした音楽の総称。

　→ 盲僧琵琶, 平家琵琶, 薩摩琵琶などが有名。

□【 **能楽** 】…音楽と舞踊を融合させた伝統演劇❷。室町時代に, 観阿弥・世阿弥親子が編み出した。以下の 3 役が主。

　→ 立方(演技役), 囃子方(演奏役), 地謡(物語の斉唱役)

□【 **長唄** 】…歌舞伎舞踊の伴奏音楽。三味線音楽の一種。

● **著名な音楽**

□【 **三味線音楽** 】…三味線の伴奏による音楽。**長唄**や義太夫節が有名。三味線は人形浄瑠璃で用いられる。

□【 **尺八音楽** 】…奈良時代に**中国**から伝わる。江戸時代では, 経を唱える代わりに吹かれた。明治時代に広く普及した。

□【 **箏曲** 】…箏(こと)を使用した音楽。

● **音楽家**

名前	生没年	出身地	作品
八橋検校	1614〜1685	福島県？	近世箏曲の創始者
滝廉太郎	1879〜1903	東京都	荒城の月, 花
山田耕筰	1886〜1965	東京都	赤とんぼ, 待ちぼうけ
宮城道雄	1894〜1956	兵庫県	春の海, さくら変奏曲

● **有名な民謡**

□ソーラン節(北海道), 南部牛追い歌(岩手), 花笠音頭(山形), 佐渡おけさ(新潟), こきりこ節(富山), ちゃっきり節(静岡), 安来節(島根), 金毘羅船々(香川), よさこい節(高知), 五木の子守歌(熊本)など。

. . . .

❶第 6 学年の歌唱共通教材「越天楽今様」は, 雅楽に歌詞をつけたものである。
❷能の舞台で演じられるせりふ劇を狂言という。

歌唱共通教材

ここが出る! ▶▶

- 新学習指導要領に掲げられている各学年の歌唱共通教材について詳しく知っておこう。高い頻度で出題される。
- 楽譜を提示して,曲の名前や何調かを答えさせる問題が出る。テーマ5〜7の楽典の内容と絡めた問題が多い。

A 1 歌唱共通教材 ★超頻出★

各学年の**歌唱共通教材**の調,形式,そして出だしの楽譜を掲げる。

● 楽譜

	曲名	楽譜
第一学年	うみ ト長調 一部形式	
	かたつむり ハ長調 変則一部形式	1でんでん むしむし かたつむ り おまえの あたまは
	日のまる ヘ長調	しろ じ に あ か く
	ひらいたひらいた 日本音階	1ひ らいた ひらいた なんのは ながひらいた れんげのはなが
第二学年	かくれんぼ 日本音階	
	春がきた ハ長調 一部形式	1はるがき た はるがきた どこに きた
	虫のこえ ハ長調	1あれまつ むしが ないてい る
	夕やけこやけ ハ長調 二部形式	
第三学年	うさぎ 日本音階(陰音階)	はやさをくふうして う さぎ うさぎ なにみて はねる
	茶つみ *弱起の曲 ト長調 一部形式	1なつも ち かづく は ちじゅう は ちや

● 補説

□各学年の歌唱教材は，上記の共通教材を含めて，斉唱及び合唱（低学年は斉唱及び輪唱）で歌う楽曲を取り上げることとされる。

❶地方によっては，陰音階で歌われる。楽譜は，陽音階のものである。

鑑賞教材

ここが出る! ▶▶

・学習指導要領では，鑑賞の共通教材は定められていないが，鑑賞教材の候補となる曲について知っておこう。

・鑑賞教材の候補曲のうち，主要なものの出だしの楽譜をみておこう。楽典の内容と絡めて出題されることがある。

C **1** 鑑賞教材の候補曲 　　　　　　　　　　　　　　頻出 三重

鑑賞教材は，教師が自由に選択することとなっている。その候補の曲の一覧を示す❶。「段階」とは，鑑賞に適した学年段階の目安である。

曲名	作曲者	国	段階	主な楽器
アメリカンパトロール	ミーチャム	アメリカ	低	管弦楽，吹奏楽
おどる子ねこ	アンダソン	アメリカ	低	管弦楽
おどる人形	ポルディーニ	ハンガリー	低	バイオリン
おもちゃの兵隊	イェッセル	ドイツ	低	管弦楽
かじやのポルカ	シュトラウス	オーストリア	低	槌，管弦楽
かっこうのワルツ	ヨナッソン	スウェーデン	低	管弦楽
出発	プロコフィエフ	ロシア	低	ホルン
おもちゃのシンフォニー	L.モーツァルト	オーストリア	低中	おもちゃ
スケーターズワルツ	ワルトトイフェル	フランス	低中	管弦楽
トルコ行進曲	ベートーヴェン	ドイツ	低中	管弦楽，ピアノ
ユモレスク	ドボルザーク	チェコ	低中	バイオリン
メヌエット	ビゼー	フランス	中	フルート，ハープ
メヌエット　ト長調	ベートーヴェン	ドイツ	中	バイオリン
軽騎兵序曲	スッペ	オーストリア	中	管弦楽
花のワルツ	チャイコフスキー	ロシア	中高	ハープ，ホルン
白鳥	サン・サーンス	フランス	中高	チェロ，ピアノ

---

❶ほとんどが，かつて共通鑑賞教材に指定されたことのある曲である。1998年の学習指導要領改訂以降，共通鑑賞教材の指定はなくなった。

ホルン協奏曲第1番	W.A.モーツァルト	オーストリア	中高	ホルン，管弦楽
ポロネーズ	バッハ	ドイツ	中高	フルート，チェロ
モルダウ	スメタナ	チェコ	中高	管弦楽
ウィリアムテル序曲	ロッシーニ	イタリア	高	管弦楽
荒城の月	滝廉太郎	日本	高	合唱
箱根八里	滝廉太郎	日本	高	合唱
花	滝廉太郎	日本	高	合唱
朝の気分	グリーグ	ノルウェー	高	管弦楽
ピアノ五重奏曲「ます」	シューベルト	オーストリア	高	ピアノ，バイオリン
赤とんぼ	山田耕筰	日本	高	声
この道	山田耕筰	日本	高	声
待ちぼうけ	山田耕筰	日本	高	声
木星	ホルスト	イギリス	高	管弦楽
春の海	宮城道雄	日本	高	箏，尺八

B 2 主要曲の楽譜 　　　　　頻出 岡山

上記の鑑賞教材のうち，主要なものの出だしの楽譜をみておこう。楽典の内容と絡めて出題されることがある。

白鳥 (サン・サーンス)	
モルダウ (スメタナ)	
荒城の月 (滝廉太郎)	は る こ う ろ う の　は な の え ん
箱根八里 (滝廉太郎)	は こ ね の や ま は　てん か のけん　かんこ く かんも
赤とんぼ (山田耕筰)	ゆ う や け　こ やけー の　あ か とん　ぼ
この道 (山田耕筰)	こ のみ　ち はーい　つ かきた　み ち　あ あ ーそうだ

ここが出る! ▶▶
- 楽器の主なものを知っておこう。それぞれの楽器の名称，属するカテゴリー，そして形状をセットにして押さえよう。
- 楽器の中でも，リコーダーの奏法についてはよく問われる。とくに運指表が頻出。ここでは，簡略な運指表をしっかりみておこう。

B 1 楽器の種類

頻出 高知

楽器は，おおよそ4つの種類に大別される。

弦楽器	擦弦楽器	弓などで弦をこすって音を出す。バイオリン，チェロなど。
	撥弦楽器	指や爪などで弦をはじいて音を出す。ギター，ハープなど。
管楽器	木管楽器	木製の笛。たて笛や横笛がある。ピッコロ，フルート，クラリネット，オーボエ，サクスフォーンなど。
	金管楽器	ラッパや角笛。トランペット，ホルン，チューバ，トロンボーンなど。
打楽器		膜や板などを打って，振動させて音を出す。太鼓，ティンパニ，シンバル，木琴など。
鍵盤楽器		鍵盤をたたいて音を出す。パイプオルガン，チェンバロ，ピアノ，アコーディオンなど。

バイオリン　　　　ハープ　　　　　フルート

トランペット　　　ホルン　　　　　木琴

A 2 リコーダーの使い方　★超頻出★

　リコーダーの指づかいと，奏法のちょっとしたテクニックについて知っておこう。

●運指表

　指づかいの表（**運指表**）の簡略バージョンを掲げる❶。

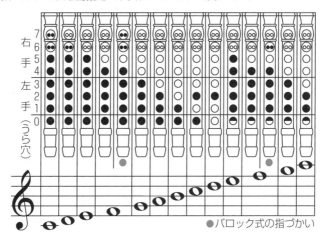

●バロック式の指づかい

●奏法

　以下の3つを覚えよう。

□笛の吹き口は，唇でそっと**はさむ**ようにする。決して，歯でかんだりはしない。

□【　タンギング　】…舌を使って，音を出したり止めたりすること。tu(**トゥー**)という音が主。

　＊to(トー)，ti(ティー)，du(ドゥー)という音出しもある。

□【　サミング　】…親指をずらして裏穴❷にわずかなすき間をつくることで，高音を出す。上表の●である。

第1関節を
軽く曲げて

わずかな
すき間をつくる

❶詳細なものは，器楽の教科書などで確認のこと。

❷サムホールともいう。できれば，リコーダーの部位の名称も確認のこと。

●Answer●

□1　日本古謡の「さくらさくら」は，第3学年の歌唱共通教材である。　→P.201

1　×
第4学年である。

□2　第3学年及び第4学年で取り上げる旋律楽器は，リコーダーや鍵盤楽器，和楽器などの中から選択する。　→P.205

2　○

□3　4分音符の長さを1とした場合，2分音符の長さは$\frac{1}{2}$となる。　→P.207

3　×
2である。

□4　小節の1拍目から始まる弱起の曲は，始まり方に安定感がある。　→P.209

4　×
強起の曲である。

□5　長音階の主音は，階名の「ラ」である。　→P.210

5　×
階名の「ド」である。

□6　短音階の場合，7音と8音の間は半音となる。　→P.211

6　×
全音である。

□7　六の和音とは，三和音の上に，3度上の音を加えたものである。　→P.212

7　×
七の和音である。

□8　主題が，異なる形式を挟んで反復する形式をソナタ形式という。　→P.215

8　×
ロンド形式である。

□9　強弱記号のフォルティッシモは「とても強く」という意味である。　→P.216

9　○

□10　速度記号のアレグレットとは，「ゆるやかに」という意味である。　→P.217

10　×
「やや速く」である。

□11　交響曲第5番「運命」は，ベートーヴェンの作品である。　→P.218

11　○

□12　バレエ音楽「ロメオとジュリエット」は，グリーグの作品である。　→P.219

12　×
プロコフィエフの作品。

□13　スペインのゴスペルは，歌と踊りが一体化したもので，激しく感情を表現する民族音楽である。　→P.220

13　×
ゴスペルではなく，フラメンコである。

□14　第3学年の歌唱共通教材の「春の小川」は，ハ長調の二部形式の曲である。　→P.223

14　○

□15　ホルンは，木管楽器に属する。→P.226

15　×
金管楽器に属する。

図画工作

図画工作の内容は，表現と鑑賞に大別される。表現の分野では，絵画とデザインについてよく問われる。透視図法の種類，児童の造形能力の発達段階，さらには色彩学に関する基礎事項を押さえておこう。また，彫刻刀や電動のこぎりなどの取扱いに関する問題もよく出る。図柄をみながら，正確な理解を図っておこう。鑑賞の分野では，西洋美術史の問題が頻出。著名な作品について，概要の説明文や実物の写真を選ばせる問題がよく出る。

図画工作科の目標と内容

頻出度 A

ここが出る！▶▶

・図画工作科の 3 つの目標を覚えよう。新学習指導要領で育成する資質・能力の 3 本柱と対応付けて頭に入れること。
・内容の取扱いに当たっての配慮事項が頻出。各学年で使う材料・用具を識別させる問題が多い。

A 1 図画工作科の目標　　頻出 岩手，茨城，広島，山口，愛媛，宮崎

新学習指導要領で育成する 3 つの資質・能力と対応している。

表現及び鑑賞の活動を通して，造形的な見方・考え方を働かせ，生活や社会の中の形や色などと豊かに関わる資質・能力を次のとおり育成することを目指す。

⏱ □対象や事象を捉える造形的な視点について自分の感覚や行為を通して理解するとともに，材料や用具を使い，表し方などを工夫して，創造的につくったり表したりすることができるようにする。(1)

⏱ □造形的なよさや美しさ，表したいこと，表し方などについて考え，創造的に発想や構想をしたり，作品などに対する自分の見方や感じ方を深めたりすることができるようにする。(2)

⏱ □つくりだす喜びを味わうとともに，感性を育み，楽しく豊かな生活を創造しようとする態度を養い，豊かな情操を培う。(3)

A 2 図画工作科の各学年の目標　　頻出 青森，福島，茨城，岐阜

高学年になると，「主体的に表現」といった能動的な態度が求められる。

●低学年

□対象や事象を捉える造形的な視点について自分の感覚や行為を通して気付くとともに，手や体全体の感覚などを働かせ材料や用具を使い，表し方などを工夫して，創造的につくったり表したりすることができるようにする。

□造形的な面白さや楽しさ，表したいこと，表し方などについて考え，楽しく発想や構想をしたり，身の回りの作品などから自分の見方や感

じ方を広げたりすることができるようにする。

□楽しく表現したり鑑賞したりする活動に取り組み，つくりだす喜びを味わうとともに，形や色などに関わり楽しい生活を創造しようとする態度を養う。

●中学年

□対象や事象を捉える造形的な視点について自分の感覚や行為を通して分かるとともに，手や体全体を十分に働かせ材料や用具を使い，表し方などを工夫して，創造的につくったり表したりすることができるようにする。

□造形的なよさや面白さ，表したいこと，表し方などについて考え，豊かに発想や構想をしたり，身近にある作品などから自分の見方や感じ方を広げたりすることができるようにする。

□進んで表現したり鑑賞したりする活動に取り組み，つくりだす喜びを味わうとともに，形や色などに関わり楽しく豊かな生活を創造しようとする態度を養う。

●高学年

□対象や事象を捉える造形的な視点について自分の感覚や行為を通して理解するとともに，材料や用具を活用し，表し方などを工夫して，創造的につくったり表したりすることができるようにする。

□造形的なよさや美しさ，表したいこと，表し方などについて考え，創造的に発想や構想をしたり，親しみのある作品などから自分の見方や感じ方を深めたりすることができるようにする。

□主体的に表現したり鑑賞したりする活動に取り組み，つくりだす喜びを味わうとともに，形や色などに関わり楽しく豊かな生活を創造しようとする態度を養う。

A 3 図画工作科の内容　　頻出 北海道，福島，愛知，広島，愛媛

「表現」と「鑑賞」に分かれ，前者は「発想・構想」と「技能」を含む。

●低学年

〈表現〉

□造形遊びをする活動を通して，身近な自然物や人工の材料の形や色などを基に造形的な活動を思い付くことや，感覚や気持ちを生かしながら，どのように活動するかについて考えること。（発想・構想）

□絵や立体，工作に表す活動を通して，感じたこと，想像したことから，表したいことを見付けることや，好きな形や色を選んだり，いろいろな形や色を考えたりしながら，どのように表すかについて考えること。（発想・構想）

□造形遊びをする活動を通して，身近で扱いやすい材料や用具に十分に慣れるとともに，並べたり，つないだり，積んだりするなど手や体全体の感覚などを働かせ，活動を工夫してつくること。（技能）

□絵や立体，工作に表す活動を通して，身近で扱いやすい材料や用具に十分に慣れるとともに，手や体全体の感覚などを働かせ，表したいことを基に表し方を工夫して表すこと。（技能）

〈鑑賞〉

□身の回りの作品などを鑑賞する活動を通して，自分たちの作品や身近な材料などの造形的な面白さや楽しさ，表したいこと，表し方などについて，感じ取ったり考えたりし，自分の見方や感じ方を広げること。

● 中学年

〈表現〉

□造形遊びをする活動を通して，身近な材料や場所などを基に造形的な活動を思い付くことや，新しい形や色などを思い付きながら，どのように活動するかについて考えること。（発想・構想）

□絵や立体，工作に表す活動を通して，感じたこと，想像したこと，見たことから，表したいことを見付けることや，表したいことや用途などを考え，形や色，材料などを生かしながら，どのように表すかについて考えること。（発想・構想）

□造形遊びをする活動を通して，材料や用具を適切に扱うとともに，前学年までの材料や用具についての経験を生かし，組み合わせたり，切ってつないだり，形を変えたりするなどして，手や体全体を十分に働かせ，活動を工夫してつくること。（技能）

□絵や立体，工作に表す活動を通して，材料や用具を適切に扱うとともに，前学年までの材料や用具についての経験を生かし，手や体全体を十分に働かせ，表したいことに合わせて表し方を工夫して表すこと。（技能）

〈鑑賞〉

□身近にある作品などを鑑賞する活動を通して，自分たちの作品や身近

な美術作品，製作の過程などの造形的なよさや面白さ，表したいこと，いろいろな表し方などについて，感じ取ったり考えたりし，自分の見方や感じ方を広げること。

●高学年

〈表現〉

□造形遊びをする活動を通して，材料や場所，空間などの特徴を基に造形的な活動を思い付くことや，構成したり周囲の様子を考え合わせたりしながら，どのように活動するかについて考えること。（発想・構想）

□絵や立体，工作に表す活動を通して，感じたこと，想像したこと，見たこと，伝え合いたいことから，表したいことを見付けることや，形や色，材料の特徴，構成の美しさなどの感じ，用途などを考えながら，どのように主題を表すかについて考えること。（発想・構想）

□造形遊びをする活動を通して，活動に応じて材料や用具を活用するとともに，前学年までの材料や用具についての経験や技能を総合的に生かしたり，方法などを組み合わせたりするなどして，活動を工夫してつくること。（技能）

□絵や立体，工作に表す活動を通して，表現方法に応じて材料や用具を活用するとともに，前学年までの材料や用具などについての経験や技能を総合的に生かしたり，表現に適した方法などを組み合わせたりするなどして，表したいことに合わせて表し方を工夫して表すこと。（技能）

〈鑑賞〉

□親しみのある作品などを鑑賞する活動を通して，自分たちの作品，我が国や諸外国の親しみのある美術作品，生活の中の造形などの造形的なよさや美しさ，表現の意図や特徴，表し方の変化などについて，感じ取ったり考えたりし，自分の見方や感じ方を深めること。

C 4 共通事項

「表現」と「鑑賞」の指導を通して，次の事項を身に付ける。

●低学年

□ア）自分の感覚や行為を通して，形や色などに気付くこと。

□イ）形や色などを基に，自分のイメージをもつこと。

●中学年

□ア）自分の感覚や行為を通して，形や色などの<u>感じ</u>が分かること。

□イ）形や色などの感じを基に，自分の<u>イメージ</u>をもつこと。

●高学年

□ア）自分の感覚や行為を通して，形や色などの<u>造形的</u>な特徴を理解すること。

□イ）形や色などの<u>造形的</u>な特徴を基に，自分のイメージをもつこと。

Ⓑ 5 図画工作科の指導計画の作成と内容の取扱い 頻出 福島

絵・立体と工作の授業時数は，およそ等しくなるようにする。

●指導計画の作成

□題材など内容や時間の<u>まとまり</u>を見通して，その中で育む資質・能力の育成に向けて，児童の主体的・<u>対話的</u>で深い学びの実現を図るようにすること。その際，<u>造形的</u>な見方・考え方を働かせ，<u>表現</u>及び鑑賞に関する資質・能力を相互に関連させた学習の充実を図ること。

⏱️□絵や立体，工作の指導に配当する授業時数については，<u>工作</u>に表すことの内容に配当する授業時数が，絵や立体に表すことの内容に配当する授業時数とおよそ<u>等しく</u>なるように計画すること。

●内容の取扱い

□児童が<u>個性</u>を生かして活動することができるようにするため，学習活動や<u>表現方法</u>などに幅をもたせるようにすること。

□各学年の「Ａ表現」及び「Ｂ鑑賞」の指導を通して，児童が〔共通事項〕のアとイとの関わりに気付くようにすること。

⏱️□〔共通事項〕のアの指導に当たっては，次の事項に配慮し，必要に応じて，その後の学年で繰り返し取り上げること。

ア）第１学年及び第２学年においては，いろいろな形や色，<u>触った</u>感じなどを捉えること。

イ）第３学年及び第４学年においては，形の感じ，色の感じ，それらの組合せによる感じ，色の<u>明るさ</u>などを捉えること。

ウ）第５学年及び第６学年においては，動き，<u>奥行き</u>，バランス，色の<u>鮮やかさ</u>などを捉えること。

⏱️□各学年の「Ａ表現」の指導に当たっては，活動の全過程を通して児童が実現したい思いを大切にしながら活動できるようにし，自分の<u>よさ</u>や

可能性を見いだし，楽しく豊かな生活を創造しようとする態度を養うようにすること。

□各活動において，互いのよさや個性などを認め尊重し合うようにすること。

⏱□材料や用具については，次のとおり取り扱うこととし，必要に応じて，当該学年より前の学年において初歩的な形で取り上げたり，その後の学年で繰り返し取り上げたりすること❶。

ア）第1学年及び第2学年においては，土，粘土，木，紙，クレヨン，パス，はさみ，のり，簡単な小刀類など身近で扱いやすいものを用いること。

イ）第3学年及び第4学年においては，木切れ，板材，釘，水彩絵の具❷，小刀，使いやすいのこぎり，金づちなどを用いること。

ウ）第5学年及び第6学年においては，針金，糸のこぎりなどを用いること。

□各学年の「A表現」の「絵や立体，工作」については，児童や学校の実態に応じて，児童が工夫して楽しめる程度の版に表す経験や焼成する経験ができるようにすること。

□各学年の「B鑑賞」の指導に当たっては，児童や学校の実態に応じて，地域の美術館などを利用したり，連携を図ったりすること。

□コンピュータ，カメラなどの情報機器を利用することについては，表現や鑑賞の活動で使う用具の一つとして扱うとともに，必要性を十分に検討して利用すること。

□創造することの価値に気付き，自分たちの作品や美術作品などに表れている創造性を大切にする態度を養うようにすること。また，こうした態度を養うことが，美術文化の継承，発展，創造を支えていることについて理解する素地となるよう配慮すること。

□校内の適切な場所に作品を展示するなどし，平素の学校生活においてそれを鑑賞できるよう配慮するものとする。また，学校や地域の実態に応じて，校外に児童の作品を展示する機会を設けるなどするものとする。

・・

❶主な用具の取扱いについては，テーマ7を参照。
❷中学年の児童が，形や色を表すために適した用具とされる。

絵画

ここが出る! ▶▶
- 大まかな描写（下絵）の種類やデッサンに技法について知っておこう。たまに，自分の手の素描をさせる問題などが出る。
- モダンテクニックについてはよく問われる。説明文を提示し，名称を答えさせる問題が多い。

B **1** 大まかな描写

頻出 青森，福島，静岡

□【 **スケッチ** 】…英語(sketch)。形や色を大まかに表現する。下絵として，短時間で描かれる

□【 **デッサン** 】…仏語(dessin)。線や明暗の調子だけで表現する。主に単色で描かれる。

⏱□【 **クロッキー** 】…仏語(croquis)。単純な線だけで素早く描く。

□立方体，円柱，そして手のデッサン(素描)についてよく問われる。立方体と円柱は，明暗の段階分けがポイントである。

A **2** 水彩画

頻出 青森，栃木，愛媛

● 描き方

□【 **透明描法** 】…水の量を多くして，絵の具をとく。下の色が透けてみえるようになる。

□【 **不透明描法** 】…水の量を少なめにして絵の具をとく。混色する時は，明るい色に暗い色を加える。

□【 **こすり込み** 】…水をほとんど使わず，絵の具をこすり込む。

□【 **ぼかし** 】…水を含ませた筆で絵の具をなぞる。

□【 **にじみ** 】…絵の具が乾かないうちに，水分を含ませた別の色をのせる。

□【 **洗い出し** 】…一度塗った色を水で洗い落とし，下地の色にする。

□【 **重色** 】…画用紙の上で色を塗り重ねること。

● 用具

□パレットには，最初に，使う色をすべて出す(似た色を隣にする)。

□水彩画の筆としては，丸筆と平筆がある。広い面を塗るときには，後者が便利。面相筆は，精密な線画に適している。

□水を入れる容器を<u>筆洗</u>という。絵の具を<u>溶く</u>水，筆を<u>洗う</u>水，筆をすすぐ水を分けて入れる。

● **絵の具の種類**

□【 水彩絵の具 】…顔料とアラビアゴムが主な原料。

□【 ポスターカラー 】…不透明で，むらなく塗れる。

⏱□【 アクリル絵の具 】…乾くと耐水性がある。

□【 岩絵の具 】…鉱石などを砕いて作られ，日本画で使われる。

A 3 モダンテクニックと透視図法 　頻出 神奈川，名古屋市，山口

● **モダンテクニック**

原名称	和文名称	説明
□コラージュ	貼り絵	紙や布など，いろいろなものを切り貼りして絵画を構成する。
□スクラッチ	ひっかき	重ね塗りをした後，上の色をひっかいて，下の色を出す。
□スタンピング	型押し	型取りできるものに絵の具をつけ，それに紙を押し当てて型模様を取る。
□ストリング	糸引き絵	絵の具をつけた糸を2つ折りの紙にはさみ，紙を押さえながら糸を引く。
⏱□スパッタリング	霧吹き	絵の具のついた網をブラシでこすり，霧吹きのような色を紙上に落とす。
□デカルコマニー	合わせ絵	絵の具を紙につけて，それを2つ折りにしたりして転写する。
□ドリッピング	吹き流し	水の多い絵の具を紙に垂らし，ストローで吹いたりして模様を出す。
⏱□バチック	はじき絵	ロウなどで絵を描き，その上に水彩絵の具を垂らし，水分をはじいた効果を得る。
□フロッタージュ	擦り出し	凹凸のある物の上に紙を置き，鉛筆などで擦って模様をあぶり出す。
□マーブリング	墨流し	水面に墨や絵の具を垂らし，そこにできた流れ模様を紙に写し取る。

● **透視図法**

□透視図法では，奥行きの線が<u>消失点</u>に収束する。

⏱□消失点が1つのものを<u>一点透視図法</u>，2つのものを<u>二点透視図法</u>という。遠くは淡く，近くははっきり描く技法を<u>空気遠近法</u>という。

ここが出る！ ▶▶

・版画の４種類と，それぞれの形式と特徴について押さえよう。文章を提示し，どの種類の記述に該当するかを問う問題が出る。

・凹版，孔版，そして平版の手法の事例を知っておこう。キーワードさえ知っておけば，どの手法の記述かを判別することが可能である。

　版画は，１つの版をもとにして大量に量産できる。それには，４つの種類がある。順にみていこう。

B 1 凸版　　　　　　　　　　　　　　　　頻出 大分，鹿児島

　まずは，**凸版**である。版の突き出た部分にインクをつける。

●形式と特徴

□版の凸部にインクをつけ，**ばれん**でこすって写し取る。

□広い面による表現には適しているが，濃淡の微妙な表現には適さない。

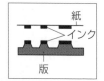

●木版画

　凸版の代表的なものは，**木版画**である。

□下絵を描く→それを板木に転写する→板木を彫る→インクをつける→紙に刷る，という過程をたどる。

□ばれんは，中心から外側へと，円を描くように動かす。

●多色刷り

□【　一版多色刷り　】…１枚の版の部分ごとに，違う色を付けて刷る。「彫る」と「刷る」を，色を変えて何度か繰り返す，彫り進み法がよく用いられる。

□【　多版多色刷り　】…複数の版に違う色をつけて刷る。版がずれないよう，見当（目印）も彫る。

C 2 凹版　　　　　　　　　　　　　　　　　　　頻出 東京

　次に，**凹版**である。版の凹んだ部分にインクをつめる。刷る時は，プレス機やタンポなどを使う。

⏱ □版の凹部にインクをつめ，プレス機などで圧力をかけて刷る。

□細い線や点の表現に適している。線の濃淡の表現ができ，緻密な表現が可能。

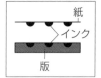

C 3 孔版と平版

ポピュラーな凸版と凹版のほか，**孔版**と**平版**というものがある。それぞれの事例は，次節を参照。

●**孔版**

□版にインクの通る穴を開け，スキージー（へら）などで刷りこむ。

□多色刷りに適しているので，写真などを版にすることができる。

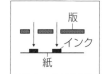

●**平版**

□平らな面にインクのつく面とつかない面をつくり，刷る。

□油性の描画材料（クレヨンなど）で描いた絵を刷ることができる。

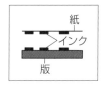

C 4 具体的事例

頻出 愛媛，大分

凹版，孔版，そして平版の手法の事例を紹介する。イメージしにくいであろうが，それぞれの手法のキーワードだけでも知っておくとよい。

⏱ 凹版	ドライポイント	塩化ビニル板（銅板）をニードルなどで彫って版をつくる。
	エッチング	グランドを塗った銅板をニードルなどで線刻し，希硝酸で腐食して版をつくる。
孔版	シルクスクリーン	フィルムを張り付け，インクが通る部分と通らない部分に分けて，スキージ（へら）でインクを紙に押し出す。
	ステンシル	型紙を切り抜き，上からタンポやローラーでインクを刷り込む。
平版	リトグラフ	油が水をはじく原理を利用したもの。水をはじく部分に油性インクをのせて刷る。

彫刻・粘土

> **ここが出る!** ▶▶
> ・彫刻の種類と表現の仕方について知っておこう。写真を提示し，レリーフの作品を選ばせる問題などが出る。
> ・粘土の取扱いについて熟知しておこう。粘土の種類の判別問題もよく出る。

C 1 彫刻の種類

頻出 静岡，高知

● **彫刻の表現の方法**

削り取る方法と付け加える方法がある。

□【 **彫像** 】…木や石などのかたまりを外から削り取る方法。**カービング**ともいう。

□【 **塑像** 】…粘土や石膏などを付け加えて形にする方法。**モデリング**ともいう。

● **彫刻の表現の種類**

立体で表すものと，高低の段差で表すものとがある❶。

□【 **丸彫り** 】…全体を完全な立体で表現したもの。 □丸彫りの作品は，周囲のあらゆる角度から鑑賞できる。	
□【 **レリーフ** 】…高低の段差で立体感を表すもの。 □平面の上に粘土などを盛り上げるやり方と，平面を**掘り下げる**やり方とがある。 □レリーフの作品は，**正面**から鑑賞する。	

B 2 粘土

頻出 栃木，愛知，名古屋市，山口，鹿児島

粘土は，塑像の代表的な素材である。

----

❶丸彫りの例の写真は，東大寺南大門の金剛力士像。レリーフの例の写真は，イランのペルセポリスの「百人のレリーフ」。

●粘土の種類

⏱□【　土粘土　】…水で練り直して何度も使える。焼成に適する。

⏱□【　油粘土　】…乾燥しにくく，繰り返し造形できる。焼成はできない。

⏱□【　紙粘土　】…乾くと，硬く，計量で色を塗りやすい。

□【　液体粘土　】…浸して紙・布などの柔らかい素材を固める。

□【　プラスチック粘土　】…加熱で柔らかくなり，冷ますと硬くなり水に強くなる。

●粘土の取扱い

□扱い方	・よく練って，質を均一にし，適度なかたさにする。**耳たぶ**くらいのかたさがよい。 ・かたい場合，土粘土には水を少し加えて練る。
□保存	・乾燥させないように注意する。 ・固くしぼった布で包み，ビニール袋に入れる。

●用具

□【　かきべら　】…粘土を削ったり，かき出したりするのに使う。

□【　どべ　】…同じ粘土を水で溶いたもの。粘土の板の接着に使う。図は244ページを参照。

⏱□粘土を板状にするには，粘土の塊の両側に<u>たたら板</u>を置き，<u>のし棒</u>を転がして平らにする。

□【　型押し　】…粘土に，凹凸のある型を押しつけて模様をつける。

●粘土による人体像の制作

□スケッチ	・ポーズの構想を練る。
□心棒づくり❷	・針金で基本形をつくる。太くなる部分は，**木片**や発泡スチロールなどを入れる。 ・粘土のつきをよくするため，ぬらした**麻ひも**を巻く。 ・台にしっかり固定する。
□肉づけ	・バランスを考えながら，**立体的に肉づけ**する。**足もと**から粘土をつけていく。
□仕上げ	・指や**へら**で細部を仕上げる。

●テラコッタ

□作品を長持ちさせるには，十分**乾燥**させてから焼くとよい。粘土の作品を素焼きした作品のことを<u>テラコッタ</u>という。

❷粘土のような可塑性素材を心棒などにつけて制作することをモデリングという。

● 図画工作（表現）

デザイン

ここが出る！ ▶▶

- 色の分類（色彩学）の基礎知識を得ておこう。とくに，色の三要素と三原則が重要である。
- 構成美を醸し出す手法について知っておこう。ある絵をみて，どの手法が使われているかを判別できるようになろう。

A 1 色彩学　　頻出 岩手，栃木，山梨，名古屋市，大分，沖縄

●色の種類と三要素

色は，以下の2つに大別される。	色は，以下の3つの要素をもつ。
⏱ □【 有彩色 】…色の三要素をもつ。	□【 色相 】…有彩色のもつ色合い。
□【 無彩色 】…白，灰色，黒の3つ。明度だけをもつ。	□【 彩度 】…鮮やかさの度合い。
	□【 明度 】…明るさの度合い。

●色相環

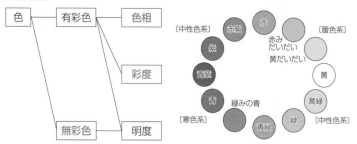

⏱ □【 補色 】…色相環で反対側に位置する2つの色。黄色の補色は青紫色，赤色の補色は青緑色である。

●三原色

⏱ □色の三原色⇒赤紫（マゼンタ），緑みの青（シアン），黄（イエロー）。三色混ぜると，黒に近くなる（減法混色）。

□光の三原色⇒赤，青，緑。三色混ぜると，白色光になる（加法混色）。

□白と黒の要素を全く含まず，各色相の中で最も彩度が高い色を純色という。純色に黒だけが混ざった色は暗清色，白だけが混ざった色は明清色である。

●色の対比

同じ色でも，背景の色の如何によって，違ってみえる。

□【 明度対比 】…同じ明度でも，背景の
明度により，明るさが異なる。

〈明度対比の例〉

□【 色相対比 】…同じ色相でも，背景の
色相により，色の感じが異なる。

□【 彩度対比 】…同じ彩度でも，背景の彩度により，鮮度が異なる。

□【 補色対比 】…補色の組合せにより，互いの色が鮮やかに見える。

A 2 構成美の要素 頻出 高知

色や形の並べ方（**構成**）をどうするかも，腕の見せ所である。

バランス	□【 シンメトリー 】…左右，上下，斜めなどでみて対称であること。 □【 プロポーション 】…大小関係を比例，比率，そして割合で構成すること。	シンメトリーの例
ハーモニー	□【 コントラスト 】…色や形などが全く違うものを調和させること。 □【 アクセント 】…一部分に際立って目立つ色や形をおくこと。	アクセントの例
リズム	□【 リピテーション 】…同じものを繰り返すこと。 □【 グラデーション 】…形や色を一定の割合で変化させること。	グラデーションの例

B 3 文字の工夫

□漢字の主な書体としては，**明朝体**とゴシック体がある。右図は，「口」という字の事例。双方の違いに注意のこと。 □【 レタリング 】…文字をデザインすること。ゴシック体をレタリングする場合，骨組みを書いて，肉づけ，ぬり込みを行う。	明朝体 横線が細く，縦線が太い	ゴシック体 横線と縦線の太さが同じ

図画工作

デザイン

243

● 図画工作（表現）

工芸

::: ここが出る! ▶▶

・粘土の成形技法の種類と，焼き物の工程について押さえよう。焼くときの温度など，細かい部分まで問われることがある。
・木工の素材の種類について知っておこう。写真をみて，どの板材かを判別できるようにすること。伝統工芸の知識も重要。
:::

B **1** 土の工芸　　　頻出 山梨，名古屋市，山口，高知，鹿児島

粘土の工芸品は，焼き物ともいう。

●**粘土の取扱い**

□質を均一にし，中の空気を抜くため，粘土は十分に練る。空気が残っていると，素焼きの時に膨張して破裂する。

□粘土は，**耳たぶ**くらいのかたさにする。

●**成形の技法**

□【 **手びねり** 】…粘土の塊から，手と指で形をつくる。厚みが**均等**になるようにする（左端）。

□【 **ひもづくり** 】…粘土のひもをつくり，それを巻き重ねて形をつくる。すき間ができないように，ひもを巻き重ねる（中央）。

□【 **板づくり** 】…粘土の板（**均一**の厚さ）をつくり，それを貼り合わせたりして形をつくる。板の接合面に「**どべ❶**」をつける（右端）。

□【 **ろくろづくり** 】…粘土をろくろにのせ，回して成形する。

□【 **型づくり** 】…ビンなどに粘土を当てて成形する。

どべをつけて接着する

●**制作過程**

□成形⇒乾燥❷⇒素焼き⇒下絵つけ⇒施釉（せゆう）⇒本焼き。

□素焼きの温度は約800℃，本焼きの温度は約1200℃である。

⏱□【 **施釉** 】…厚みを均一にすべく，**釉薬**（うわぐすり）をつけること。

❶同じ種類の粘土を水でといたものである。

❷水分が残っていると，素焼きの時に膨張して破裂してしまう。

B 2 木の工芸

いわゆる**木工**である。板材の種類や取扱いについて知っておこう。

●板材の種類

□【 まさ目板 】…木目がほぼ平行。くるいが生じにくく，加工しやすい。

□【 板目板 】…木目に変化があり，くるいが出やすく，加工しにくい。

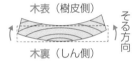

まさ目板　　　　板目板

木裏（しん側）
木表（樹皮側）

●板材の取扱い

□板材は，木目にそって割れやすい。

□板目板は，木表がくぼむように反る。木表は，「しん」とは反対側である。

木表（樹皮側）

木裏（しん側）

そる方向

●塗装

□素地みがき⇒目止め⇒やすりがけ⇒下塗り⇒やすりがけ⇒上塗り。

□【 目止め 】…木材表面の小穴や傷口に目止め剤をすり込み，平らにすること。目止め剤は，半乾きになったらふき取る。

□やすりは，記載されている番号が大きいほど目が細かい。目の粗いものから使用する。

C 3 その他の工芸

□【 七宝焼 】…ガラス質の釉を金属などに焼きつけて装飾する技法。

□【 張子 】…木方型に紙を貼り，乾燥した後，型を抜き取ってつくるもの。張子人形などがある。

□【 螺鈿 】…夜光貝などの貝殻を板状につぶし，木地・漆地の面にはめ込み，研ぎ出す技法。

□【 蒔絵 】…器物の面に漆で絵を描き，その上に金銀粉や色粉を撒きつけて装飾する技法。

□【 鍛金 】…金属をたたいて板状にし，器物をつくる。仏像，仏具，やかんなどが作られる。

□著名な日本の伝統工芸品として，南部鉄器(岩手県)，会津塗(福島県)，加賀友禅(石川県)，越前和紙(福井県)，信楽焼(滋賀県)，西陣織(京都府)，有田焼・伊万里焼(佐賀県)，などがある。

ここが出る! ▶▶
- 一説によると，小学校の図工の時間で起こるケガの大半は，彫刻刀によるものであるという。彫刻刀の正しい使い方を知っておこう。
- のこぎりとげんのうの使い方について熟知しておこう。セットする刃の向きや釘の打ち方の問題が頻出である。

A 1 彫刻刀

頻出 宮城，栃木，滋賀，鹿児島

彫刻刀は，版画の原版を彫るときなどに用いる。

●彫刻刀の種類

□【 切り出し刀 】…切り込みを入れるのに用いる刀で，細かい溝や文字などを彫るときに用いる。

□【 平刀 】…木の表面を平らに削りたいときや，ほかの彫刻刀で削ったときにできた溝をなめらかにするときなどに使用する。平らな刃裏を上にする。

□【 丸刀 】…刃の断面がU字になっているので様々な深さや大きさの溝を彫ることができる。

□【 三角刀 】…刃の断面がV字型になっており，この部分を利用して鋭い溝を彫ることができる。

●使い方

□彫刻刀の刃に近い部分を，鉛筆を持つ要領で軽く握る。

□反対の手の人差し指を刃の部分に据えて，刃の動きを調整する。

□刃物の前には決して指や手を出さない。また，彫刻刀を逆手にもって彫ったりしない。

A 2 のこぎり

頻出 岩手，山梨，岐阜，愛知，岡山市，高知，沖縄

次に，木工に欠かせない**のこぎり**である。

●両刃のこぎり

⏱□木目に沿って切るときは，<u>縦引き刃</u>（大きい刃）。

⏱□木目を断つ形で切るときは，<u>横引き刃</u>（小さい刃）。

●両刃のこぎりの使い方

□のこぎりの真上に<u>顔</u>がくる姿勢で切る。

□切り始めは，<u>刃元</u>でゆっくりと切り込みを入れる。

□切り落とす時は，刃を徐々にねかせて，<u>ゆっくり</u>と引く。

●電動糸のこぎり

⏱□<u>下</u>向きの刃をまず<u>下</u>のねじで留め，次に上のねじで留める。

□電源を入れ，正しく動くか確認する。

□両手で板を押さえ，板をゆっくり<u>押し</u>出して切る。

B ③ その他の用具 　　　【頻出】山梨，名古屋市，山口，愛媛，福岡

●げんのう

□先端が両面の金づちを<u>げんのう</u>という。

⏱□くぎの打ち始めは<u>平らな面</u>を使い，打ち終わりは<u>曲面</u>を使う。

□打ち始め・終わりは，柄の頭に<u>近い</u>方を持つ。

●押さえる用具

□【　万力　】…厚い板材などをしっかり押さえる。

□【　クランプ　】…丸いものや短い木などをしっかり押さえる。

●ペンチ

□針金を曲げる時は，ペンチの<u>先端</u>部分で針金を挟んで曲げる。

□針金を切る時は，ペンチの<u>根元</u>の部分で切る。

●きり

□【　三つ目ぎり　】…深い穴や，木ねじの下穴をあける。

□【　四つ目ぎり　】…くぎ打ちの下穴をあける。

□【　ねずみ歯ぎり　】…硬材や竹材の穴あけに使う。

●その他

□【　ステープラー　】…主に紙を重ねてとじ針でとじる。

□【　グルーガン　】…ホットメルト接着剤を加熱し，溶融して使う。

□はさみやカッターナイフで紙を円の形に切る時は，<u>紙</u>のほうを動かし
　ながら切る。カッターナイフは，<u>1</u>～<u>2</u>目盛りほど出す。

⏱□紙やすりは，番号が<u>小さい</u>ほど目が粗く，<u>大きい</u>ほど目が細かい。

247

● 図画工作（鑑賞）

西洋と日本の美術

頻出度 A

ここが出る！ ▶▶

・西洋美術史を彩る代表的な作家について知っておこう。作家の名前と作品名（グループ名）を結びつけさせる問題がよく出る。
・日本の美術では，江戸期以降の作品が頻出。美術の資料集などで，現物を確認しておくことが望ましい。

A 1 西洋美術の著名な作家 ★超頻出★

各人がどのグループに属するかも知っておこう。ゴッホの「タンギー爺さん」，ピカソの「ゲルニカ」など，現物も見ておくこと。

● 著名な作家

		作者	作品
①		□ボッティチェリ	ヴィーナスの誕生
		□レオナルド・ダ・ヴィンチ	モナ・リザ，最後の晩餐
		□ミケランジェロ	最後の審判，ダヴィデ像
		□ラファエロ	美しき女庭師
②		□レンブラント	夜警
		□エル・グレコ	受胎告知，キリストの洗礼
		□ジェリコー	メデュース号の筏
		□ドラクロワ	民衆を率いる自由の女神
③		□ミレー	落穂拾い，晩鐘
		□クールベ	波
		□マネ	草上の昼食，笛吹く少年
		□モネ	印象・日の出，睡蓮
		□ドガ	舞台の踊り子
		□ルノワール	ムーラン・ド・ラ・ギャレット
		□スーラ	グランド・ジャット島の日曜日の午後
④		□セザンヌ	リンゴとオレンジ，青い花瓶
		□ゴッホ	ひまわり，タンギー爺さん
		□ゴーギャン	タヒチの女
⑤		□ロダン	考える人，カレーの市民

⏱	⑥	□ピカソ	ゲルニカ，アヴィニョンの娘たち
		□レジェ	歩く花
	⑦	□モディリアニ	スーチンの肖像
		□ダリ	記憶の固執
	⑧	□マグリット	ピレネーの城，光の帝国
		□シャガール	誕生日
	⑨	□ムンク	叫び，病める少女
	⑩	□カンディンスキー	即興
		□モンドリアン	赤と黄と青のコンポジション

● グルーピング

⏱ □①：ルネッサンス，②：バロック～ロマン，③：印象派，④：後期印象派，⑤：彫刻，⑥：立体派，⑦：パリ派，⑧：超現実主義，⑨：表現主義，⑩：抽象主義。

B 2 西洋の著名な壁画・建築　　　［頻出］栃木，愛知，愛媛

アミアン大聖堂などはよく出る。

時代		名称	国	記事
⏱	①	アルタミラの壁画	スペイン	動物を中心とする壁画。
		ラスコーの壁画	フランス	先史時代の洞窟壁画。
		ストーンヘンジ	イギリス	環状列石。先史時代の遺跡。
	②	パルテノン神殿	ギリシャ	アテナ神を祭る神殿。
		ミロのヴィーナス	ギリシャ	彫刻の女性像。
	③	コロッセウム	イタリア	円形格闘場。ローマの観光地。
		ディオニソスの秘儀	イタリア	ポンペイの壁画ともいう。
	④	聖ソフィア寺院	トルコ	アヤソフィアともいう。
		テオドラと従者たち	イタリア	サン・ヴィターレ聖堂にある。
	⑤	ピサ大聖堂	イタリア	丸天井に聖母が描かれる。
⏱	⑥	アミアン大聖堂	フランス	フランスで最も高い大聖堂。
		シャルトル大聖堂	フランス	美しいゴシック建築物。
		ケルン大聖堂	ドイツ	世界最大のゴシック建築物。

①：原始，②：ギリシャ，③：ローマ，④：ビザンチン，⑤：ロマネスク，⑥：ゴシック

著名な建立物や作品を厳選して掲げる。

●**飛鳥時代**

□【 法隆寺金堂 】…世界最古の木造建造物。

□【 法隆寺五重の塔 】…日本最古の塔。

□【 釈迦三尊像 】…止利仏師の作品。（左図）

□【 弥勒菩薩像 】…半跏思惟像。（右図）

●**奈良時代**

□【 正倉院 】…校倉造。

□【 唐招提寺金堂 】…鑑真が建立。

□【 高松塚古墳壁画 】…極彩色の絵。（左図）

□【 聖徳太子像 】…日本最古の肖像。

□【 薬師如来像 】…薬師寺の金銅仏。（右図）

□【 阿修羅像 】…興福寺の三面六臂の仏像。

●**平安時代**

□【 平等院鳳凰堂 】…寝殿造。

□【 両界曼荼羅 】…密教の宇宙観を表現。

□【 源氏物語絵巻 】…大和絵。

□【 鳥獣戯画 】…動物を擬人化。（右図）

●**鎌倉時代**

□【 東大寺南大門 】…豪快な建築物。

□【 円覚寺舎利殿 】…禅宗様。（右図）

□【 伝源頼朝像 】…似絵。

□【 平治物語絵巻 】…軍記物。

□【 東大寺金剛力士像 】…運慶・快慶作。

●**室町・安土桃山時代**

□【 金閣 】…足利義満が建立。

□【 銀閣 】…足利義政が建立。

□【 龍安寺石庭 】…枯山水の作品。

□【 秋冬山水図 】…雪舟による作品。（左図）

□【 能面 】…能楽で用いられる。（右図）

□【 唐獅子図屏風 】…狩野永徳の作品。

A 4 日本の美術（江戸時代以降） 頻出 埼玉，静岡，愛媛，大分

●江戸時代

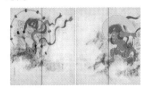 

作者	作品
⏱ □俵屋宗達	風神雷神図屏風（上図の左）
□尾形光琳	紅白梅図屏風，燕子花図屏風
□菱川師宣	見返り美人図
□喜多川歌麿	ポッピンを吹く女
□東洲斎写楽	大谷鬼次の奴江戸兵衛，市川鰕蔵の竹村定之進
⏱ □葛飾北斎	富嶽三十六景（上図の右）
□歌川広重	東海道五十三次，名所江戸風景・大はしあたけの夕立

●明治時代以降

作者	作品・業績	作者	作品・業績
横山大観	無我，生々流転	岸田劉生	麗子微笑
竹久夢二	黒船屋	高村光雲	老猿
浅井忠	収穫	高村光太郎	手　*ロダンの影響
黒田清輝	読書，湖畔	荻原守衛	女
青木繁	海の幸	岡倉天心	東京美術学校を設立

B 5 力だめし

西洋美術の作者，グループ，作品名を正しく結びつけたのはどれか？

	作者	グループ	作品
A	ミケランジェロ	ルネッサンス	モナ・リザ
B	ピカソ	立体派	ゲルニカ
C	ゴッホ	抽象主義	タンギー爺さん

〈正答〉　B

●Answer●

□1 図画工作科の目標と内容は，2学年ごとに示されている。　→P.230～233

1　○

□2 第3学年及び第4学年においては，針金，糸のこぎりなどを用いる。　→P.235

2　×
第5学年及び第6学年。

□3 線や明暗の調子だけで表現する描写のことをクロッキーという。　→P.236

3　×
デッサンである。

□4 彫刻の表現技法で，高低の段差で立体感を表すものをレリーフという。　→P.240

4　○

□5 粘土の作品を素焼きした作品のことをカービングという。　→P.241

5　×
テラコッタである。

□6 色の3要素は，色相，彩度，および明度である。　→P.242

6　○

□7 光の三原色は，赤，青，黄である。　→P.242

7　×
赤，青，緑である。

□8 構成美を醸し出す技法の一つで，形や色を一定の割合で変化させることをグラデーションという。　→P.243

8　○

□9 両刃のこぎりの横引き刃は，木目を断つ形で切る場合に用いる。　→P.247

9　○

□10 げんのうで釘を打つ場合，打ち始めは平らな面を使う。　→P.247

10　○

□11 電動糸のこぎりの刃をセットする際は，刃先が上向きになるようにする。　→P.247

11　×
刃先が下向きになるようにする。

□12 「最後の審判」は，ミケランジェロの作品である。　→P.248

12　○

□13 ドイツのアミアン大聖堂は，世界最大のゴシック建築物として知られる。→P.249

13　×
ケルン大聖堂である。

□14 「富嶽三十六景」は，俵屋宗達の作品である。　→P.251

14　×
葛飾北斎の作品である。

□15 明治期に，フェノロサと横山大観は，東京美術学校を設立した。　→P.251

15　×
横山大観ではなく，岡倉天心である。

家庭

　家庭科の内容は，衣服，食事，そして住居の３つに分かれる。「衣・食・住」という標語に対応している。この中でいうと，食事の領域からの出題が多い。とくに，五大栄養素や基礎食品群についてよく問われる。また，食の安全に対する関心の高まりを受けてか，食品の表示マークに関する問題も頻出。JAS マークなど，基本的なものを知っておこう。衣服の領域では，裁縫，とくに布の種類や手縫いの技法に関する問題が多い。

家庭科の目標と内容 頻出度 A

ここが出る! ▶▶
・家庭科の3つの目標を覚えよう。新学習指導要領で育成する資質・能力の3本柱と対応付けて頭に入れること。
・内容のB「衣食住の生活」が頻出。扱う調理のメニュー（米飯，みそ汁…）や裁縫の技法（ボタンつけ，ミシン縫い…）を知っておこう。

A 1 家庭科の目標

頻出 岩手，福島，静岡，愛媛

他教科と同様，教科全体の目標の空欄補充問題がよく出る。

生活の営みに係る見方・考え方を働かせ，衣食住などに関する実践的・体験的な活動を通して，生活をよりよくしようと工夫する資質・能力を次のとおり育成することを目指す。

□家族や家庭，衣食住，消費や環境などについて，日常生活に必要な基礎的な理解を図るとともに，それらに係る技能を身に付けるようにする。

□日常生活の中から問題を見いだして課題を設定し，様々な解決方法を考え，実践を評価・改善し，考えたことを表現するなど，課題を解決する力を養う。

□家庭生活を大切にする心情を育み，家族や地域の人々との関わりを考え，家族の一員として，生活をよりよくしようと工夫する実践的な態度を養う。

B 2 家庭科の内容（A 家族・家庭生活）

頻出 青森，岩手

家庭科の内容は3領域（A～C）に分かれる。まずはAである。

●(1)自分の成長と家族・家庭生活

□(ア)自分の成長を自覚し，家庭生活と家族の大切さや家庭生活が家族の協力によって営まれていることに気付くこと。

●(2)家庭生活と仕事

□(ア)家庭には，家庭生活を支える仕事があり，互いに協力し分担する必要があることや生活時間の有効な使い方について理解すること。

□(イ)家庭の仕事の計画を考え，工夫すること。

●(3)家族や地域の人々との関わり

⏱ □(ア)次のような知識を身に付けること。

 (a)家族との触れ合いや団らんの大切さについて理解すること。

 (b)家庭生活は地域の人々との関わりで成り立っていることが分かり，地域の人々との協力が大切であることを理解すること。

□(イ)家族や地域の人々とのよりよい関わりについて考え，工夫すること。

●(4)家族・家庭生活についての課題と実践

□(ア)日常生活の中から問題を見いだして課題を設定し，よりよい生活を考え，計画を立てて実践できること。

●内容の取扱い

□(1)のアについては，AからCまでの各内容の学習と関連を図り，日常生活における様々な問題について，家族や地域の人々との協力，健康・快適・安全，持続可能な社会の構築等を視点として考え，解決に向けて工夫することが大切であることに気付かせるようにすること。

□(2)のイについては，内容の「B衣食住の生活」と関連を図り，衣食住に関わる仕事を具体的に実践できるよう配慮すること。

□(3)については，幼児又は低学年の児童や高齢者など異なる世代の人々との関わりについても扱うこと。また，イについては，他教科等における学習との関連を図るよう配慮すること。

A 3 家庭科の内容（B　衣食住の生活） 頻出 北海道，沖縄

衣食住は，人間の生活の基盤である。

●(1)食事の役割

□(ア)食事の役割が分かり，日常の食事の大切さと食事の仕方について理解すること。

□(イ)楽しく食べるために日常の食事の仕方を考え，工夫すること。

●(2)調理の基礎

□(ア)次のような知識及び技能を身に付けること。

 (a)調理に必要な材料の分量や手順が分かり，調理計画について理解すること。

 (b)調理に必要な用具や食器の安全で衛生的な取扱い及び加熱用調理器具の安全な取扱いについて理解し，適切に使用できること。

 (c)材料に応じた洗い方，調理に適した切り方，味の付け方，盛り付

け，配膳及び後片付けを理解し，適切にできること。

(d)材料に適したゆで方，いため方を理解し，適切にできること。

(e)伝統的な日常食である米飯及びみそ汁の調理の仕方を理解し，適切にできること。

□(イ)おいしく食べるために調理計画を考え，調理の仕方を工夫すること。

● (3)栄養を考えた食事

🕐□(ア)次のような知識を身に付けること。

(a)体に必要な栄養素の種類と主な働きについて理解すること。

(b)食品の栄養的な特徴が分かり，料理や食品を組み合わせてとる必要があることを理解すること。

(c)献立を構成する要素が分かり，1食分の献立作成の方法について理解すること。

□(イ)1食分の献立について栄養のバランスを考え，工夫すること。

● (4)衣服の着用と手入れ

🕐□(ア)次のような知識及び技能を身に付けること。

(a)衣服の主な働きが分かり，季節や状況に応じた日常着の快適な着方について理解すること。

(b)日常着の手入れが必要であることや，ボタンの付け方及び洗濯の仕方を理解し，適切にできること。

□(イ)日常着の快適な着方や手入れの仕方を考え，工夫すること。

● (5)生活を豊かにするための布を用いた製作

□(ア)次のような知識及び技能を身に付けること。

(a)製作に必要な材料や手順が分かり，製作計画について理解すること。

(b)手縫いやミシン縫いによる目的に応じた縫い方及び用具の安全な取扱いについて理解し，適切にできること。

□(イ)生活を豊かにするために布を用いた物の製作計画を考え，製作を工夫すること。

● (6)快適な住まい方

🕐□(ア)次のような知識及び技能を身に付けること。

(a)住まいの主な働きが分かり，季節の変化に合わせた生活の大切さや住まい方について理解すること。

(b)住まいの整理・整頓や清掃の仕方を理解し，適切にできること。

□(イ)季節の変化に合わせた住まい方，整理・整頓や清掃の仕方を考え，快適な住まい方を工夫すること。

●**内容の取扱い**

□日本の伝統的な生活についても扱い，生活文化に気付くことができるよう配慮すること。

□(2)のアの(d)については，ゆでる材料として青菜やじゃがいもなどを扱うこと。(e)については，和食の基本となるだしの役割についても触れること。

□(3)のアの(a)については，五大栄養素と食品の体内での主な働きを中心に扱うこと。(c)については，献立を構成する要素として主食，主菜，副菜について扱うこと。

□食に関する指導については，家庭科の特質に応じて，食育の充実に資するよう配慮すること。また，第4学年までの食に関する学習との関連を図ること。

□(5)については，日常生活で使用する物を入れる袋などの製作を扱うこと。

□(6)のアの(a)については，主として暑さ・寒さ，通風・換気，採光，及び音を取り上げること。暑さ・寒さについては，(4)のアの(a)の日常着の快適な着方と関連を図ること。

B 4 家庭科の内容（C 消費生活・環境）　［頻出］静岡，大分

売買や契約でのトラブルに対処できる力を身に付ける。

●**(1)物や金銭の使い方と買物**

□(ア)次のような知識及び技能を身に付けること。

(a)買物の仕組みや消費者の役割が分かり，物や金銭の大切さと計画的な使い方について理解すること。

(b)身近な物の選び方，買い方を理解し，購入するために必要な情報の収集・整理が適切にできること。

□(イ)購入に必要な情報を活用し，身近な物の選び方，買い方を考え，工夫すること。

●**(2)環境に配慮した生活**

□(ア)自分の生活と身近な環境との関わりや環境に配慮した物の使い方

などについて理解すること。

□(イ) 環境に配慮した生活について物の使い方などを考え，工夫すること。

●**内容の取扱い**

□(1)については，内容の「Ａ家族・家庭生活」の(3)，「Ｂ衣食住の生活」の(2)，(5)及び(6)で扱う用具や実習材料などの身近な物を取り上げること。

□(1)のアの(a)については，売買契約の基礎について触れること。

□(2)については，内容の「Ｂ衣食住の生活」との関連を図り，実践的に学習できるようにすること。

C 5 家庭科の指導計画の作成に当たっての配慮事項 頻出 栃木

Ａ〜Ｃの３領域の内容は関連付けて指導する。

□題材など内容や時間のまとまりを見通して，その中で育む資質・能力の育成に向けて，児童の主体的・対話的で深い学びの実現を図るようにすること。その際，生活の営みに係る見方・考え方を働かせ，知識を生活体験等と関連付けてより深く理解するとともに，日常生活の中から問題を見いだして様々な解決方法を考え，他者と意見交流し，実践を評価・改善して，新たな課題を見いだす過程を重視した学習の充実を図ること。

□「Ａ家族・家庭生活」から「Ｃ消費生活・環境」までの各項目に配当する授業時数及び各項目の履修学年については，児童や学校，地域の実態等に応じて各学校において適切に定めること。

□「Ａ家族・家庭生活」の(1)のアについては，第４学年までの学習を踏まえ，２学年間の学習の見通しをもたせるために，第５学年の最初に履修させるとともに，「Ａ家族・家庭生活」，「Ｂ衣食住の生活」，「Ｃ消費生活・環境」の学習と関連させるようにすること。

□「Ａ家族・家庭生活」の(4)については，実践的な活動を家庭や地域などで行うことができるよう配慮し，２学年間で一つ又は二つの課題を設定して履修させること。

□「Ｂ衣食住の生活」の(2)及び(5)については，学習の効果を高めるため，２学年間にわたって取り扱い，平易なものから段階的に学習できるよう計画すること。

□題材の構成に当たっては，児童や学校，地域の実態を的確に捉えるとともに，内容相互の関連を図り，指導の効果を高めるようにすること。その際，他教科等との関連を明確にするとともに，中学校の学習を見据え，系統的に指導ができるようにすること。

B 6 家庭科の内容の取扱いに当たっての配慮事項 　頻出 北海道

事故防止や食物アレルギーへの配慮などが重要。

● 全般的事項

□指導に当たっては，衣食住など生活の中の様々な言葉を実感を伴って理解する学習活動や，自分の生活における課題を解決するために言葉や図表などを用いて生活をよりよくする方法を考えたり，説明したりするなどの学習活動の充実を図ること。

□指導に当たっては，コンピュータや情報通信ネットワークを積極的に活用して，実習等における情報の収集・整理や，実践結果の発表などを行うことができるように工夫すること。

□生活の自立の基礎を培う基礎的・基本的な知識及び技能を習得するために，調理や製作等の手順の根拠について考えたり，実践する喜びを味わったりするなどの実践的・体験的な活動を充実すること。

□学習内容の定着を図り，一人一人の個性を生かし伸ばすよう，児童の特性や生活体験などを把握し，技能の習得状況に応じた少人数指導や教材・教具の工夫など個に応じた指導の充実に努めること。

□家庭や地域との連携を図り，児童が身に付けた知識及び技能などを日常生活に活用できるよう配慮すること。

● 実習の指導に当たっての配慮事項

□施設・設備の安全管理に配慮し，学習環境を整備するとともに，熱源や用具，機械などの取扱いに注意して事故防止の指導を徹底すること。

□服装を整え，衛生に留意して用具の手入れや保管を適切に行うこと。

□調理に用いる食品❶については，生の魚や肉は扱わないなど，安全・衛生に留意すること。また，食物アレルギーについても配慮すること。

❶地域や学校の実態に応じた多様な食品を用いる。

衣服とその手入れ

頻出度 B

ここが出る！ ▶▶
- 繊維の種類と，それぞれに適した洗剤の種類，アイロンがけの温度について知っておこう。組合せの問題が出る。
- 新JISの洗濯表示記号を覚えよう。記号の現物と説明文を対応させる問題が多い。

B 1 衣服の機能と素材

頻出 栃木，神奈川，宮崎，鹿児島

衣服には3つの機能がある。

●衣服の機能

⏱□【 保健衛生 】…汗や汚れを吸い取り，肌を清潔に保つ。

⏱□【 生活活動 】…運動や作業など，安全に活動しやすくする。

⏱□【 社会生活 】…職業や所属集団，個性を表現する。

●衣服の素材

繊維の種類			洗剤	特徴
天然繊維	植物	麻(高温)	弱アルカリ性	水をよく吸う，じょうぶ，しわになりやすい。
		綿(高温)		
	動物	毛(中温)	中性	虫の害を受けやすい。
		絹(中温)		光沢がある。
化学繊維		ポリエステル(中温)	弱アルカリ性	縮まない，しわになりにくい，速乾，じょうぶ。
		アクリル(低温)		
		ナイロン(低温)		濡れても縮まない，弾力性。
		ポリウレタン(低温)		伸縮性，弾力性。
		レーヨン(中温)		水分で収縮，ドレープ性。

⏱□カッコ内はアイロンがけの温度である。低温は110℃，中温は150℃，高温は200℃が限度である。アイロンは，布目に沿ってかける。

B 2 洗濯

頻出 青森，東京，神戸市，山口

2016年12月より，新JISの洗濯表示記号になっている。

●洗濯表示記号

⏱□洗濯は〰，漂白は△，乾燥は□，アイロン仕上げは▱，商業クリーニングは○，となる。

□主な洗濯表示記号は以下のとおり。

記号	説明	記号	説明
(40)	液温は40度が限度，洗濯機で洗える。	(日陰つり干し)	日陰のつり干しがよい。
(30)	液温は30度が限度，洗濯機で洗える（弱い水流）。	(ぬれつり干し)	ぬれつり干しがよい。
(手洗い)	液温は40度が限度，手洗いができる。	(平干し)	平干しがよい。
(洗濯禁止)	家庭での洗濯禁止。	(アイロン・・・)	温度200℃を上限にアイロンを使用できる。
△	塩素系，酸素系の漂白剤で漂白できる。	(アイロン・・)	温度150℃を上限にアイロンを使用できる。
⚠	酸素系の漂白剤を使用できる（塩素系は不可）。	(アイロン・)	温度110℃を上限にアイロンを使用できる。
(漂白禁止)	塩素系，酸素系の漂白剤の使用禁止。	(P)	パークロロエチレン・石油系溶剤でドライクリーニングができる。
(タンブル乾燥)	タンブル乾燥ができる。排気温度上限は80℃。	(F)	石油系溶剤でドライクリーニングができる。
(タンブル乾燥禁止)	タンブル乾燥禁止。	(ドライクリーニング禁止)	ドライクリーニング禁止。
(つり干し)	つり干しがよい。	(W)	ウェットクリーニングができる。

● 洗剤の種類と性質

種類	油性	特徴
せっけん 複合せっけん	弱アルカリ性	水に溶けにくいので，前もって湯などで溶かしておく必要がある。よく**すすぐ**こと。すすぎが不足すると，黄ばみやすくなる。
合成洗剤		汚れ落ちがよい。水に溶ける。手荒れの原因となることがある。
	中性	汚れ落ちは，弱アルカリ性に劣る。

□洗剤に含まれる界面活性剤が，汚れを繊維から引き離す。

□洗剤の液性は，衣服の組成表示を確認して選ぶ。標準使用量以上に洗剤の量を足しても，汚れの落ち方はあまり変わらない。

⏱□手洗いの場合，水は洗濯物の重さの10〜20倍，洗濯機の場合は15〜20倍用意する。

家庭

衣服とその手入れ

手縫い・ミシン縫い

ここが出る! ▶▶

・手縫いの基本的な縫い方について熟知しておこう。図柄をみて，どれのものかを判別できるようにしておくこと。

・ミシンの部位の名称や糸のかけ方を知っておこう。不具合の原因を答えさせる問題も出る。

A 1 布の種類

頻出 福島，愛媛

布には種類があり，特性に応じた用途がある。

● 織物

名称	特性	用途
平織	たて糸とよこ糸が1本ずつ交差。布面が平らで丈夫。	シャツ，ハンカチなど。
あや織	たて糸がよこ糸と数本ずつ交差。厚地になる。	上着，スカート，ジーンズなど。
朱子織	たて糸(よこ糸)が浮かしてある。美しい光沢。	サテン，ドスキンなど。

● 天然繊維

分類	名称	特性	用途
植物	綿	吸湿性があり丈夫。しわになりやすく，洗濯で縮む。乾きにくい。	肌着，寝具，タオルなど。
	麻	冷感性・吸湿性・吸水性がある。しわになりやすく，洗濯で縮む。乾きにくい。	夏服，ハンカチなど。
動物	毛	保湿性・吸湿性がある。ぬれてもまれると縮む。中性洗剤で洗う。	セーター，コートなど。
	絹	吸湿性・光沢がある。中性洗剤で洗う。	スカーフなど。

● 化学繊維

名称	特性	用途
ポリエステル	しわになりにくい。吸湿性は小さく，すぐ乾く。	各種衣服，スポーツウェアなど。
アクリル	保温性がある。吸湿性は小さく，すぐ乾く。	セーター，毛布など。
ナイロン	摩擦や引っ張りに強く，しわになりにくい。熱には弱い。	ストッキング，水着，靴下など。
ポリウレタン	伸縮性に富む。	水着，肌着など。

A 2 縫い始めと縫い終わり

頻出 栃木

●縫い始め

□縫い始める布を<u>まち針</u>で止め，糸の後端を<u>玉結び</u>にする。

●縫い終わり

□余った糸を<u>玉どめ</u>にする。糸を2回ほど巻き，親指で押さえて引き抜く。

●まち針を止める順序

□まず<u>両端</u>を止め，次に<u>中央</u>を止めた後，残りの箇所を止める。

A 3 縫い方

頻出 山形，茨城，広島，山口，熊本

	□なみ縫い	□本返し縫い	□半返し縫い
方法	一定の間隔で針を動かして縫う。	1針ずつ返して縫う。最も丈夫になる。	1針の半分だけ返して縫う。
図解	布 ～～～ 裏側 － － － －	～～～ ＝＝＝＝	～～～ －＝－＝

□【 わ 】…生地を2つ折りにした折り目。

□【 縫い代 】…できあがり線の外側に設ける余白。

□【 しつけ 】…布がずれないように，しつけ糸で縫ってとめる。

A 4 ミシンの構造と取扱い

頻出 青森，静岡，名古屋市，愛媛

●ミシンの構造

①：糸立て棒
②：上糸糸案内
③：糸案内板
④：天びん
⑤：糸かけ
⑥：針棒糸かけ
⑦：針穴
⑧：はずみ車

※糸は，①〜⑦の順にかける。

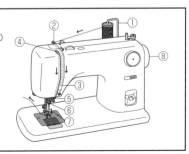

家庭

手縫い・ミシン縫い

●ミシン縫いの手順

□おさえを上げ，手前からおさえの下に布を入れる。

□はずみ車を手前に回し，縫い始めの位置に針をさす。

□おさえを下ろし，両手を布に添える。

□コントローラーをゆっくり踏んで，縫い始める。

□角を曲がる時は，針を軸にして布を回す。

□縫い終わったら，針を上げ，おさえを上げる。

□布を向こう側へ引き，糸を15cm くらい残して切る。

●針と糸

	うす地	ふつう地	厚地
ミシン針	9番	11番	14番
手縫い針	4の2　　4の3	3の2	3の3

□手縫い針の数字は，最初が太さ（小さいほど太い），後が長さ（大きい
ほど長い）を表す。

●ミシンの不具合の原因

□針が折れる	針どめとめねじがゆるんでいる，針の太さが布の厚さに合っていない。
□針棒が動かない	糸巻き軸が下糸を巻く状態になっている。
□布が縫えない	送り調節ダイヤルの目盛りが0になっている，送り歯が針板より低くなっている。
□縫い目がとぶ	針の平らな部分が針棒のみぞにあたっていない，針のつけ方が正しくない。
□上糸が切れる	上糸のかけ方が正しくない，上糸調節装置のダイヤルを締めすぎている。
□下糸が切れる	ボビンケースの糸調子ばねの下に糸が正しく通されていない，下糸の調子が強すぎる。

C 5 糸調子の調節

□正しい糸調子	□上糸の調子が強い	□上糸の調子が弱い
上糸　下糸		
上糸と下糸の引っ張り合う強さが等しい。	上糸調節装置で，上糸の調子を弱くする。	上糸調節装置で，上糸の調子を強くする。

B 6 縫い代のしまつ・ボタンつけ　頻出 宮城, 栃木, 山梨, 高知

●縫い代のしまつ

	ジグザグミシン	ロックミシン
⏱ □【 ジグザグミシン 】…厚地でほつれやすい布に適する。 □【 ロックミシン 】…薄地, 厚地ともに適する。 □【 ピンキング 】…布をギザギザに切ることで, ほつれにくい布に適する。	(裏)(表)	(裏)(表)
	ピンキング	まつり縫い
⏱ □【 まつり縫い 】…手縫いによるしまつ❶。すそ上げや, すそなどを折り止めるときに用いる。		

●ボタンつけ

□①布の裏から針を刺し, ボタンの穴に通す。ボタンを少し浮かせて, 3〜4回糸をかける。

□②ボタンと布の間に針を出し, 糸を3〜4回固く巻く。

□③布の裏に針を出し, 玉どめをする。

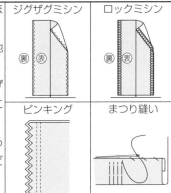

B 7 制作の手順　頻出 青森, 山形, 福島, 静岡

エプロンやナップザックの出題頻度が高い。

●エプロン(静岡県の過去問)

□①体に合わせた型紙を作る → ②型紙に縫いしろを加えて, しるしを付ける → ③布を裁つ → ④上とわきの部分, すそを三つ折りにして縫う → ⑤斜めの部分を三つ折りにして縫う → ⑥ひもを通す。

●ナップザック(青森県の過去問)

□①しるしを付けた後, 布を中表にして折る → ②ずれないようにまち針でとめる → ③しつけをする → ④ミシンで縫う。

----

❶まつり縫いは縫い目が目立たないが, かがり縫いは縫い目が目立つ。

A 1 五大栄養素

頻出 福島，岐阜，山口，大分

⏱□【 五大栄養素 】…炭水化物，脂質，たんぱく質，無機質，ビタミンの5つをいう。

□五大栄養素のはたらきを図示すると，以下のようになる❶。

主にエネルギーになる	主に体の組織をつくる	主に体の調子を整える

| 炭水化物 | 脂質 | たんぱく質 | 無機質 | ビタミン |

□【 食事摂取基準 】…摂取することが望ましいエネルギーや栄養素の量の基準。性・年齢等によって異なる❷。

□成人の体組成は，<u>水分</u>が62.5%，<u>たんぱく質</u>が16.3%，脂質が15.3%，<u>無機質</u>が5.6%，炭水化物が0.3%，となっている（厚生労働省）。

A 2 五大栄養素のはたらき

頻出 鹿児島

● 炭水化物

□【 糖質 】…消化されてぶどう糖になり，エネルギー源になる。

□【 食物繊維 】…腸のはたらきをよくする。

● 脂質

□消化されて脂肪酸と<u>グリセリン</u>になり，エネルギー源になる。

□<u>細胞膜</u>の成分になる。

● たんぱく質

□消化されて<u>アミノ酸</u>になり，筋肉，血液，臓器などをつくるもとにな

----

❶炭水化物・たんぱく質は1gあたり4kcal，脂質は9kcalのエネルギーを発生。
❷思春期の12〜14歳の男性は，30〜49歳の男性よりもカルシウムを多く摂るよう推奨されている。

る。エネルギー源になる。

●**無機質**

□【　カルシウム　】…主に骨や歯をつくるもとになる。

□【　鉄　】…血液中の酸素を運ぶ成分のもとになる。

●**ビタミン**

脂溶性	ビタミン A	成長を促す，目のはたらきをよくする，細菌への抵抗力をつける，皮膚を健康に保つ。
	ビタミン D	骨や歯を丈夫にする。
水溶性	ビタミン B_1，B_2	炭水化物や脂質の代謝を助ける。
	ビタミン C	傷の回復を早める，血管を丈夫にする。

A 3 基礎食品群　　頻出 栃木，山口

食品は，大きく6つの群に分けられる。これを**基礎食品群**という。

はたらき	食品群	食品	主な栄養素
主に体の組織をつくる	1群	魚，肉，卵，豆，豆製品	たんぱく質
	2群	牛乳，乳製品，小魚，海そう	無機質（カルシウム）
主に体の調子を整える	3群	緑黄色野菜	ビタミン A（カロテン）
	4群	その他の野菜，果物	ビタミン C
主にエネルギーになる	5群	穀類，いも類，砂糖	炭水化物
	6群	油脂	脂質

B 4 献立　　頻出 青森，宮城，福島，山梨，長野，滋賀

献立を提示して，不足している栄養素を答えさせる問題が出る。

　ごはん（米），みそ汁（みそ・大根・豆腐・ねぎ），サラダ（レタス・ミニトマト），オムレツ（卵，じゃがいも，にんじん，バター）

□このメニューだと，五大栄養素の炭水化物は米，脂質はバター，たんぱく質は卵，ビタミンは野菜で摂取できるが，無機質を摂取できない。

□そこで，みそ汁かサラダに海藻のわかめを入れるとよい。

□献立の3要素は，主食，主菜，副菜である。ごはんは左手前，みそ汁は右手前，主菜は右の奥に置く。

□和食は，2013年にユネスコ無形文化遺産に登録された。和食の基本は一汁三菜である。

日常食の調理

> **ここが出る!** ▶▶
> ・米飯とみそ汁の調理法について熟知しておこう。加熱の火の強さ,だしをとるタイミングなど,細かい事項まで問われることがある。
> ・刃物や火を使う調理は事故と隣り合わせだ。包丁の使い方やガス漏れ対策など,安全に関わる事項を知っておこう。

B ■ 1 米飯　　　　頻出 青森,山形,神戸市,愛媛,鹿児島

●米の特質

□米の胚乳部分には,<u>炭水化物</u>(でんぷん)が多く含まれる。

□胚芽やぬかの部分には,<u>ビタミン B_1</u> が多く含まれる。

□【 **玄米** 】…もみがらを取った米。

□【 **精白米** 】…もみがら,ぬか層,胚芽を取った米。

●米飯の調理手順

□洗う… 3 ～ 4 回<u>水</u>をかえて,手早く洗う。

□吸水させる…ふっくらと炊き上げるため,<u>30分</u>以上吸水させる❶。

□加熱する…最初は<u>強火</u>,沸騰したら中火,水が引いたら<u>弱火</u>で炊く。

□蒸す…火を消して<u>10分</u>ほど蒸らす。

A ■ 2 みそ汁　　　　頻出 茨城,山梨,山口

●みそについて

□みその原料は<u>大豆</u>と塩と<u>こうじ</u>で,<u>たんぱく質</u>を多く含む。みそ汁には,みそと<u>だし</u>を使う。

□【 **相乗効果** 】…だしを 2 種類以上組み合わせることで,単独で使用した時と味が変わること。

●調理手順

□水の入った鍋に<u>煮干し</u>をつけておく(頭とはらわたは除く)。

□材料を<u>切る</u>。包丁の使い方については,次テーマを参照。

□鍋を強火にかけ,沸騰させ, 3 ～ 5 分中火で煮てこし,煮干しのだしをとる❷。<u>あく</u>をすくい取る。

---

❶水は,米の重量の1.5倍,体積の1.2倍ほどにする。

❷昆布だしの場合,昆布を水に30分ほどつけておき,火にかけ,沸騰直前に取り出す。

□材料を入れる。火の通りにくいものから順番に入れる。

□材料が煮えたら，火を消して，みそを溶いて入れる。

□火をつけて，再び煮えたら火を止める。＊みそを入れてからは長く煮ない。煮過ぎると，みその風味が損なわれる。

A 3 野菜　　　　　　　　　　頻出 青森，群馬，静岡，和歌山

●野菜の種類

⏱□【 緑黄色野菜 】…可食部100gあたり600μg以上のカロテンを含む野菜。ほうれん草，ピーマン，トマト，にんじんなど。

□【 淡色野菜 】…可食部100gあたり600μg未満のカロテンを含む野菜。キャベツ，白菜，レタス，大根など。

□野菜は，ビタミン，無機質，および食物繊維の供給源である。

●野菜の調理法

□生で食べる	ビタミンCを豊富に摂取できる。
□塩をふる	水が出てしんなりする。
□炒める❸	かさが減るので，たくさん食べられる。カロテンの吸収がよく，ビタミンCの損失が少ない。
□ゆでる❹	やわらかくなり，あくが抜ける。

●青菜のゆで方

□青菜は根や葉のひだに泥が付いていることが多いので，水中でふり洗いをした後，流水で洗う。

⏱□湯が沸騰したら青菜を根元から入れ，ふたをしないで，2〜3分ゆでる。ゆで上がったら，水につけてすぐに取り出す（あくを抜き，余熱を冷ますため）。

C 4 じゃがいも・卵　　　　　　頻出 山形，長野，山口

●じゃがいも

□じゃがいもの芽や緑色の部分には毒素（ソラニン）が含まれるので，包丁の角でえぐり取る。

□じゃがいもをゆでる際の注意事項は，①同じ大きさに切ること，②切

❸三色野菜炒めを作る際は，火の通りにくい，にんじんを先に入れる。

❹ゆでる材料として，学習指導要領では青菜とじゃがいもが例示されている。火が通りやすい前者は湯が沸騰してからゆで，火が通りにくい後者は水からゆでる。

ったじゃがいもは水につけること(変色を防ぐため),である。

●卵

□卵1個の重さは50〜60グラム(卵殻：卵黄：卵白＝1：3：6)。

□卵は,サルモネラ食中毒を引き起こすことがある。

●ゆで卵の調理法

□黄身がかたよらないよう,転がしながらゆでる。

□沸騰後,3〜5分で半熟,10〜12分で全熟(かたゆで)になる。

□殻をむきやすくするため,ゆで上がったら,水につけて冷ます。

C 5 計量と廃棄率

合理的な調理計画には数字が欠かせない。

●計量さじ・カップ

□1杯分の食品のおおよその量(g)は以下。

食品	小さじ(5ml)	大さじ(15ml)	カップ(200ml)
水・酢	5	15	200
醤油・みそ	6	18	230
食塩	6	18	240
砂糖	3	9	130
油	4	12	180
小麦粉	3	9	110
精白米	＊＊	＊＊	170

□計量さじ(カップ)から盛り出た部分は,へらで**すりきる**。

●廃棄率

□【 廃棄率 】…全重量に対する,食べない部分の割合。

□りんごの場合,廃棄率は15％である(日本食品標準成分表)。

B 6 包丁の使い方　　頻出 青森,山形,福島,東京,山口,愛媛

包丁の安全な使い方と包丁さばきについてみてみよう。

●包丁の安全な取扱い

□柄をしっかり握り,もう一方の手で食品を押さえる。

□添え手の指先が刃の先に出ないよう,指を丸くする。

●包丁の種類と切り方

□肉などを切る洋包丁,野菜を切る菜切り包丁,魚をおろす出刃包丁がある。右ページの図は,出刃包丁の図である。部位の名称を覚えよう。

□切り方には，①輪切り，②せん切り，③いちょう切り，④ささがき，⑤さいの目切り，⑥みじん切り，⑦短冊切り，などがある。それぞれの写真を確認しておくこと。

B 7 その他の事項　　　　　　　頻出 宮城，山口，高知

まな板の衛生的な使い方と，ガス漏れへの対処法を押さえよう。

●まな板の使い方

□食材を切る前にまな板を水でぬらし，よく拭き取ってから使う。乾いたまま使うと，食材の汁がまな板にしみ込み，細菌が繁殖するため。

□肉・魚用の面，野菜用の面を決めておき，同じ面を使わない。

●食中毒の種類・原因物質・原因食品

種類	原因物質	原因食品の例
細菌性食中毒	サルモネラ菌	卵
自然毒	テトロドトキシン	フグ
ウイルス性食中毒	ノロウイルス	二枚貝
アレルギー様食中毒	ヒスタミン	マグロ，カツオ
寄生虫	アニサキス	サバ，イカ

●食中毒を起こさないために

□【 手洗い 】…せっけんで，指の間や手首をしっかり洗う。

□【 ふきんやまな板の殺菌 】…熱湯をかける，漂白剤を薄めた液につけるなどして殺菌する。

□【 加熱処理 】…とくに，肉や魚は加熱不足にならないよう注意。小学校の調理実習では，生の魚や肉は扱わない。

□食中毒予防の3原則は，細菌を「付けない・増やさない・やっつける」である。

●ガス漏れのとき

□器具栓とガス栓を閉める。

□窓や戸を開け，換気する。

□引火の恐れがあるので，電気のスイッチやコンセントには触れない。たまっているガスが電気の火花で爆発する恐れがある。

家庭

日常食の調理

食品の選択と安全

頻出度 **C**

ここが出る! ▶▶

・消費者保護のため,市販される食品には,さまざまな表示がなさ れるようになっている。そのうちの代表的なものを知っておこう。
・主要な表示マークを覚えよう。名称を答えさせる問題や,名称と 図柄を結びつけさせる問題がよく出る。

C **1** **食品の種類**

□【 生鮮食品 】…野菜,魚,果物,肉など。とれたままの鮮度をほぼ 保ち,加工されていない食品。たくさん出回る**旬**の時期には,味がよ く,栄養価が高く,価格も安くなる。

□【 加工食品 】…**保存性**を向上させたり,味をよくしたり,栄養価を 高めたり,調理を簡単にするための加工を施した食品。糖分,塩分, 脂質が多い食品もある。

B **2** **食品の表示** 　　　　　　　　　　頻出 神戸市,山口,大分,沖縄

お店に並んでいる食品を手にとると,さまざまな**表示**がなされている。

●**基本事項**

□生鮮食品には,名称,原産地の表示が義務づけられている。

□加工食品には,名称,原材料名,内容量,消費期限または賞味期限, 保存方法,製造業者または販売業者の表示が義務づけられている。

●**食品添加物**

□【 食品添加物 】…加工食品の製造の工程で,食品に添加したり混入 するもの。

□使用できる食品添加物の種類や量は,食品衛生法で定められている。

□主な食品添加物としては,次のものがある。保存料(微生物の繁殖を 防ぐ),酸化防止剤(油の酸化を防ぐ),着色料(色をつける),発色剤 (色を鮮やかにする),甘味料(甘みをつける),糊料(ねばり気を出 す),乳化剤(水と油を均一に混ぜる),香料(香りをつける),調味料 (味を調える)。

●**消費期限と賞味期限**

消費期限と賞味期限は別個の概念である。混同してはいけない。

	定義	表示される品
□消費期限	腐敗などにより，**衛生上の危害**が発生しない，と認められる期限。	**弁当**や調理パンなど，品質の劣化が早い品。
□賞味期限	味や**品質**が十分保持される，と製造業者が認める期限。	**缶詰**など，品質が比較的長く保持される品。

● いろいろな食品表示

□【 特定保健用食品 】…健康の維持・増進に役立つと表示することを，国から許可された保健機能食品。

□【 アレルギー物質**を含む食品** 】…アレルギーの原因になると認められる原材料❶を使用した加工食品。

□【 遺伝子組換え食品 】…他の植物の遺伝子を別の植物に組み込んでつくった遺伝子組換え作物や，それを使用した加工食品。

□【 HACCP 】…ハサップという。国際的な基準を満たした環境で製造された食品。Hazard Analysis and Critical Control Point の略。

□【 有機農産物 】…農薬や化学肥料を使わないで生産された農産物。

● 安心・安全のために

□【 地産地消 】…地域で獲れた食材を，その地域で消費すること。

□【 トレーサビリティ 】…食品の生産・流通経路を追跡すること。

C 3　食品の表示マーク　　　頻出 福島，愛知，愛媛

主な食品の表示マークを覚えておこう。

①：特定保健用食品マーク ②：総合衛生管理承認マーク ③：JAS❷ マーク ④：有機 JAS マーク ⑤：特色 JAS マーク ⑥：特別用途食品マーク ⑦：冷凍食品認定証マーク ⑧：Eマーク ⑨：飲用乳公正マーク	

---

❶小麦，そば，卵，乳，落花生，えび，かに，の7品目。

❷JAS とは，日本農林規格の略称。この規格に適合した食品には，JAS マークがつけられる。

消費生活

> **ここが出る!** ▶▶
> ・お金と品物の交換である契約は，どの段階で成立するか。支払いの方法にはどのようなものがあるか。
> ・悪徳商法の種類ならびに消費者保護制度の概要を押さえよう。後者では，主要三法の名称やクーリング・オフ制度が重要である。

A 1 商品の選択

頻出 栃木，長野，静岡，山口，長崎

●売買契約

⏱□売買契約は，買い手の申し出と売り手の承諾により成立する。

●商品の表示マーク

⏱
① : JIS マーク。日本工業規格に適合した製品のマーク。
② : SG マーク。製品安全協会の認定基準に適合したもののマーク。
③ : ST マーク。日本玩具協会の安全基準に適合したおもちゃのマーク。
④ : SF マーク。日本煙火協会の安全基準に適合した花火のマーク。
⑤ : PSC マーク。消費生活用製品安全法の基準に適合した製品のマーク。
⑥ : G マーク。グッドデザインマークのこと。

①	②	③	④	⑤	⑥

●カードの種類

キャッシュレス社会が目指されている。

□【 プリペイドカード 】…事前に現金を払って使うカード。

□【 クレジットカード 】…一定期間後に口座から代金引き落とし。

□【 デビットカード 】…商品購入時に口座から代金引き落とし。

C 2 悪質商法

□【 キャッチセールス 】…街頭アンケートなどで呼び止め，営業所などに連れて行き，断れない雰囲気をつくって契約させる。

□【 アポイントメントセールス 】…「抽選に当たった」などといって営業所などに呼び出し，断れない雰囲気をつくって契約させる。

□【 マルチ・マルチまがい商法 】…「他の人を勧誘すると儲かる」といって知人を紹介させる。そのうち行き詰る。

□【 ネガティブ・オプション 】…注文していない商品を送りつける。

□【 催眠商法 】…場の雰囲気を盛り上げ，来場者を興奮状態にさせ，高額な商品を買わせる。SF商法ともいう。

A 3 消費者保護　　　　　　　　　　　頻出 岩手，愛知，熊本

消費者保護の重要性がいわれる。以下の4つの観点からみてみよう。消費者教育の重要性も増している。

●法律

□【 消費者基本法 】…消費者の自立支援に重点をおく。

□【 消費者契約法 】…事実誤認や困惑による契約を取り消せる。

□【 製造物責任法 】…通称 PL 法。製品の欠陥による被害の損害賠償請求が可能。

●クーリング・オフ制度

□【 クーリング・オフ制度 】…代金を払った後でも，**一定の条件**の下であれば，契約を解除できる制度。

□「一定の条件」とは，①営業所以外の場所での契約であること，②契約書面が交付された日から一定期間内❶であること，など。

□通信販売で購入したものは，クーリング・オフできない。

□クーリング・オフは，書面または電磁的記録で行う。

●行政機関

□【 消費者庁 】…消費者行政を一元的に担う。

□【 国民生活センター 】…国の機関。独立行政法人。

□【 消費生活センター 】…各都道府県，市町村の行政機関。

●消費者の権利と責任

□消費者の権利は，①安全である権利，②知らされる権利，③選択する権利，④意見が反映される権利，⑤消費者教育を受ける権利，⑥補償を受ける権利，⑦基本的な需要が満たされる権利，⑧健康な環境が確保される権利，からなる❷。

□消費者の責任は，①批判的意識をもつ責任，②社会的弱者への配慮責任，③主張し行動する責任，④環境への配慮責任，⑤連帯する責任，からなる。

❶訪問販売は 8 日，マルチ商法は20日である。

❷①～④の権利は，米国のケネディ大統領が提唱した。

エコライフ

> **ここが出る!** ▶▶
> ・環境問題が深刻化している。ごみを減らすための 3R の実践や，環境への配慮を示すマークの主なものを覚えよう。
> ・家電品などのリサイクルを促す法整備が進んでいる。主な法律の名称，ならびにリサイクル費用の法定負担者について知っておこう。

C **1** 豊かで便利な生活と環境問題

　豊かで便利な生活には，それなりの代償が伴っている。日本では，**食品ロス**も問題化している。

□電化製品が普及し，使い捨ての生活様式が浸透した今日，大量の<u>エネルギー</u>消費と<u>ごみ</u>の急増がもたらされている。

□家庭からの <u>CO_2</u> 排出量の増加，<u>ごみ</u>の総排出量の増加。

□2021年度のごみの総排出量は4,095万トン。1人1日当たり約<u>0.9kg</u>のゴミを排出している。

B **2** 環境に配慮した生活

頻出 長崎

　環境問題の深刻化を防ぐべく，環境に配慮した生活が求められる。

●3R の実践

　ごみを減らすためには，以下の **3R** を実践することが大事である[1]。

⏱□【　**リデュース**　】…（Reduce）。不必要なものは買わない，もらわない。

⏱□【　**リユース**　】…（Reuse）。使えるものは捨てないで再利用する。

⏱□【　**リサイクル**　】…（Recycle）。ごみを資源として再利用する。

●グリーンコンシューマー

□【　**グリーンコンシューマー**　】…環境に配慮した店や商品を選ぶ消費者。便利さや快適さよりも環境保全を優先する。

C **3** 環境への配慮を示す表示マーク

頻出 山口，愛媛

　グリーンコンシューマーは，買い物の際，環境への配慮を示す表示マークに目配りする。代表的なものを知っておこう。

---

[1]Refuse（断る）とRepair（修理）を加えて 5R とすることもある。

● 環境への配慮マーク

□エコマーク。環境に配慮された製品であることの認定証。	□PETボトルリサイクル推奨マーク。表記の品の再利用品。
□グリーンマーク。原料に古紙を規定以上利用している。	□省エネラベリングマーク。省エネ効果が高い❷。
□再生紙利用マーク。表示の配合率で古紙を使用している。	□国際エネルギースターロゴ。待機時の消費電力が小さい。
□牛乳パック再利用マーク。使用済み牛乳パックが原料。	□スリーアローマーク。小形二次電池の再利用を促す。
□間伐材マーク。間伐材を用いた製品。	□エコレールマーク。環境にやさしい鉄道で運ばれる商品。
□グリーン・エネルギー・マーク。一定以上のグリーン・エネルギー使用。	□ガラスびんリターナブルマーク。再使用するガラスびん。

● 容器包装識別マーク

    　分別を容易にするため，原料を示すマーク。

C 4 リサイクル法　　　　　　　　　　頻出 福島

リサイクルを促すための法整備もされている。

□【 容器包装リサイクル法 】…2000年全面施行。容器包装廃棄物について，消費者は分別排出を，自治体は分別収集を求められる。

□【 家電リサイクル法 】…2001年施行。特定の家電品❸の回収費用，リサイクル費用を消費者が負担する。

□【 自動車リサイクル法 】…2005年施行。自動車のリサイクル費用を，所有者が新車購入時に負担する。

⋯⋯⋯⋯⋯⋯⋯⋯⋯⋯⋯⋯⋯⋯⋯⋯⋯⋯⋯⋯⋯⋯⋯⋯⋯⋯⋯⋯⋯⋯⋯⋯⋯⋯⋯⋯⋯⋯

❷国の省エネ基準達成率が100%未満はオレンジ色，100%以上は緑色。

❸ブラウン管テレビ，エアコン，冷蔵庫・冷凍庫，洗濯機，液晶テレビ，プラズマテレビ，衣類乾燥機が対象。

家庭 エコライフ

> ### ここが出る！ ▶▶
> ・快適（不快）な室内環境は，どのような条件下でもたらされるかを知っておこう。換気と照明についてよく問われる。
> ・保育についても問われることがある。乳幼児期の成長・発達の基本を知っておこう。

B 1 室内環境 頻出 福島，茨城，愛知，名古屋市，愛媛，大分

室内環境の快適性は，**気温**，**湿度**，**気流**（風）の3つに左右される。

●快適な温度・湿度の目安

□快適な室内温度は，夏は27℃前後，冬は21℃前後。快適な室内湿度は50%前後とされる。

□室内環境の測定として，明るさはlx，二酸化炭素濃度はppm，騒音はdBという単位を使う。

□夏季を涼しく過ごす文化として，**よしず**がある。**打ち水**は，水蒸気の気化熱により地面の温度を下げる。

□陽ざしや雨を防ぐため，窓や出入口の上には，**ひさし**を取り付ける。

●換気

□湿度が高くなると，結露が生じ，**カビ**やダニが発生する。

⏱□【 **結露** 】…空気中の水蒸気が水滴となって，壁や窓につくこと。

⏱□窓を開けて風を通し，台所や浴室は換気扇を回す。前者を自然換気，後者を強制換気という。

□空気の出入りの少ない部屋で燃料を燃やし続けると，中毒を引き起こす一酸化炭素が発生する。

□【 **シックハウス症候群** 】…住宅の内装材などから発生する化学物質（ホルムアルデヒドなど）が原因で起きる健康被害の総称。

●採光・照明

□採光の窓の面積は，住宅の場合は床面積の7分の1以上。

□公的基準によると，健康に必要な照明の明るさ（部屋全体）は，食堂が50〜100ルクス，勉強部屋が80〜150ルクスである。

□学校の教室の明るさは300ルクス以上とする（学校環境衛生基準）。

□太陽の紫外線には殺菌作用があり，ビタミンDの生成を促す。

●住まいの工夫

□【 バリアフリー 】…障害者や高齢者にとっての障壁(バリアー)を取り除くこと。**段差**をなくす,車いすの通れる廊下幅にするなど。

⏱□【 ユニバーサルデザイン 】…障害者や高齢者のみならず,あらゆる人が安全で簡単に使えるよう,配慮されたデザインのこと。

□ユニバーサルデザインの7原則は,公平性,スペース確保,安全性,単純性,自由度,分かりやすさ,体への負担の少なさ,である。

C 2 住まい用洗剤

必ず表示		任意に表示		
塩素系	酸性タイプ			
⊘	⊘	⊘	⇄	⊘
酸性タイプと併用不可	塩素系と併用不可	子どもに注意	必ず換気	目に注意

□塩素系と酸性タイプを混ぜると,有害な塩素ガスが発生して危険。

B 3 保育　　　　　　　　　　　　　　　　　頻出 愛知

●乳幼児の発達

順序性	順番が決まっていること。首がすわる → おすわり → はいはい → つかまり立ち → 一人歩き　など。
個人差	言葉の現れなど,出現時期の遅速が個人によって違うこと。

□幼児期の数年間に,言語や情緒が発達し,自我が芽生え,社会性も発達する。2～3歳になると二語文を話す。

⏱□【 基本的生活習慣 】…生きていくために必要な生活行動。食事,排せつ,睡眠,着脱衣,清潔など。

⏱□【 社会的生活習慣 】…他者との社会生活を営むのに必要な生活行動。挨拶,言葉遣い,ルールを守る,安全確保など。

●施設・機関

□【 認定こども園 】…幼稚園と保育所の機能を併せ持つ施設。0歳から就学前までの全ての乳幼児を受け入れる。

□【 放課後児童クラブ 】…小学校入学以降の児童が,家に誰もいない場合に過ごす場所。学童保育ともいう。

●Answer●

□1　「物や金銭の使い方と買物」は，3つの内容領域の「家族・家庭生活」の中に含まれる。　　　　　　→P.257

1　×
「消費生活・環境」に含まれる。

□2　天然繊維のポリエステルは，しわになりにくく，速乾という特徴を持つ。→P.260

2　×
ポリエステルは化学繊維である。

□3　なみ縫いは，一定の間隔で針を動かして縫うものである。　　　　　→P.263

3　○

□4　五大栄養素は，炭水化物，脂質，たんぱく質，無機質，およびミネラルである。　　　　　　　　　　　→P.266

4　×
ミネラルではなく，ビタミンである。

□5　体の調子を整える緑黄色野菜には，ビタミンA（カロテン）が豊富に含まれる。　　　　　　　　　　　→P.267

5　○

□6　消費期限とは，味や品質が十分保持されると，製造者が認める期限のことをいう。　　　　　　　　　　→P.273

6　×
消費期限ではなく，賞味期限である。

□7　日本農林規格に適合した食品には，JISマークがつけられる。　　　→P.273

7　×
JASマークである。

□8　日本工業規格に適合した製品には，SGマークがつけられる。　　　→P.274

8　×
JISマークである。

□9　消費者保護に関する業務を行う消費生活センターは，都道府県や市町村の行政機関である。　　　　　　　　→P.275

9　○
国の機関は，国民生活センターである。

□10　ごみを減らすためには，リデュース，リユース，およびリサイクルの3Rを実践することが重要である。　　→P.276

10　○

□11　住宅の場合，採光の窓の面積は，床面積の5分の1以上である。　　→P.278

11　×
7分の1以上である。

□12　塩素系の洗剤と酸性タイプの洗剤を混ぜると，有害な一酸化炭素が発生する。　　　　　　　　　　　→P.279

12　×
一酸化炭素ではなく，塩素ガスである。

体育

　体育科の内容は多岐にわたるが，各学年段階の内容の領域構成をまとめた表を提示して，空欄を補充させる問題が多い。次に，教科の内容では，器械運動や水泳の問題がよく出る。具体的には，各学年で身に付けたい技や，技が上手くできない者への指導の仕方についてよく問われる。学習指導要領解説や文部科学省発行の指導の手引からの出題も多い。また，保健領域も侮れない。けがの応急手当や生活習慣病などに関連する問題が頻出である。

● 体育（学習指導要領）

体育科の目標と内容 頻出度 A

A 1 体育科の目標　　　　　　頻出 山形，福島，高知

人生100年の時代。健康なスポーツライフの実現が望まれる。

> 体育や保健の見方・考え方を働かせ，課題を見付け，その解決に向けた学習過程を通して，心と体を一体として捉え，生涯にわたって心身の健康を保持増進し豊かなスポーツライフを実現するための資質・能力を次のとおり育成することを目指す。
>
> □その特性に応じた各種の運動の行い方及び身近な生活における健康・安全について理解するとともに，基本的な動きや技能を身に付けるようにする。
>
> □運動や健康についての自己の課題を見付け，その解決に向けて思考し判断するとともに，他者に伝える力を養う。
>
> □運動に親しむとともに健康の保持増進と体力の向上を目指し，楽しく明るい生活を営む態度を養う。

A 2 体育科の各学年の目標　　　　頻出 福島，徳島，愛媛，沖縄

他教科と同じく，各学年の目標を識別させる問題が多い。

●低学年

□各種の運動遊びの楽しさに触れ，その行い方を知るとともに，基本的な動きを身に付けるようにする。

□各種の運動遊びの行い方を工夫するとともに，考えたことを他者に伝える力を養う。

□各種の運動遊びに進んで取り組み，きまりを守り誰とでも仲よく運動をしたり，健康・安全に留意したりし，意欲的に運動をする態度を養う。

●中学年

□各種の運動の楽しさや喜びに触れ，その行い方及び健康で安全な生活や体の発育・発達について理解するとともに，基本的な動きや技能を身に付けるようにする。

□自己の運動や身近な生活における健康の課題を見付け，その解決のための方法や活動を工夫するとともに，考えたことを他者に伝える力を養う。

□各種の運動に進んで取り組み，きまりを守り誰とでも仲よく運動をしたり，友達の考えを認めたり，場や用具の安全に留意したりし，最後まで努力して運動をする態度を養う。また，健康の大切さに気付き，自己の健康の保持増進に進んで取り組む態度を養う。

●高学年

□各種の運動の楽しさや喜びを味わい，その行い方及び心の健康やけがの防止，病気の予防について理解するとともに，各種の運動の特性に応じた基本的な技能及び健康で安全な生活を営むための技能を身に付けるようにする。

□自己やグループの運動の課題や身近な健康に関わる課題を見付け，その解決のための方法や活動を工夫するとともに，自己や仲間の考えたことを他者に伝える力を養う。

□各種の運動に積極的に取り組み，約束を守り助け合って運動をしたり，仲間の考えや取組を認めたり，場や用具の安全に留意したりし，自己の最善を尽くして運動をする態度を養う。また，健康・安全の大切さに気付き，自己の健康の保持増進や回復に進んで取り組む態度を養う。

B 3 低学年の内容　　　　　　頻出 青森，山形，山梨，沖縄

A～Fの6つの領域に分かれる。

●体つくりの運動遊び（A）

□体ほぐしの運動遊びでは，手軽な運動遊びを行い，心と体の変化に気付いたり，みんなで関わり合ったりすること。

□多様な動きをつくる運動遊びでは，体のバランスをとる動き，体を移動する動き，用具を操作する動き，力試しの動きをすること。

- **器械・器具を使っての運動遊び（B）**

□固定施設を使った運動遊びでは，登り下りや懸垂移行，渡り歩きや跳び下りをすること。

□マットを使った運動遊びでは，いろいろな方向への転がり，手で支えての体の保持や回転をすること。

□鉄棒を使った運動遊びでは，支持しての揺れや上がり下り，ぶら下がりや易しい回転をすること。

□跳び箱を使った運動遊びでは，跳び乗りや跳び下り，手を着いてのまたぎ乗りやまたぎ下りをすること。

- **走・跳の運動遊び（C）**

□走の運動遊びでは，いろいろな方向に走ったり，低い障害物を走り越えたりすること。

□跳の運動遊びでは，前方や上方に跳んだり，連続して跳んだりすること。

- **水遊び（D）**

□水の中を移動する運動遊びでは，水につかって歩いたり走ったりすること。

□もぐる・浮く運動遊びでは，息を止めたり吐いたりしながら，水にもぐったり浮いたりすること。

- **ゲーム（E）**

□ボールゲームでは，簡単なボール操作と攻めや守りの動きによって，易しいゲームをすること。

□鬼遊びでは，一定の区域で，逃げる，追いかける，陣地を取り合うなどをすること。

- **表現リズム遊び（F）**

□表現遊びでは，身近な題材の特徴を捉え，全身で踊ること。

□リズム遊びでは，軽快なリズムに乗って踊ること。

- **内容の取扱い**

□「A体つくりの運動遊び」については，2学年間にわたって指導するものとする。

□内容の「C走・跳の運動遊び」については，児童の実態に応じて投の運動遊びを加えて指導することができる。

□内容の「F表現リズム遊び」の☆については，簡単なフォークダンスを

含めて指導することができる。

□学校や地域の実態に応じて歌や運動を伴う**伝承遊び**及び自然の中での運動遊びを加えて指導することができる。

□各領域の各内容については，運動と**健康**が関わっていることについての**具体的**な考えがもてるよう指導すること。

中学年になると保健が加わり，7つの領域になる。

●体つくり運動（A）

□**体**ほぐしの運動では，手軽な運動を行い，心と体の**変化**に気付いたり，みんなで関わり合ったりすること。

□多様な動きをつくる運動では，体のバランスをとる動き，体を**移動**する動き，用具を操作する動き，**力試し**の動きをし，それらを**組み合わせる**こと。

●器械運動（B）

□マット運動では，回転系や**巧技系**の基本的な技をすること。

□鉄棒運動では，**支持系**の基本的な技をすること。

□跳び箱運動では，**切り返し系**や回転系の基本的な技をすること。

●走・跳の運動（C）

□かけっこ・**リレー**では，調子よく走ったり**バトン**の受渡しをしたりすること。

□**小型ハードル走**では，小型ハードルを調子よく走り越えること。

□**幅跳び**では，短い助走から踏み切って跳ぶこと。

□**高跳び**では，短い助走から踏み切って跳ぶこと。

●水泳運動（D）

□浮いて進む運動では，**け伸び**や初歩的な泳ぎをすること。

□**もぐる**・浮く運動では，息を止めたり吐いたりしながら，いろいろなもぐり方や浮き方をすること。

●ゲーム（E）

□**ゴール型**ゲームでは，基本的なボール操作とボールを持たないときの動きによって，易しいゲームをすること。

□**ネット型**ゲームでは，基本的なボール操作とボールを操作できる位置に体を**移動**する動きによって，易しいゲームをすること。

□ベースボール型ゲームでは，蹴る，打つ，捕る，投げるなどのボール操作と得点をとったり防いだりする動きによって，易しいゲームをすること。

● **表現運動（F）**

□表現では，身近な生活などの題材からその主な特徴を捉え，表したい感じをひと流れの動きで踊ること。

□リズムダンスでは，軽快なリズムに乗って全身で踊ること。

● **保健（G）**

(1)健康な生活

□心や体の調子がよいなどの健康の状態は，主体の要因や周囲の環境の要因が関わっていること。

□毎日を健康に過ごすには，運動，食事，休養及び睡眠の調和のとれた生活を続けること，また，体の清潔を保つことなどが必要であること。

□毎日を健康に過ごすには，明るさの調節，換気などの生活環境を整えることなどが必要であること。

(2)体の発育・発達

□体は，年齢に伴って変化すること。また，体の発育・発達には，個人差があること。

□体は，思春期になると次第に大人の体に近づき，体つきが変わったり，初経，精通などが起こったりすること。また，異性への関心が芽生えること。

□体をよりよく発育・発達させるには，適切な運動，食事，休養及び睡眠が必要であること。

● **内容の取扱い**

□内容の「A体つくり運動」については，2学年間にわたって指導するものとする。

□内容の「C走・跳の運動」については，児童の実態に応じて投の運動を加えて指導することができる。

□内容の「Eゲーム」のゴール型ゲームについては，味方チームと相手チームが入り交じって得点を取り合うゲーム及び陣地を取り合うゲームを取り扱うものとする。

□内容の「F表現運動」については，学校や地域の実態に応じてフォーク

ダンスを加えて指導することができる。

□内容の「G保健」については、(1)を第3学年、(2)を第4学年で指導する
ものとする。

□内容の「G保健」の(1)については、学校でも、健康診断や学校給食など
様々な活動が行われていることについて触れるものとする。

□内容の「G保健」の(2)については、自分と他の人では発育・発達などに
違いがあることに気付き、それらを肯定的に受け止めることが大切で
あることについて触れるものとする。

□各領域の各内容については、運動と健康が密接に関連していることに
ついての具体的な考えがもてるよう指導すること。

A 5 高学年の内容　　　　頻出 青森，長野，愛知，愛媛，熊本

内容が高度化する。「口腔」など、漢字で書けるように。

●体つくり運動（A）

□体ほぐしの運動では、手軽な運動を行い、心と体との関係に気付いた
り、仲間と関わり合ったりすること。

□体の動きを高める運動では、ねらいに応じて、体の柔らかさ、巧みな
動き、力強い動き、動きを持続する能力を高めるための運動をするこ
と。

●器械運動（B）

□マット運動では、回転系や巧技系の基本的な技を安定して行ったり、
その発展技を行ったり、それらを繰り返したり組み合わせたりするこ
と。

□鉄棒運動では、支持系の基本的な技を安定して行ったり、その発展技
を行ったり、それらを繰り返したり組み合わせたりすること。

□跳び箱運動では、切り返し系や回転系の基本的な技を安定して行った
り、その発展技を行ったりすること。

●陸上運動（C）

□短距離走・リレーでは、一定の距離を全力で走ったり、滑らかなバト
ンの受渡しをしたりすること。

□ハードル走では、ハードルをリズミカルに走り越えること。

□走り幅跳びでは、リズミカルな助走から踏み切って跳ぶこと。

□走り高跳びでは、リズミカルな助走から踏み切って跳ぶこと。

●水泳運動（D）

□**クロール**では，手や足の動きに呼吸を合わせて続けて長く泳ぐこと。

□**平泳ぎ**では，手や足の動きに呼吸を合わせて続けて長く泳ぐこと。

⏱□**安全確保**につながる運動では，背浮きや浮き沈みをしながら続けて長く浮くこと。

●ボール運動（E）

□ゴール型では，**ボール操作**とボールを持たないときの動きによって，簡易化されたゲームをすること。

□ネット型では，個人や**チーム**による攻撃と守備によって，簡易化されたゲームをすること。

□ベースボール型では，ボールを打つ攻撃と**隊形**をとった守備によって，**簡易化**されたゲームをすること。

●表現運動（F）

□表現では，いろいろな**題材**からそれらの主な特徴を捉え，表したい感じをひと流れの動きで**即興的**に踊ったり，簡単なひとまとまりの動きにして踊ったりすること。

□フォークダンスでは，日本の**民踊**や外国の踊りから，それらの踊り方の特徴を捉え，音楽に合わせて簡単な**ステップ**や動きで踊ること。

●保健（G）

(1)心の健康

□心の発達及び不安や**悩み**への対処について理解するとともに，簡単な対処をすること。

□心は，いろいろな**生活経験**を通して，年齢に伴って発達すること。

□**心**と体には，密接な関係があること。

□不安や悩みへの対処には，大人や友達に**相談**する，仲間と遊ぶ，**運動**をするなどいろいろな方法があること。

(2)けがの防止

□**交通事故**や身の回りの生活の危険が原因となって起こるけがの防止には，周囲の危険に気付くこと，的確な判断の下に**安全**に行動すること，**環境**を安全に整えることが必要であること。

□けがなどの簡単な**手当**は，速やかに行う必要があること。

(3)病気の予防

□病気は，**病原体**，体の**抵抗力**，生活行動，環境が関わりあって起こる

こと。

□病原体が主な要因となって起こる病気の予防には，病原体が体に入るのを防ぐことや病原体に対する体の抵抗力を高めることが必要であること。

□生活習慣病など生活行動が主な要因となって起こる病気の予防には，適切な運動，栄養の偏りのない食事をとること，口腔の衛生を保つことなど，望ましい生活習慣を身に付ける必要があること。

□喫煙，飲酒，薬物乱用などの行為は，健康を損なう原因となること。

□地域では，保健に関わる様々な活動が行われていること。

●内容の取扱い

□「A体つくり運動」の体の動きを高める運動については，体の柔らかさ及び巧みな動きを高めることに重点を置いて指導するものとする。その際，音楽に合わせて運動をするなどの工夫を図ること。

□内容の「C陸上運動」については，児童の実態に応じて，投の運動を加えて指導することができる。

□「D水泳運動」のクロール及び平泳ぎについては，水中からのスタートを指導するものとする。また，学校の実態に応じて背泳ぎを加えて指導することができる。

□内容の「Eボール運動」については，ゴール型はバスケットボール及びサッカーを，ネット型はソフトバレーボールを，ベースボール型はソフトボールを主として取り扱うものとするが，これらに替えてハンドボール，タグラグビー，フラッグフットボールなど，その他のボール運動を指導することもできるものとする。なお，学校の実態に応じてベースボール型は取り扱わないことができる。

□「F表現運動」については，学校や地域の実態に応じてリズムダンスを加えて指導することができる。

□「G保健」については，(1)及び(2)を第5学年，(3)を第6学年で指導するものとする。また，けがや病気からの回復についても触れるものとする。

□「G保健」の(3)の薬物については，有機溶剤の心身への影響を中心に取り扱うものとする。また，覚醒剤等についても触れるものとする。

□各領域の各内容については，運動領域と保健領域との関連を図る指導に留意すること。

ここが出る！ ▶▶

・保健に配当する授業時数を押さえよう。中学年は2年間で8単位時間程度，高学年は2年間で16単位時間程度である。
・水泳は場合によっては取り扱わないことができる。また地域の実態によって，スキーなども扱える。こうした例外事項も知っておこう。

C 1　体育科の指導計画の作成に当たっての配慮事項　頻出 岡山

保健の授業時数に関する規定がよく出題される。

□一部の領域の指導に偏ることのないよう授業時数を配当すること。

⏱□第3学年及び第4学年の内容の「G保健」に配当する授業時数は，2学年間で8単位時間程度，また，第5学年及び第6学年の内容の「G保健」に配当する授業時数は，2学年間で16単位時間程度とすること。

□第3学年及び第4学年の内容の「G保健」並びに第5学年及び第6学年の内容の「G保健」については，効果的な学習が行われるよう適切な時期に，ある程度まとまった時間を配当すること。

C 2　体育科の内容の取扱いに当たっての配慮事項　頻出 宮崎

地域の実態に応じて，スキーやスケートなども指導できる。水泳は，取り扱わないこともできる。

□学校や地域の実態を考慮するとともに，個々の児童の運動経験や技能の程度などに応じた指導や児童自らが運動の課題の解決を目指す活動を行えるよう工夫すること。

□特に，運動を苦手と感じている児童や，運動に意欲的に取り組まない児童への指導を工夫するとともに，障害のある児童などへの指導の際には，周りの児童が様々な特性を尊重するよう指導すること。

□筋道を立てて練習や作戦について話し合うことや，身近な健康の保持増進について話し合うことなど，コミュニケーション能力や論理的な思考力の育成を促すための言語活動を積極的に行うことに留意すること。

⏱□運動領域におけるスポーツとの多様な関わり方や保健領域の指導については，具体的な体験を伴う学習を取り入れるよう工夫すること。

□内容の「A体つくりの運動遊び」及び「A体つくり運動」の体ほぐしの運動については，各学年の各領域においてもその趣旨を生かした指導ができること。

⏱□第2の内容の「D水遊び」及び「D水泳運動」の指導については，適切な水泳場の確保が困難な場合にはこれらを取り扱わないことができるが，これらの心得については，必ず取り上げること。

□オリンピック・パラリンピックに関する指導として，フェアなプレイを大切にするなど，児童の発達の段階に応じて，各種の運動を通してスポーツの意義や価値等に触れることができるようにすること。

□集合，整頓，列の増減などの行動の仕方を身に付け，能率的で安全な集団としての行動ができるようにするための指導については，第2の内容の「A体つくりの運動遊び」及び「A体つくり運動」をはじめとして，各学年の各領域（保健を除く）において適切に行うこと。

⏱□自然との関わりの深い雪遊び，氷上遊び，スキー，スケート，水辺活動などの指導については，学校や地域の実態に応じて積極的に行うことに留意すること。

□保健の内容のうち運動，食事，休養及び睡眠については，食育の観点も踏まえつつ，健康的な生活習慣の形成に結び付くよう配慮するとともに，保健を除く第3学年以上の各領域及び学校給食に関する指導においても関連した指導を行うようにすること。

| B | 3 | 体育科の内容構成 |

頻出 岩手，福島，愛媛，熊本市

前テーマでみた，体育科の内容の構成を整理した表を掲げる（学習指導要領解説より引用）。この表の空欄補充問題も頻出。

学年		1・2	3・4	5・6
領域		体つくりの運動遊び	体 つ く り 運動	
		器械・器具を使っての運動遊び	器 械 運 動	
		走・跳の運動遊び	走・跳の運動	陸 上 運 動
		水 遊 び	水 泳 運 動	
		ゲ ー ム		ボール運動
		表現リズム遊び	表 現 運 動	
			保 健	

体つくり運動

ここが出る! ▶▶
・体育科の内容のAに該当する領域である。中学年と高学年の内容の細目を押さえよう。低学年のものは割愛する。
・内容項目を提示して，どの学年のものかを判別させる問題が多い。対応できるようにしよう。

C 1 中学年   頻出 名古屋市

体ほぐし運動と，多様な動きをつくる運動の2本柱からなる。新学習指導要領解説では，以下の運動が例示されている。

●体ほぐしの運動

□伸び伸びとした動作で**ボール**，なわ，体操棒，**フープ**といった用具などを用いた運動を行うこと。

□**リズム**に乗って，心が**弾む**ような動作で運動を行うこと。

□動作や**人数**などの条件を変えて，歩いたり走ったりする運動を行うこと。

□**伝承遊び**や集団による運動を行うこと。

●多様な動きをつくる運動

□体の**バランス**をとる運動

　姿勢や方向，人数を変えて，回る，**寝転ぶ**，起きる，**座る**，立つ，**渡る**などの動きやバランスを保つ動きで構成される運動。

□体を**移動**する運動

　姿勢，**速さ**，リズム，方向などを変えて，**這う**，歩く，走る，跳ぶ，**はねる**，登る，下りるなどの動きで構成される運動や，一定の速さでの**かけ足**などの運動。

□用具を操作する運動

　用具を**つかむ**，持つ，降ろす，回す，転がす，**くぐる**，運ぶ，投げる，捕る，**跳ぶ**，用具に乗る，**跳び越す**などの動きで構成される運動。

□**力試し**の運動

　人や物を**押す**，引く，運ぶ，支える，**ぶら下がる**などの動きや，**力比べ**をするなどの動きで構成される運動。

□基本的な動きを<u>組み合わせる</u>運動

　　バランスをとりながら移動する，用具を操作しながら移動するなど二つ以上の動きを<u>同時</u>に行ったり，<u>連続</u>して行ったりする運動。

C 2 高学年　　　頻出 福井

「腕立て伏臥腕屈伸」などは，漢字で書けるようにしてほしい。

●体ほぐしの運動

□伸び伸びとした動作で全身を動かしたり，<u>ボール</u>，なわ，体操棒，<u>フープ</u>などの用具を用いた運動を行ったりすること。

□<u>リズム</u>に乗って，心が<u>弾む</u>ような動作での運動を行うこと。

□<u>ペア</u>になって背中合わせに座り，互いの心や体の状態に気付き合いながら体を<u>前後左右</u>に揺らすなどの運動を行うこと。

□動作や<u>人数</u>などの条件を変えて，歩いたり走ったりする運動を行うこと。

□<u>グループ</u>や学級の仲間と力を合わせて挑戦する運動を行うこと。

□伝承遊びや集団による運動を行うこと。

●体の動きを高める運動

□体の<u>柔らかさ</u>を高めるための運動

　　体の各部位の<u>可動範囲</u>を広げる体の動きを高めることをねらいとして行う運動。

□<u>巧み</u>な動きを高めるための運動

　　人や物の動き，または場所の広さや形状などの環境の変化に対応して，タイミングや<u>バランス</u>よく動いたり，<u>リズミカル</u>に動いたり，力の入れ方を<u>加減</u>したりする体の動きを高めることをねらいとして行う運動。

□<u>力強い</u>動きを高めるための運動

　　自己の<u>体重</u>を利用したり，人や物などの抵抗に対してそれを動かしたりすることによって，<u>力強い</u>動きを高めることをねらいとして行う運動。

□動きを<u>持続</u>する能力を高めるための運動

　　一つの運動又は複数の運動を組み合わせて一定の時間<u>続けて</u>行ったり，一定の回数を<u>反復</u>して行ったりすることによって，動きを<u>持続</u>する能力を高めることをねらいとして行う運動。

マット運動

ここが出る! ▶▶
・小学校の体育で扱う，マット運動の技にはどのようなものがあるか。「系－技群－グループ」という枠組みを念頭に，体系的に押さえよう。
・運動が苦手な児童に，どういう指導をしたらよいかを問う問題も多い。基本技を中心に，学習指導要領解説の記述を読んでおこう。

B 1 マット運動の技 　　　　頻出 福島，東京，岐阜，愛知，愛媛

　基本技は中学年，発展技は高学年で扱う。学習指導要領解説をもとに，技の体系を整理し，基本的な技がどういうものかを知ろう。

●体系の整理

系	技群	グループ	基本技	発展技
回転	接転	前転	前転	開脚前転
				補助倒立前転
		後転	後転	
			開脚後転	伸膝後転
	ほん転	倒立回転	補助倒立ブリッジ	倒立ブリッジ
			側方倒立回転	ロンダート
		はね起き	首はね起き	頭はね起き
巧技	平均立ち	倒立	壁倒立	補助倒立
			頭倒立	

●技の解説

□**前転**とは，しゃがんだ姿勢から手で支えながら腰を上げ，体を丸めながら後頭部－背中－尻－足裏の順にマットに接して前方に回転して立ち上がること。

□**後転**とは，しゃがんだ姿勢から体を丸めながら尻－背中－後頭部－足裏の順にマットに接して腰を上げながら後方に回転し，両手で押して立ち上がること。

□**首はね起き**とは，前転を行うように回転し，両肩－背中がマットについたら腕と腰を伸ばし，体を反らせながらはね起きること。

□**ロンダート**とは，助走からホップを行い，片足を振り上げながら片手

ずつ着き，体を1/2ひねり両足を真上で揃え，両手で押しながら両足を振り下ろし，空中で回転して立ち上がること。

B 2 運動が苦手な児童への配慮の例 頻出 栃木，愛媛

以下は，苦手な児童に対する配慮の例である。

●接転技群

⏱□前転が苦手な児童には，ゆりかごなどの体を揺らす運動遊びや，かえるの逆立ちなどの体を支える運動遊びに取り組んだり，傾斜を利用して回転に勢いをつけて転がりやすくしたりする。

⏱□後転が苦手な児童には，ゆりかごなどの体を揺らす運動遊びや，かえるの逆立ちなどの体を支える運動遊びに取り組んだり，傾斜を利用して回転に勢いをつけて転がりやすくしたりして，腰を上げたり，体を支えたり，回転の勢いをつけたりする動きが身に付くようにする。

●ほん転技群

□側方倒立回転が苦手な児童には，壁登り逆立ちや支持での川跳びなどの体を支えたり，逆さまになる運動遊びに取り組んだり，足を勢いよく振り上げるためにゴムなどを活用したり，補助を受けたりして，腰を伸ばした姿勢で回転できる動きが身に付くようにする。

□倒立ブリッジが苦手な児童には，壁登り逆立ちや壁倒立，ブリッジなどの逆さまで体を支える運動遊びや，体を反らす運動遊びに取り組んだりして，倒立したり，体を反らす動きが身に付くようにする。

□首はね起きが苦手な児童には，壁登り逆立ちや背支持倒立（首倒立）などの逆さまで体を支える運動遊びや，ブリッジなどの体を反らす運動遊びに取り組んだり，腰を上げた仰向けの姿勢からはねてブリッジをしたり，段差を利用して起き上がりやすくしたりして，逆さまで体を支えて体を反らしたり，手でマットを押したり，反動を利用して起き上がる動きが身に付くようにするなどの配慮をする。

●平均立ち技群

□壁倒立が苦手な児童には，肋木や壁を活用した運動遊びに取り組んだり，足を勢いよく振り上げるためにゴムなどを活用したりして，体を逆さまにして支えたり，足を勢いよく振り上げたりする動きが身に付くようにする。

● 体育（器械運動）

鉄棒運動

頻出度 **B**

ここが出る！▶▶

・鉄棒運動は，2群4グループに分かれる。技の名称もやや長い。「膝掛け」など，漢字で書けるようにしよう。

・多くの人が苦しんだであろう逆上がり。苦手な児童の場合，まずは補助具を使って，鉄棒に体を引きつけさせることからだ。

B 1 鉄棒運動の技

頻出 岩手，福島，愛媛

基本技は中学年，発展技は高学年で扱う。学習指導要領解説をもとに，技の体系を整理し，基本的な技がどういうものかを知ろう。

●体系の整理

系	技群	グループ	基本技	発展技
支持	前方支持回転	前転	前回り下り	前方支持回転
			かかえ込み前回り	
			転向前下り	片足踏み越し下り
		前方足掛け回転	膝掛け振り上がり	膝掛け上がり
			前方片膝掛け回転	前方もも掛け回転
	後方支持回転	後転	補助逆上がり	逆上がり
			かかえ込み後ろ回り	後方支持回転
		後方足掛け回転	後方片膝掛け回転	後方もも掛け回転
			両膝掛け倒立下り	両膝掛け振動下り

●技の解説

□前回り下りは，支持の姿勢から前方へ上体を大きく振り出して，腰を曲げたまま回転し，両足を揃えて開始した側に着地すること。

□かかえ込み前回りは，支持の姿勢から腰を曲げながら上体を前方へ倒し，手で足を抱え込んで回転すること。

□膝掛け振り上がりは，片膝を鉄棒に掛け，腕を曲げて体を鉄棒に引きつけながら，掛けていない足を前後に大きく振動させ，振動に合わせて前方へ回転し手首を返しながら上がること。

□後方片膝掛け回転は，前後開脚の支持の姿勢から後方へ上体と後ろ足を大きく振り出し片膝を掛けて回転し，手首を返しながら前後開脚の

支持の姿勢に戻ること。

□両膝掛け倒立下りは，鉄棒に両膝を掛けて逆さまになり両手を離し，腕と頭を使って体を前後に振動させ，振動が前から後ろに振れ戻る前に膝を鉄棒から外して下りること。

□後方支持回転は，支持の姿勢から腰と膝を曲げたまま体を後方に勢いよく倒し，腹を鉄棒に掛けたまま回転し，手首を返して支持の姿勢に戻ること。

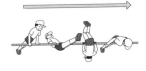

B 2 運動が苦手な児童への配慮の例

以下は，苦手な児童に対する配慮の例である。

●前方支持回転技群

□前方支持回転が苦手な児童には，ツバメの姿勢からふとん干しを繰り返したり，補助や補助具で回転しやすくしたりして，勢いのつけ方や体を丸めて鉄棒から離さない動きが身に付くようにする。

□膝掛け振り上がりが苦手な児童には，片膝を掛けて大きく振れるように，補助を受けて回転したり，鉄棒に補助具をつけて回転しやすいようにしたりして，振りの勢いを利用して起き上がる動きが身に付くようにする。

●後方支持回転技群

□かかえ込み後ろ回りが苦手な児童には，ふとん干しの姿勢で揺れたり，ふとん干しの姿勢から足を抱えて揺れたりするなどの鉄棒に腹を掛けて揺れる運動遊びに取り組んだり，補助や補助具で回転しやすくしたりして，勢いのつけ方や体を丸めて鉄棒から離さない動きが身に付くようにする。

□両膝掛け倒立下りが苦手な児童には，こうもりで揺れたり，足抜き回りなどで鉄棒に足を掛けて逆さまでぶら下がったり，揺れたり，懸垂の姿勢から前後に回転したりする運動遊びに取り組み，逆さまで体を動かしたり，鉄棒に足を掛けたりする動きが身に付くようにする。

□逆上がりが苦手な児童には，体を鉄棒に引きつける運動に取り組んだり，補助や補助具を利用して足を振り上げながら後方回転をしたりして，体を上昇させながら鉄棒に引きつけ回転する動きが身に付くようにする。

体育

鉄棒運動

跳び箱運動

頻出度
B

- 小学校体育科の跳び箱運動で身に付けたい技として，新学習指導要領解説ではどのようなものが例示されているか。数は少ないので全部覚えよう。図も見ておきたい。
- 運動が苦手な児童への配慮として，どのようなものがあるか。

B 1 跳び箱運動の技の体系

2系，2グループ，基本技（発展技）が3つである。

系	グループ	基本技	発展技
切り返し	切り返し跳び	開脚跳び	かかえ込み跳び
回転	回転跳び	台上前転	伸膝台上前転
		首はね跳び	頭はね跳び

B 2 中学年

頻出 名古屋市，長崎

中学年では，3つの基本技を扱う。

●技の例示

⏱□【 開脚跳び 】…助走から両足で踏み切り，足を左右に開いて着手し，跳び越えて着地すること。（発展技：かかえ込み跳び）

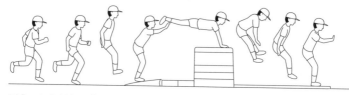

□【 台上前転 】…助走から両足で踏み切り，腰の位置を高く保って着手し，前方に回転して着地すること。（発展技：伸膝台上前転）

□【 首はね跳び 】…台上前転を行うように回転し，背中が跳び箱につ

いたら腕と腰を伸ばして体を反らせながらはね起きること。（発展技：頭はね跳び）

●運動が苦手な児童への配慮の例

⏱□開脚跳びの苦手な児童には，マットを数枚重ねた上に跳び箱１段を置いて，手を着きやすくしたり，跳び越しやすくしたりして，踏み切り－着手―着地までの動きが身に付くようにするなどの配慮をする。

⏱□台上前転の苦手な児童には，マットを数枚重ねた場で前転したり，マット上にテープなどで跳び箱と同じ幅にラインを引いて，スピードのある前転をしたり，真っ直ぐ回転する前転をしたりして，腰を上げて回転する動きが身に付くようにするなどの配慮をする。

□首はね跳びの苦手な児童には，マットを数枚重ねた場や低く設置した跳び箱，ステージなどを利用して体を反らせてブリッジしたり，場でつくった段差と補助を利用して首はね起きを行ったりしながら，体を反らしてはねたり，手で押したりする動きが身に付くようにするなどの配慮をする。

B 3 高学年　　　　　　　　　　　　　頻出 栃木，愛媛

□【 かかえ込み跳び 】…助走から両足で踏み切って着手し，足をかかえ込んで跳び越し着地すること。（更なる発展技：屈伸跳び）

□かかえ込み跳びの苦手な児童には，マットを数枚重ねた場を設置して，手を着きやすくしたり，跳び越しやすくしたり，体育館のステージに向かって跳び乗ったりして，跳び越しやすい場で踏み切り―着手―着地までの動きが身に付くようにするなどの配慮をする。

□【 伸膝台上前転 】…助走から両足で強く踏み切り，足を伸ばしたまま腰の位置を高く保って着手し，前方に回転して着地すること。

□【 頭はね跳び 】…伸膝台上前転を行うように腰を上げ回転し，両手で支えながら頭頂部をつき，尻が頭を越えたら腕と腰を伸ばし，体を反らせながら回転すること。（更なる発展技：前方屈腕倒立回転跳び）

体育

跳び箱運動

299

● 体育（陸上運動）

陸上運動

ここが出る! ▶▶

- 短距離走・リレーの基本的ルールを知っておこう。フライングの規定やバトンパスについてよく問われる。
- 跳運動の基本的ルールを知っておこう。無効試技の場合や，記録の計測法についてよく問われる。

B 1 短距離走

頻出 岩手，石川

小学校では，主に<u>短距離走</u>が行われる。

●スタート

□【 スタンディングスタート 】…立ったままの姿勢からのスタート。小学生では，このやり方が主である。

⏱□【 クラウチングスタート 】…しゃがんだ姿勢からのスタート。スタンディングスタートに比べて加速しやすい❶。

□**短距離走で，素早いスタートが苦手な児童**には，構えた際に<u>前</u>に置いた足に重心をかけ，<u>低い</u>姿勢で構えるといったポイントを示すなどの配慮をする。（学習指導要領解説）

●フライング

フライングとは，不正スタートのことである。

□フライングは<u>1</u>回まで許される。その後にフライングを行った者は，<u>すべて</u>失格になる。

□最近，「フライングした選手は<u>即失格</u>とする」という新制度の導入が決められた。

●フィニッシュ

□胴体（トルソー）の<u>一部</u>がフィニッシュラインに達したとき，フィニッシュとみなす。足が到達したときではない。

●ピッチとストライド

□【 ピッチ 】…一定時間における着地足の回転のこと。

□【 ストライド 】…走る時の歩幅。

●走る距離

⏱□低学年は<u>30</u>〜<u>40</u>m，中学年は<u>30</u>〜<u>50</u>m，高学年は<u>40</u>〜<u>60</u>m 程度。

❶「位置について」の姿勢では，視線は下を見る。

A 2 リレー

● スタート

□リレーの第一走者がスタートするとき，バトンがスタートラインの前方の地面についてもフライングではない。（右図）

● バトンパス

⏱□バトンパスは，テークオーバーゾーンの中で行う。

□テークオーバーゾーンの長さは30m。

□バトンがテークオーバーゾーンの中にあれば，走者はその外であってもよい。

□バトンを落とした場合，落とした走者がバトンを拾うが，距離が短くならないことを条件に，自分のレーンから離れて拾ってもよい。

● バトンパスの指導

⏱□リレーで，減速せずにバトンの受渡しをすることが苦手な児童には，「ハイ」の声をしっかりかけたり，バトンを受ける手の位置や高さを確かめたり，仲間同士でスタートマークの位置を確かめたりするなどの配慮をする。（学習指導要領解説）

□前走者と次走者の距離（利得距離）を大きくし，それぞれ左右違う手でバトンパスをする。

A 3 ハードル走

ハードリングは，「とび越す」のではなく「またぐ」感覚で行う。

● 指導事項

□ハードルの遠くで踏み切り，近くで着地する。

□ハードル上で上体を前傾し，低く跳び越す。

□空中では，踏み切り脚の膝を曲げて横に引きつける。

⏱□インターバルを3〜5歩のリズムで走る。踏み切り脚は一定にする。

● 失格となる行為

□脚または足がハードルをはみ出て，バーよりも低い位置を通ったとき。

□手や体，振り上げ脚の上側でハードルを倒すか移動させたとき。

□他の走者に影響を与えたり妨害したりする行為で，自分や他の走者の

レーンの<u>ハードル</u>を倒したり移動させたりしたとき。

●ハードル走の指導

□走り越える時に体のバランスを取ることが苦手な児童には，<u>1歩</u>ハードル走や短いインターバルでの<u>3歩</u>ハードル走で，体を大きく素早く動かしながら走り越える場を設定するなどの配慮をする。

□一定の歩数でハードルを走り越えることが苦手な児童には，<u>3歩</u>または<u>5歩</u>で走り越えることができるインターバルを選んでいるかを仲間と確かめたり，インターバル走のリズムを意識できるレーン（レーン上に<u>輪</u>を置く等）を設けたりするなどの配慮をする。（学習指導要領解説）

A 4 走り幅跳び 頻出 岩手，東京，福井，長野，島根，岡山市，愛媛

●助走と踏み切り

⏱ □助走は，<u>リズミカル</u>に走る。助走の歩数は中学年は5～<u>7</u>歩，高学年は<u>7</u>～9歩程度とされる。

□踏み切りは，<u>かかと</u>から踏み切り板に向かい，<u>足裏全体</u>で踏み切る。

□高学年の場合，幅<u>30</u>～<u>40</u>cm程度の踏み切りゾーンで踏み切ることとされる。

●そり跳び

空中で体をそる（反る）ことから，そり跳びといわれる。

□踏み切った後は，<u>振り上げ脚</u>を高く振り上げる。

□空中では<u>胸</u>をそらす。

□着地に向けて足を<u>前方</u>に出し，両足で着地。

日本陸上競技連盟『中学校部活動における陸上競技指導の手引』より引用

●はさみ跳び

空中で足を交差させることから，はさみ跳びといわれる。

□空中では，体を<u>直線的</u>に伸ばす。

□空中を走るように足を<u>交差</u>させる。

□かかとから<u>両足</u>で着地する。

●無効試技

□踏み切り線よりも先の地面に体の一部が触れたとき。

□踏み切り板の外側で踏み切ったとき。

●計測の仕方

⏱□踏み切り線に最も近い痕跡と，踏み切り線の直線距離（右図のa）を図る。

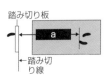

踏み切り板

a

踏み切り線

□手や尻をついた場合，その痕跡との距離を測る。

●走り幅跳びの指導

□リズミカルな助走から踏み切ることが苦手な児童には，5〜7歩程度の助走からの走り幅跳びや跳び箱などの台から踏み切る場などで，力強く踏み切って体が浮くことを経験できるようにしたり，「トン・トン・ト・ト・トン」など，一定のリズムを声に出しながら踏み切る場を設定したりするなどの配慮をする。（学習指導要領解説）

C 5 走り高跳び　　頻出 岩手，滋賀

　小学校では，はさみ跳びが主である。他の跳び方として，ベリーロールや背面跳びがある。

●助走と踏み切り

□助走は，リズミカルに走る。高学年の助走は5〜7歩程度である。

□かかとから，柔らかく踏み切る。

●はさみ跳び

□リズミカルな助走をし，バーから遠い方の足裏全体で力強く踏み切る。

□バーを足ではさむようにしてとび越す。

□力を抜いて，振り上げた足から着地する。

●無効試技

□バーを落としたとき。

□両足で踏み切ったとき。

□バーを越える前に，体の一部がそれよりも先の地面や着地場所に触れたとき。

⏱□同じ高さには3回まで挑戦できる。3回続けて失敗すると失格。

水泳

ここが出る! ▶▶

・公的な資料で示されている，代表的な泳法の動きを押さえよう。クロールや平泳ぎの動作に関する文章の正誤判定問題が頻出。

・事故防止の上からも，安全指導や安全管理が重要となる。バディシステムなど，知っておくべき事項は数多い。

B **1** **水泳の内容**　　　頻出 岩手，宮城，栃木，京都市

新学習指導要領解説に載っている，学年ごとの内容項目である。

●低学年

水の中を移動する運動遊び	○水につかっての水かけっこ，まねっこ遊び ○水につかっての電車ごっこ，リレー遊び，鬼遊び
もぐる・浮く運動遊び	○水中でのじゃんけん，にらめっこ，石拾い，輪くぐりなどのもぐる遊び ○くらげ浮き，伏し浮き，大の字浮きなど浮く遊び ○バブリングやボビング

●中学年

浮いて進む運動	○け伸び ○初歩的な泳ぎ
もぐる・浮く運動	○プールの底にタッチ，股くぐり，変身もぐりなどの様々なもぐり方 ○背浮き，だるま浮き，変身浮きなどの様々な浮き方 ○だるま浮きやボビングなどを活用した簡単な浮き沈み

●高学年

⏱ クロール	○25〜50m程度を目安にしたクロール ○ゆったりとしたクロール
⏱ 平泳ぎ	○25〜50m程度を目安にした平泳ぎ ○ゆったりとした平泳ぎ
安全確保につながる運動❶	○10〜20秒程度を目安にした背浮き ○3〜5回程度を目安にした浮き沈み

❶着衣のまま水に落ちた場合の対処についても積極的に取り扱う。

● 用語

□【 バブリング 】…呼吸練習のために，水面でブクブク息を吐き出すこと。

□【 だるま浮き 】…腰を曲げ，頭を水中につけて足を浮かし，両手で両膝を抱えた浮き方。

□【 ボビング 】…上下に浮き沈みすること。呼吸の練習法で，体が浮き上がった時に呼吸する。

A 2 クロール

代表的な泳法である。学習指導要領解説を参照。

● 泳法

□手を左右交互に前方に伸ばして水に入れ，水を大きくかくこと。

□柔らかく足を交互に曲げたり伸ばしたりして，リズミカルなばた足をすること。

□肩のローリングを用い，体を左右に傾けながら顔を横に上げて呼吸をすること。

● うまくできない児童への指導

⏱ □前方に伸ばした手が下がり，手のかきに呼吸を合わすことが苦手な児童には，両手を必ず前方で揃えてから片手ずつかくための練習をする場や，仲間に手を引っ張ってもらいより前方に手を伸ばす練習をする場を設定したり，補助具をおさえる手に力を入れすぎないように助言したりするなどの配慮をする。

□頭が前方に上がり，横向きの息継ぎが苦手な児童には，歩きながら息継ぎの練習をする場を設定したり，へそを見るようにして顎を引き，耳まで浸かって息継ぎをするように助言したりするなどの配慮をする。

□手や足をゆっくりと動かすことが苦手な児童には，一定の距離を少ないストローク数で泳ぐ場や，決められたストローク数で泳ぐ距離を仲間と競い合う場を設定するなどの配慮をする。

A 3 平泳ぎ　　　　　　　　　　　頻出 東京

● 泳法

□両手を前方に伸ばし，ひじを曲げながら円を描くように左右に開き，

水をかくこと。

□足の親指を外側に開いて左右の足の裏や脚の内側で水を挟み出すとともに，キックの後に伸びの姿勢を保つこと。

□手を左右に開き水をかきながら，顔を前に上げ呼吸をすること。

□伸びた姿勢から顔を前方にゆっくりと起こしながら手をかきはじめ，肘を曲げながら顔を上げ呼吸した後，キックをした勢いを利用して伸びること。

●うまくできない児童への指導

□かえる足の動きが苦手な児童には，プールサイドに腰かけて足の内側で水を挟む動きだけを練習したり，壁や補助具につかまって仲間に足を支えてもらい練習したりする場を設定するなどの配慮をする。

□手や足の動きと呼吸のタイミングを合わすことが苦手な児童には，陸上で動きの確認をする場を設定したり，水中を歩きながら仲間が息継ぎのタイミングを助言したりするなどの配慮をする。

□キックの後にすぐ手をかいてしまい，伸びることが苦手な児童には，け伸びをしてから「かいて，蹴る」動きを繰り返すことを仲間と確かめ合ったり，「かいて，蹴って，伸びる」の一連の動作をしたら一度立つように助言し，少ないストローク数で泳ぐ距離を伸ばす場を設定したりするなどの配慮をする。

B 4 　安全確保につながる運動　　　　　　　頻出 宮城

うまくできない児童への指導法である。

□背浮きの姿勢での呼吸を続けることが苦手な児童には，浅い場所で踵を付けたまま背浮きになる姿勢の練習をしたり，補助具を胸に抱えたり，仲間に頭や腰を支えてもらったりして続けて浮く練習をしたりするなどの配慮をする。

□浮き沈みの動きに合わせた呼吸をすることが苦手な児童には，体が自然に浮いてくるまで待ってから息継ぎをすることや，頭を大きく上げるのではなく首をゆっくりと動かし呼吸することを助言するなどの配慮をする。

B 5 　安全指導・安全管理　　　　　　　　頻出 群馬，愛知

文部科学省「水泳指導の手引（三訂版）」（2014年）を参照。

●**水が怖い児童への指導**

⏱□水に対する恐怖心がある児童には，安全面からも<u>ペア</u>での学習(バディシステム)を取り入れ，友達と一緒に行う<u>水遊び</u>の楽しさに触れることができるようにしたり，<u>水慣れ</u>の時間を十分に確保したり，少しでもできたことを<u>称賛</u>したりするなどの配慮をする(低学年)。

●**バディシステム**

⏱□【　バディシステム　】…二人一組をつくり，互いに相手の安全を確かめさせる方法。事故防止のみならず，**学習効果**を高めるための手段としても効果的。

□教師の笛の合図と「バディ」という号令があったとき，互いに<u>片手</u>をつなぎ合わせて挙げさせ点呼をとる。

□指導のねらいに応じて，泳力が<u>同じ</u>くらいの者，熟練者と初心者などの組合せを工夫することが大切。

●**疾病等の児童**

□下記の疾病等に該当した児童生徒のうち，治療によって水泳指導までに完治する者や条件を付ければ参加できる者については，<u>健康相談</u>を通して，治療の勧告や水泳に参加するときの注意事項などをそれぞれに応じて指導しておく。

　1）心臓病，<u>腎臓病</u>の者(特に専門医の判断を要する)。

　2）<u>呼吸器疾患</u>の者(喘息は除く)。

　3）その他<u>急性中耳炎</u>，急性外耳炎の者。

　4）病気直後，<u>手術</u>直後の者。

　5）過去に<u>意識障害</u>を起こしたことのある者

　6）<u>アトピー性皮膚炎</u>の者。

　7）その他，プールを介して他人に<u>感染</u>させる恐れのある疾病にり患している者。

C 6 **メドレーのルール**

日本水泳連盟『競泳競技規則』(2023年4月1日)を参照。

⏱□個人メドレー	バタフライ→背泳ぎ→平泳ぎ→自由形
⏱□メドレーリレー	背泳ぎ→平泳ぎ→バタフライ→自由形

□<u>自由形</u>はどのような泳ぎ方で泳いでもよい(メドレー以外)。

ここが出る！ ▶▶
- 高学年のボール運動の内容を押さえよう。「ゴール型」「ネット型」「ベースボール型」に分かれる。各々の種目の例もみておこう。
- 具体的な種目として，バスケットボールとサッカーのルールについてよく問われる。

A 1 高学年のボール運動　　頻出 宮城，山形，山梨，神戸市，愛媛

学習指導要領解説の記述である。高学年の箇所がよく出題される。

●簡易化されたゲーム

学校の授業では，**簡易化されたゲーム**を行う。その定義は？

⏱□簡易化されたゲームとは，ルールや形式が一般化されたゲームを児童の発達の段階を踏まえ，実態に応じたボール操作で行うことができ，プレイヤーの人数，コートの広さ，ネットの高さ，塁間の距離，プレイ上の制限，ボールその他の運動用具や設備などを修正し，児童が取り組みやすいように工夫したゲームをいう。

●種目の例

⏱ ゴール型	バスケットボール，サッカー，ハンドボール，タグラグビー，フラッグフットボール。
⏱ ネット型	ソフトバレーボール，プレルボール，バドミントン，テニス。
⏱ ベースボール型	ソフトボール，ティーボール。

□【　タグラグビー　】…相手のインゴールにボールを置けばトライ。腰の2本のタグの1本を相手に取られるとタックルとみなされる。

□【　フラッグフットボール　】…相手のエンドゾーンにボールを運ぶとタッチダウン。フラッグを取られるとタックルとみなされる。

□【　プレルボール　】…簡易なバレーボール。低いネットを使う。

□【　ティーボール　】…簡易なソフトボール。ピッチャーはおらず，バッティングティー上のボールを打つ。

A 2 バスケットボール　　頻出 石川，愛知

シュートがネットを通るときの快感。バスケならではの醍醐味である。

●**競技の方法**

□1チームの人数は <u>5</u> 人。

□得点は，どこからシュートを打つかで異なる。

　・ツーポイントエリア（スリーポイントラインより内）は <u>2</u> 点。

　・スリーポイントエリアは <u>3</u> 点。

　・フリースローは <u>1</u> 点。

□ボールがコート外に出たら<u>スローイン</u>で再開。

●**パスとピボット**

□【　チェストパス　】…胸の位置から押し出す近くの味方へのパス。

□【　ショルダーパス　】…肩の位置から押し出す遠くの味方へのパス。

□【　バウンズパス　】…ボールをバウンドさせたパス。

□【　オーバーヘッドパス　】…頭上の位置からのパス。

□【　ピボット　】…片足を軸にして，体を回転させる。ボールを保持するときなどに使う。軸足を動かすと<u>トラベリング</u>になる。

●**ディフェンス**

□【　マンツーマンディフェンス　】…各人が防御する相手を決めて守る。

□【　ゾーンディフェンス　】…各人の担当区域を決めて守る。

●**主な反則**

□【　パーソナルファウル　】…身体の接触による違反（つかむなど）。

□【　テクニカルファウル　】…スポーツマンらしくない行為。

□【　トラベリング　】…ボールを受けてから3歩以上歩く。

□【　ダブルドリブル　】…ドリブルを止めた後，再びドリブルする。

A 3 **サッカー**　　　　　　　　　　　　　　　頻出 長野

子どもたちの人気 No.1 スポーツといえば，サッカーであろう。

●**競技の方法**

□1チームの人数は <u>11</u> 人。

□ボール全体が<u>ゴールライン</u>を完全に通過したら1点。

□ゲームは，<u>キックオフ</u>で開始。

●**ボールがフィールドの外に出たとき**

□タッチラインの外に出た場合，出た地点からの<u>スローイン</u>で再開。

体育

ボール運動

⏱️□攻撃側がボールをゴールラインの外に出した場合，**ゴールキック**で再開。守備側が出した場合は，攻撃側の**コーナーキック**で再開。

● **ボール操作**

□【　インサイドキック　】…足の内側でける。正確にける。

□【　インステップキック　】…足の甲でける。遠くにける。

□【　アウトサイドキック　】…足の外側でける。斜め前方にけり出す。

□【　トラッピング　】…ボールを胸やももで受け止める。

● **主な反則**

⏱️
□直接フリーキックになるもの ⇒　タックリング，キッキング，トリッピング，ファウルチャージなど，危険な行為❶。	□間接フリーキックになるもの ⇒　故意に相手の進路を妨害する，GK がボールを 6 秒以上持つ，オフサイドなど。

□【　オフサイド　】…攻撃側が，後方から 2 人目の相手プレーヤーよりゴールに近い位置の味方にパスを出すこと。

C 4　ハンドボール

● **競技の方法**

□1 チームの人数は <u>7</u> 人。ボールが<u>ゴールライン</u>を通過したら 1 点。

● **主な反則**

反則行為があった場合，相手チームに**フリースロー**が与えられる。

□【　オーバーステップ　】…ボールを持って 4 歩以上歩く。

□【　オーバータイム　】…ボールを 3 秒以上持つ。

□【　キックボール　】…膝から下でボールを扱う。

□【　ダブルドリブル　】…ドリブルを止めた後，再びドリブルする。

□【　ジャックル　】…空中にボールを上げ，位置を移してキャッチする。

□【　パッシブプレー　】…攻撃をしないでゲームの進行を遅らせる。

C 5　ソフトバレーボール　　　　　　　　　頻出 栃木

高学年のネット型として，**ソフトバレーボール**が例示されている。ゴム製ボールを使って行う簡易バレーボールである。

● **競技の方法**

□1 チームの人数は <u>4</u> 人。

----

❶ペナルティーエリア内で行った場合，相手のペナルティーキック(PK)となる。

□ 1セット15点。3セットマッチで，2セット先取したほうが勝ち。

⏱️□サーブ権の有無にかかわらず，得点が入るラリーポイント制。

●主な反則

□【 キャッチボール 】…ボールをつかんで静止させる。

□【 ダブルコンタクト 】…1人のプレイヤーが2回連続してボールに触れる。ドリブルともいう。

□【 フォアヒット 】…同じチームが3回を超えてボールに触れる。

□【 タッチネット 】…プレイ中のプレイヤーがネットに触れる。

□【 オーバーネット 】…相手コート内のボールに触れる。

□【 パッシング・ザ・センターライン 】…足がセンターラインを踏み越す。

B 6 ソフトボール

高学年のベースボール型として，**ソフトボール**が例示されている。

●競技の方法

□1チームの人数は9人。

□攻撃側の3人がアウトになったら交代。7回まで行う。

□第3アウト前に，走者が本塁に触れると1点が入る。

□ピッチングは下投げ。腕は1回転，ステップは1歩のみ。

●ゲーム全般

□監督1名，プレーヤー9名。指名選手(DP) 1名を入れる場合は，プレーヤーは10名となる。

□イニング(攻撃・守備)を7回続ける。7回を過ぎても決着がつかない場合，延長戦に入る。8回以降は，促進ルールが適用される。

⏱️□【 タイブレーク 】…8回以降，各チームの攻撃は，無死2塁の状態から始められること。

●主なルール

□【 三振 】…ストライク3回のアウト。

□【 スリーバント失敗 】…2ストライクの後のバントがファウルになった場合。

□【 フォアボール 】…4回のボールで1塁へ行ける。

□【 ダブルプレイ 】…走者2人を連係プレイでアウトにする。

□【 スクイズ 】…バントで3塁走者をホームインさせる。

ここが出る! ▶▶

・中学年と高学年では，表現運動が加わる。新学習指導要領解説では，取り上げる題材としてどのようなものが例示されているか。
・高学年の題材として例示されている，日本の民謡や外国のフォークダンスの名称を知っておこう。

C 1 中学年の表現運動の内容　　　　　　頻出 島根

表現とリズムダンスからなる。

●表現

□表現では，その行い方を知るとともに，<u>身近</u>な生活などの題材から主な特徴や感じを捉え，<u>表したい</u>感じをひと流れの動きで即興的に踊ること。

□「具体的な<u>生活</u>からの題材」-「○○づくり」（料理，粘土造形など），「1日の生活」（洗濯物，掃除，<u>スポーツ</u>など）など，<u>身近</u>な生活の中から特徴が捉えやすく多様な感じの動きを含む題材。

□「<u>空想</u>の世界からの題材」-「○○探検」（ジャングル，宇宙，<u>海底</u>など）などの未知の想像が広がる題材や，忍者や戦いなどの<u>二人組</u>で対立する動きを含む題材。

●リズムダンス

□リズムダンスでは，その行い方を知るとともに，軽快な<u>ロック</u>やサンバなどのリズムの特徴を捉え，<u>リズム</u>に乗って弾んで踊ったり，友達と関わり合ったりして即興的に踊ること。

□軽快なテンポやビートの強い<u>ロック</u>のリズム。

□陽気で小刻みなビートの<u>サンバ</u>のリズム。

C 2 高学年の表現運動の内容　　　　　　頻出 青森，京都市

フォークダンスが出てくる。マイム・マイムなど，名称を覚えること。

●表現

□表現では，その行い方を理解するとともに，様々な題材からそれらの主な特徴を捉え，表したい感じやイメージをひと流れの動きで<u>即興的</u>に表現したり，<u>グループ</u>で簡単なひとまとまりの動きにして表現した

りすること。

□激しい感じの題材。

生活や自然などから「激しく○○する」（バーゲンセル，火山の爆発，大型台風接近など）や「急に○○する」（ロボットが壊れた，竜巻発生，怒りの爆発など）などの変化や起伏のある動きを含む題材。

□群（集団）が生きる題材。

生活や社会，自然などから「祭り」，「スポーツの攻防」，「出口を探せ！」などの特徴的な群の動きや迫力を生かせる題材。

□多様な題材。

「わたしたちの地球」，「ニュース○○」，「○月×日，私のダイアリー」など，社会や生活の様々な印象的な出来事から個人やグループで選んだ関心のある題材。

●フォークダンス（民謡を含む）

□フォークダンスでは，その行い方を理解するとともに，日本の民踊や外国の踊りの踊り方の特徴を捉え，基本的なステップや動きを身に付けて，音楽に合わせてみんなで楽しく踊って交流すること。

□日本の民踊

・阿波踊り（徳島県）や春駒（岐阜県）などの軽快なリズムの踊りでは，軽快な足さばきや手振りで踊ること。

・ソーラン節（北海道）やエイサー（沖縄県）などの力強い踊りでは，低く踏みしめるような足取りや腰の動きで踊ること。

□外国のフォークダンス

・マイム・マイム（イスラエル）などのシングルサークルで踊る力強い踊りでは，みんなで手をつなぎ，かけ声をかけて力強くステップを踏みながら移動して踊ること。

・コロブチカ（ロシア）などのパートナーチェンジのある軽快な踊りでは，パートナーと組んでスリーステップターンなどの軽快なステップで動きを合わせたり，パートナーチェンジをスムーズに行ったりしながら踊ること。

・グスタフス・スコール（スウェーデン）などの特徴的な隊形と構成の踊りでは，前半の厳かな挨拶の部分と後半の軽快なスキップやアーチくぐりなどの変化を付けて，パートナーや全体でスムーズに隊形移動しながら踊ること。

● 体育（保健）

応急手当

頻出度 **A**

ここが出る！ ▶▶

・高学年の児童は思春期をむかえる。この時期に生じる心身の変化について知っておこう。
・鼻血，すり傷，つき指など，学校では多くのケガが起きる。応急手当の基本を知っておこう。

B 1 思春期について

頻出 宮城，栃木

思春期には心身が揺れ動く。不安もつきものだ。

●身体の変化

□男女とも，第二次性徴が発現する。下垂体から分泌される性腺刺激ホルモンにより，生殖器が発達する。

⏱□男子は精通，女子は初経が起きる。

男子	・精巣が発達し，精巣内で精子がつくられる。
女子	・卵巣が発達し，卵巣内で排卵が起きる。子宮内膜が厚くなる。 ・性周期により，月経が定期的におとずれる。

●不安や悩みへの対処

学習指導要領解説の記述である。

□不安や悩みがあるということは誰もが経験することであり，そうした場合には，家族や先生，友達などと話したり，相談したりすること，仲間と遊ぶこと，運動をしたり音楽を聴いたりすること，呼吸法を行うなどによって気持ちを楽にしたり，気分を変えたりすることなど様々な方法があり，自分に合った適切な方法で対処できることを理解できるようにする。

□不安や悩みへの対処として，体ほぐしの運動や深呼吸を取り入れた呼吸法などを行うことができるようにする。

A 2 起こりやすいけがの応急手当

頻出 群馬，東京，愛知

学校生活でよく起こるけがの応急手当について知っておこう。

●基本事項

⏱□【 RICEの原則 】…安静にする(R)，冷やす(I)，圧迫する(C)，心臓より高くする(E)。

●手当の方法

□鼻血	鼻をつまみ，顎を引いて下を向く。
□すり傷・切り傷	傷口を水で洗い，消毒をしてからガーゼなどを当てて包帯をする。
□やけど	流水で冷やす。服を着ている場合は，服の上から冷やす。
□つき指	水や冷湿布で患部を冷やす。引っ張ったり，動かしたりしない。
□捻挫	患部を心臓より高くし，冷やし，包帯等を巻いて圧迫する。

●傷害の防止

□多くの障害は，人的要因と環境要因の相互作用で発生する。

□人的要因には心身の状態・行動等があり，環境要因には施設・設備の状態，自然条件等がある。

□交通事故を防ぐには，停止距離，内輪差，死角といった自動車の特性を理解し，危険を予測できるようになることが重要。

A 3 心肺蘇生　　　　　　　　　　　頻出 岩手，栃木

救急振興財団『改訂6版・応急手当講習テキスト』を参照。

●基本事項

□【 心肺蘇生法 】…止まってしまった心臓と呼吸の動きを助ける方法。

□【 胸骨圧迫 】…胸を強く圧迫し，血液の循環を促す。

□【 人工呼吸 】…口から肺に息を吹き込む。

□【 AED 】…心臓に電気ショックを与え，心臓のふるえを取り除く機器。自動体外式除細動器ともいう。

●手順

□呼吸の有無を確認。

□呼吸がない場合，胸骨圧迫を開始。1分間に100～120回，胸が約5cm沈むように圧迫する。

□人工呼吸が可能であれば，胸骨圧迫30回と人工呼吸2回を組み合わせる。胸骨圧迫の中断は，なるべく10秒以内にとどめる。

□AEDによる電気ショックを与えた後は，胸骨圧迫から心肺蘇生を再開する。

体育

応急手当

● 体育（保健）
熱中症・生活習慣病

頻出度 **B**

▶▶ **ここが出る!**

・近年，熱中症への関心が高まっている。4つの病型と対処法を知っておこう。運動を控えるべき，暑さのレベルも押さえよう。

・機械化，高度化が進行した現代社会では，各種の生活習慣病がつきものである。3大生活習慣病について押さえよう。

A 1 熱中症

頻出 三重, 岡山市

公益財団法人・日本スポーツ協会の『スポーツ活動中の熱中症予防ガイドブック』（2019年5月）を読んでみよう。

● 病型

⏱□【 **熱失神** 】…血圧が低下，脳血流が減少して起こるもので，めまいや失神（一過性の意識消失）などの症状がみられる。

⏱□【 **熱けいれん** 】…痛みをともなう筋けいれんがみられる。下肢の筋だけでなく上肢や腹筋などにも起こる。

⏱□【 **熱疲労** 】…発汗による脱水と皮膚血管の拡張による循環不全の状態であり，脱力感，倦怠感，めまい，頭痛，吐き気などの症状がみられる。

⏱□【 **熱射病** 】…過度に体温が上昇（40℃以上）して脳機能に異常をきたした状態。体温調節も働かなくなる。種々の程度の意識障害がみられる。

● 対処法

熱失神	足を高くして寝かせる。
熱けいれん	生理食塩水（0.9%食塩水）など濃い目の食塩水の補給や点滴。
熱疲労	スポーツドリンクなどで水分と塩分を補給。嘔吐などにより水が飲めない場合には，点滴などが必要。
熱射病	救急車を要請し，速やかに冷却処置を開始

● 熱中症予防運動指針

WBGT（暑さ指数）を目安に，運動の可否を判断する。

⏱□31℃以上（運動は原則禁止），28℃以上（厳重警戒），25℃以上（警戒），21℃以上（注意），21℃未満（ほぼ安全）。

生活習慣病とは，日常の生活習慣に起因する病の総称である。

●病気の発生要因

□病気の発生要因は，①病因（病原体），②主体要因（抵抗力，生活行動），③環境要因，の3つに分けられる。

□生活習慣病は，運動不足，食事の量や質の偏り，休養や睡眠の不足などの生活習慣の乱れが主な要因となって起こる。

● 3大生活習慣病

□【　心臓病　】…心臓の血管が狭くなる狭心症と，心臓の血管がつまる心筋こうそくがある。

□【　脳卒中　】…脳の血管がつまったり，破れて出血したりすることから起こる。

□【　がん　】…正常な細胞の遺伝子ががん細胞に変化。**動物性脂肪**や塩分のとりすぎが原因。死因の中で最も多い。

●日本人の死因

□2022年の死因上位5位は，①悪性新生物，②心疾患，③老衰，④脳血管疾患，⑤肺炎，である。①・②・④の3大生活習慣病が，死因全体の半分近くを占める。

●エイズ

□エイズとは，正式には，後天性免疫不全症候群という。HIV（ヒト免疫不全ウイルス）の感染により，免疫機能が低下する。

□HIV の感染経路は，①性行為，②血液，③母子感染に限られる。

B 3　感染症

□【　感染症　】…病原体が環境を通じて主体へ感染することで起こる疾病。病原体には，細菌やウイルスなどの微生物がある。

□【　感染　】…病原体が体内に侵入して増殖すること。

□【　発病　】…病原体の増殖により，発熱等の症状が出ること。

□感染症を予防するには，消毒や殺菌等により発生源をなくすこと，周囲の環境を衛生的に保つことにより感染経路を遮断すること，栄養状態を良好にしたり，予防接種の実施により免疫を付けたりするなど身体の抵抗力を高めることが有効である。

体育

熱中症・生活習慣病

喫煙・飲酒・薬物乱用 頻出度 c

B 1 喫煙 　　　頻出 宮城，愛知

20歳未満の喫煙は，未成年者喫煙禁止法で禁じられている。

●たばこの煙に含まれる有害物質

□【 ニコチン 】…血管を収縮させ，動脈硬化を引き起こす。依存性をもたらす。

□【 一酸化炭素 】…血液中のヘモグロビンと結合し，酸素の運搬能力を低下させ，心臓に負荷をかける。

□【 タール 】…発がん性の物質を含む。

●受動喫煙

□喫煙者が吸う煙（主流煙）よりも，たばこの先から出る煙（副流煙）のほうが有害物質を多く含む。

□【 受動喫煙 】…副流煙を周囲の人が吸い込み，健康を害されること。学校などの公共施設では，分煙化が進められている。

□受動喫煙の防止については，健康増進法で定められている。

□学校・病院・行政機関等の屋内は禁煙。喫煙室を設けることはできない。屋外にて，受動喫煙防止に必要な措置がとられた場所に喫煙所を設置することはできる。

●たばこの害について

以下は『中学校学習指導要領解説・保健体育編』の記述である。

□たばこの煙の中にはニコチン，タール及び一酸化炭素などの有害物質が含まれており，それらの作用により，毛細血管の収縮，心臓への負担，運動能力の低下など様々な急性影響が現れる。

□常習的な喫煙により，がんや心臓病など様々な疾病を起こしやすくなる。

□未成年者が喫煙すると，身体に大きな影響を及ぼし，ニコチンの作用

などにより<u>依存症</u>になりやすい。

□<u>5</u>月<u>31</u>日は，WHOが定める世界禁煙デー。

C 2 飲酒

『中学校学習指導要領解説・保健体育編』を参照。

□酒の主成分の**エチルアルコール**が中枢神経の働きを低下させ，<u>思考力</u>，自制力，<u>運動機能</u>を低下させたり，事故などを起こしたりする。

□急激に大量の飲酒をすると<u>急性中毒</u>を起こし意識障害や死に至ることもある。

□常習的な飲酒により，<u>肝臓病</u>や脳の疾病など様々な疾病を起こしやすくなる。

□未成年者の飲酒については，身体に大きな影響を及ぼし，エチルアルコールの作用などにより<u>依存症</u>になりやすい。

C 3 薬物乱用　　　　　　　　　　[頻出] 岩手，愛知，愛媛

薬物乱用は，青少年の心身を大きくむしばむ。

●概念

□【 薬物乱用 】…医薬品を本来の目的から外れて使用すること，医薬品以外の薬物を不正に使用すること。

●主な薬物

□【 覚醒剤 】…脳(中枢神経)を興奮させ，高揚感をもたらす。幻覚や妄想も生じる。

□【 有機溶剤 】…シンナー等で，脳(中枢神経)を麻痺させ，幻覚や幻聴を引き起こす。

□【 大麻 】…精神の異常や幻覚をもたらす。近年，覚醒剤による検挙人員は減っているが，<u>大麻</u>による検挙人員は増えている。

●用語

□【 薬物依存 】…薬物を止めると，禁断症状が出ること。

□【 フラッシュバック 】…中毒時の幻覚妄想状態に戻ること。

●薬物乱用防止教育

⏱□薬物乱用防止教室は，学校保健計画に位置付け，すべての<u>中学校</u>及び高等学校において年<u>1</u>回は開催するとともに，地域の実情に応じて<u>小学校</u>においても開催に努めること(2018年12月，文部科学省通知)。

● 体育（体力テスト）

体力テスト

ここが出る！ ▶▶

・新体力テストの内容について熟知しておこう。それぞれの項目が，体力のどの要素を測るものかが重要である。また，反復横とびの計測時間など，細かい実施要領まで問われることがあるので要注意。
・全国体力テストの最新の調査結果について知っておこう。

C 1 新体力テストの項目と評価内容　　　　　頻出 岡山，愛媛

テスト項目	運動能力	体力	運動特性
50m走	走能力	スピード	すばやさ，力強さ
20mシャトルラン＊	走能力	全身持久力	動きを持続する力
立ち幅とび	跳躍能力	瞬発力	力強さ，タイミングの良さ
ボール投げ	投能力	巧緻性，瞬発力	力強さ，タイミングの良さ
握力	──	筋力	力強さ
上体起こし	──	筋力，筋持久力	力強さ，動きを持続する力
長座体前屈	──	柔軟性	体の柔らかさ
反復横とび	──	敏捷性	すばやさ，タイミングの良さ

＊中学生は，20mシャトルランと持久走から選択する。

B 2 新体力テストの実施要領　　　　　頻出 沖縄

　小学生（6〜11歳）の場合，以下の8つの内容からなる。

⏱️□【　50m 走　】…スタートは**スタンディングスタート**で行う。記録は1/10(0.1)秒単位とする。

⏱️□【　20m シャトルラン　】…20mの区間を往復できた回数を計測。

□【　立ち幅とび　】…両足でとぶ。2回実施して，よい方の記録をとる。

□【　ソフトボール投げ　】…直径2mの円内から投げる。2回実施して，よい方の記録をとる。

⏱️□【　握力　】…直立の姿勢で握力計を握る。左右交互に2回ずつ実施。

□【　上体起こし　】…マット上で仰向けの姿勢で上体を起こす。30秒間

の回数を記録する。実施は1回。

□【 長座体前屈 】…両足を箱に入れ，長座の姿勢をとり，両手で箱を
押す。箱の移動距離を計測。2回実施して，よい方の記録をとる。

⏱□【 反復横とび 】…20秒間に，左右のラインを通過した回数を計測。
2回実施して，よい方の記録をとる。

C 3 全国体力・運動能力，運動習慣等調査　頻出 宮城，愛媛

毎年実施されている，通称「全国体力テスト」である。体力はやや回復
傾向だが，生活習慣の乱れが出ている。

●調査対象
⏱□国公私立の小学校5年生及び中学校2年生を対象とした悉皆調査。

●2023年度調査の結果概要
⏱□体力合計点については，2022年度調査との比較では回復基調であるが，
コロナ以前の水準には至っていない。

□体育の授業以外の運動時間は，減少傾向が続いている。

⏱□運動意識については，小・中学校男子はコロナ以前より高まっている
が，小・中学校女子は戻っていない。

□肥満の割合，睡眠時間は，2022年度に比べ顕著な回復傾向がみられる。

□スクリーンタイム❶は，コロナ前から引き続き増加が続いている。

□体育の授業以外で体力向上の取組を全ての児童生徒に対して実施した
学校の割合は，小学校では増加した。

□1週間の総運動時間が420分以上の割合は，小・中学校男女ともに，
2022年度よりも低下した。

□朝食を「毎日食べる」割合は，小・中学校男女ともに低下した。

⏱□学習以外のスクリーンタイムが「4時間以上」の割合は，小・中学校男
女ともに増加した。

□「運動が好き」と答えた児童生徒は2022年度との比較で男子は増加し，
女子は低下している。

●体力の分類
□体力は，運動をするための行動力と，健康を維持し病気をならないよ
うにする生存力に大別される。

---

❶平日1日当たりのテレビ，スマホ，ゲーム機等による映像の視聴時間。

●Answer●

□1　高学年のボール運動については，ネット型は主にバレーボールを取り上げる。
→P.289

1　×
ソフトバレーボールである。

□2　高学年の保健に配当する授業時数は，2学年間で16単位時間程度とする。→P.290

2　○

□3　ロンダートは，側方倒立回転をさらに発展させた技である。　→P.294

3　○

□4　リレーのテークオーバーゾーンの長さは20mである。　→P.301

4　×
30mである。

□5　ハードル走のハードリングの際は，ハードルの近くで踏み切る。　→P.301

5　×
遠くで踏み切る。

□6　走り幅跳びの記録の計測では，踏み切り線に最も近い痕跡と，踏み切り線の直線距離を測る。　→P.303

6　○

□7　走り高跳びでは，同じ高さを5回続けて失敗すると失格となる。　→P.303

7　×
5回ではなく3回。

□8　バスケットボールにおいて，ボールを受けてから4歩以上歩く反則をトラベリングという。　→P.309

8　×
3歩以上である。

□9　心肺蘇生の胸骨圧迫は，1分間に100〜120回のテンポで行い，胸が約3cm沈むように圧迫する。　→P.315

9
3cmではなく5cmである。

□10　熱中症のうち，体温調節が破綻して起こるもので，過度に体温が上昇し脳機能に異常をきたすものを熱疲労という。→P.316

10　×
熱疲労ではなく，熱射病である。

□11　3大生活習慣病は，心臓病，がん，および糖尿病である。　→P.317

11　×
糖尿病ではなく，脳卒中である。

□12　健康増進法は，受動喫煙の防止について規定している。　→P.318

12　○

□13　新体力テストにおいて，すばやさを測る種目は，20mシャトルランである。
→P.320

13　×
すばやさを測るのは反復横とびである。

外国語

　2017年の学習指導要領改訂に伴い，高学年の教育課程に外国語科が導入された。中学年の外国語活動とは異なり，教科という位置づけである。他教科と同じく，学習指導要領の目標の空欄補充問題が出題される可能性が高い。5つの領域（聞く，読む，やり取り，発表，書く）を念頭に置きながら，原文を覚えること。内容については，言語活動で用いる会話文の空欄補充問題や，簡単な和文英訳の問題の出題が予想される。中学校レベルの英語力で対応できる。さしあたり，新学習指導要領解説に載っている例文を覚えておくとよいだろう。

● 外国語（学習指導要領）

外国語科の目標

頻出度 **A**

ここが出る！ ▶▶

・学習指導要領改訂に伴い，高学年の教科に外国語が導入された。中学年の外国語活動は音声・コミュニケーション重視だが，教科としての外国語では基本的な語彙や文法の習得も目指される。
・外国語科の 3 つの目標をしっかり覚えよう。

A 1 外国語科の目標 　　頻出 青森，福井，島根，熊本市

中学年の外国語活動の上に立ち，文法事項にも重きを置く。

□外国語による<u>コミュニケーション</u>における見方・考え方を働かせ，外国語による聞くこと，読むこと，話すこと，書くことの言語活動を通して，コミュニケーションを図る基礎となる資質・能力を次のとおり育成することを目指す。

⏱□外国語の<u>音声</u>や文字，語彙，表現，<u>文構造</u>，言語の働きなどについて，日本語と外国語との<u>違い</u>に気付き，これらの知識を理解するとともに，読むこと，書くことに慣れ親しみ，聞くこと，読むこと，話すこと，書くことによる実際の<u>コミュニケーション</u>において活用できる基礎的な技能を身に付けるようにする。

⏱□コミュニケーションを行う目的や<u>場面</u>，状況などに応じて，身近で簡単な事柄について，聞いたり話したりするとともに，<u>音声</u>で十分に慣れ親しんだ外国語の<u>語彙</u>や基本的な表現を推測しながら読んだり，語順を意識しながら書いたりして，自分の考えや気持ちなどを伝え合うことができる基礎的な力を養う。

⏱□外国語の背景にある<u>文化</u>に対する理解を深め，他者に配慮しながら，主体的に外国語を用いて<u>コミュニケーション</u>を図ろうとする態度を養う。

A 2 英語の目標 　　頻出 山形，千葉，神奈川，岐阜，和歌山，広島，宮崎

原則として英語を取り扱う。目標は 5 つの領域に分かれる。

● 聞くこと

⏱□ゆっくりはっきりと話されれば，自分のことや身近で簡単な事柄について，簡単な<u>語句</u>や基本的な表現を聞き取ることができるようにする。

□ゆっくりはっきりと話されれば，日常生活に関する身近で簡単な事柄について，具体的な情報を聞き取ることができるようにする。

□ゆっくりはっきりと話されれば，日常生活に関する身近で簡単な事柄について，短い話の概要を捉えることができるようにする。

● **読むこと**

□活字体で書かれた文字を識別し，その読み方を発音することができるようにする。

□音声で十分に慣れ親しんだ簡単な語句や基本的な表現の意味が分かるようにする。

● **話すこと（やり取り）**

□基本的な表現を用いて指示，依頼をしたり，それらに応じたりすることができるようにする。

□日常生活に関する身近で簡単な事柄について，自分の考えや気持ちなどを，簡単な語句や基本的な表現を用いて伝え合うことができるようにする。

□自分や相手のこと及び身の回りの物に関する事柄について，簡単な語句や基本的な表現を用いてその場で質問をしたり質問に答えたりして，伝え合うことができるようにする。

● **話すこと（発表）**

□日常生活に関する身近で簡単な事柄について，簡単な語句や基本的な表現を用いて話すことができるようにする。

□自分のことについて，伝えようとする内容を整理した上で，簡単な語句や基本的な表現を用いて話すことができるようにする。

□身近で簡単な事柄について，伝えようとする内容を整理した上で，自分の考えや気持ちなどを，簡単な語句や基本的な表現を用いて話すことができるようにする。

● **書くこと**

□大文字，小文字を活字体で書くことができるようにする。また，語順を意識しながら音声で十分に慣れ親しんだ簡単な語句や基本的な表現を書き写すことができるようにする。

□自分のことや身近で簡単な事柄について，例文を参考に，音声で十分に慣れ親しんだ簡単な語句や基本的な表現を用いて書くことができるようにする。

ここが出る！ ▶▶

- 外国語科では，中学年の外国語活動で扱った語を含む，600〜700の語を指導するとされる。
- 日常生活で使用する，英語の例文を作文させる問題も出る。新学習指導要領解説に載っているものを見ておこう。

C 1 英語の特徴やきまりに関する事項 頻出 新潟，岡山，鹿児島

必要に応じて，学習指導要領解説に載っている**例文**も紹介する。

●音声

次に示す事項のうち基本的な語や句，文について取り扱うこと。

□現代の<u>標準的</u>な発音

□語と語の連結による音の変化

- 2語が<u>連結</u>する場合

  I have a pen.(have と a が連結) It is good.(it と is が連結)

- 2語が連結するとき，一部の音が<u>脱落</u>する場合

  Good morning.(/d/が脱落) I like cats.(like の/k/が脱落)

- 2語が連結するとき，二つの音が<u>影響</u>し合う場合

  Nice to meet you.(/t/と/j/が/tʃ/になる)

□語や句，文における基本的な強勢

□文における基本的な<u>イントネーション</u>

□文における基本的な<u>区切り</u>

●文字及び符号

□活字体の<u>大文字</u>，小文字

□終止符や疑問符，<u>コンマ</u>などの基本的な符号

| 終止符と疑問符の例 | This is my hero. Can you sing well? |
| 挨拶の言い方や慣用表現の例 | Hello. Thank you. Excuse me? |

●語，連語及び慣用表現

□5つの領域❶別の目標を達成するために必要となる，第3学年及び第

---

❶聞くこと，読むこと，話すこと(やり取り)，話すこと(発表)，書くこと，の5つである。前テーマを参照。

4学年において外国語活動を履修する際に取り扱った語を含む600～700語程度の語。

□連語のうち，<u>get up</u>，look atなどの活用頻度の高い基本的なもの。
　・stand up　be good at　how much　など，例示されている以外の連語を取り上げることも考えられる。

□慣用表現のうち，<u>excuse me</u>，I see，I'm sorry，<u>thank you</u>，you're welcomeなどの活用頻度の高い基本的なもの。
　・I got it.　I have no idea.　No problem.　など，例示されている以外の慣用表現を取り上げることも考えられる。

●文

□単文。文の中に主語と述語の関係が一つだけ含まれるものが<u>単文</u>である。
　例）I want a new ball.　I'm happy.　She can play baseball well.

□肯定，否定の<u>平叙文</u>。平叙文は，通常，事実などを伝える文であり，文末に<u>終止符</u>を付ける文である。

| 肯定の例 | I play baseball.　He is a good soccer player. |
| 否定の例 | I don't like soccer very much. |

□肯定，否定の<u>命令文</u>。

| 肯定の例 | Go straight for three blocks. |
| 否定の例 | Don't run here.　Don't be noisy, Ken. |

□疑問文のうち，<u>be動詞</u>で始まるものや助動詞（can，doなど）で始まるもの，<u>疑問詞</u>（who, what, when, where, why, how）で始まるもの。yes-no 疑問文と wh-疑問文のことである。

| yes-noの例 | Do you like blue?　Yes, I do. |
| wh-の例 | When is your birthday?　It is March 10th. |

□<u>代名詞</u>のうち，I, you, <u>he</u>, sheなどの基本的なものを含むもの。代名詞のうち基本的なものを含む文とは，I, you, he, she などの基本的な人称代名詞を含む文のことである。

□動名詞や<u>過去形</u>のうち，活用頻度の高い基本的なものを含むもの。
　例１）I am good at swimming.
　例２）I enjoyed fishing.
　例３）I went to Okinawa.　I saw the blue sea.　It was beautiful.

●文構造

□［主語＋<u>動詞</u>］。構成要素が二つの単純な文構造である。

□[主語＋動詞＋補語]。主語＋be動詞＋{名詞・代名詞・形容詞}

□[主語＋動詞＋目的語]。主語＋動詞＋{名詞・代名詞}

C 2　情報を整理しながら考えなどを形成し，英語で表現したり，伝え合ったりすることに関する事項

□具体的な課題等を設定し，コミュニケーションを行う目的や場面，状況
などに応じて，情報を整理しながら考えなどを形成し，これらを表現
することを通して，次の事項を身に付けることができるよう指導する。

□身近で簡単な事柄について，伝えようとする内容を整理した上で，簡
単な語句や基本的な表現を用いて，自分の考えや気持ちなどを伝え合
うこと。

□身近で簡単な事柄について，音声で十分に慣れ親しんだ簡単な語句や
基本的な表現を推測しながら読んだり，語順を意識しながら書いたり
すること。

B 3　言語活動に関する事項　　　　　　　　　　頻出 埼玉，広島

上記の２の事項は，次のような言語活動を通して指導する。

●聞くこと

□自分のことや学校生活など，身近で簡単な事柄について，簡単な語句
や基本的な表現を聞いて，それらを表すイラストや写真などと結び付
ける活動。

□日付や時刻，値段などを表す表現など，日常生活に関する身近で簡単
な事柄について，具体的な情報を聞き取る活動。

□友達や家族，学校生活など，身近で簡単な事柄について，簡単な語句
や基本的な表現で話される短い会話や説明を，イラストや写真などを
参考にしながら聞いて，必要な情報を得る活動。

●読むこと

□活字体で書かれた文字を見て，どの文字であるかやその文字が大文字
であるか小文字であるかを識別する活動。

□活字体で書かれた文字を見て，その読み方を適切に発音する活動。

□日常生活に関する身近で簡単な事柄を内容とする掲示やパンフレット
などから，自分が必要とする情報を得る活動。

□音声で十分に慣れ親しんだ簡単な語句や基本的な表現を，絵本などの
中から識別する活動。

●話すこと（やり取り）

□初対面の人や知り合いと挨拶を交わしたり，相手に指示や依頼をして，それらに応じたり断ったりする活動。

□日常生活に関する身近で簡単な事柄について，自分の考えや気持ちなどを伝えたり，簡単な質問をしたり質問に答えたりして伝え合う活動。

□自分に関する簡単な質問に対してその場で答えたり，相手に関する簡単な質問をその場でしたりして，短い会話をする活動。

●話すこと（発表）

□時刻や日時，場所など，日常生活に関する身近で簡単な事柄を話す活動。

□簡単な語句や基本的な表現を用いて，自分の趣味や得意なことなどを含めた自己紹介をする活動。

□簡単な語句や基本的な表現を用いて，学校生活や地域に関することなど，身近で簡単な事柄について，自分の考えや気持ちなどを話す活動。

●書くこと

□文字の読み方が発音されるのを聞いて，活字体の大文字，小文字を書く活動。

□相手に伝えるなどの目的を持って，身近で簡単な事柄について，音声で十分に慣れ親しんだ簡単な語句を書き写す活動。

□相手に伝えるなどの目的を持って，語と語の区切りに注意して，身近で簡単な事柄について，音声で十分に慣れ親しんだ基本的な表現を書き写す活動。

□相手に伝えるなどの目的を持って，名前や年齢，趣味，好き嫌いなど，自分に関する簡単な事柄について，音声で十分に慣れ親しんだ簡単な語句や基本的な表現を用いた例の中から言葉を選んで書く活動。

●言語の働きに関する事項

言語の使用場面の例	ア）児童の身近な暮らしに関わる場面，イ）特有の表現がよく使われる場面
言語の働きの例	ア）コミュニケーションを円滑にする，イ）気持ちを伝える，ウ）事実・情報を伝える，エ）考えや意図を伝える，オ）相手の行動を促す

外国語科の指導計画の作成と内容の取扱い　頻出度 C

・外国語科の指導計画作成に当たっての配慮事項は，どのようなものか。ネイティブ・スピーカーや地域人材の活用も考えられる。

・中学年の外国語活動とは異なり，教科としての外国語科は文法事項の習得も重視されるが，言語活動と関連付けて指導するとされる。

C 1 外国語科の指導計画の作成に当たっての配慮事項

ネイティブ・スピーカー（ALT）や地域人材の活用も望まれる。

□具体的な課題等を設定し，児童が外国語によるコミュニケーションにおける見方・考え方を働かせながら，コミュニケーションの目的や場面，状況などを意識して活動を行い，英語の音声や語彙，表現などの知識を，5つの領域❶における実際のコミュニケーションにおいて活用する学習の充実を図ること。

□学年ごとの目標を適切に定め，2学年間を通じて外国語科の目標の実現を図るようにすること。

□言語活動で扱う題材は，児童の興味・関心に合ったものとし，国語科や音楽科，図画工作科など，他の教科等で児童が学習したことを活用したり，学校行事で扱う内容と関連付けたりするなどの工夫をすること。

□学級担任の教師又は外国語を担当する教師が指導計画を作成し，授業を実施するに当たっては，ネイティブ・スピーカーや英語が堪能な地域人材などの協力を得る等，指導体制の充実を図るとともに，指導方法の工夫を行うこと。

B 2 外国語科の内容の取扱いに当たっての配慮事項　頻出 神奈川

文法の指導に偏らないよう，言語活動を充実させる。

□言語材料❷については，平易なものから難しいものへと段階的に指導すること。また，児童の発達の段階に応じて，聞いたり読んだりする

---

❶聞くこと，読むこと，話すこと（やり取り），話すこと（発表），書くこと，の5つである。
❷前テーマの「英語の特徴やきまりに関する事項」である。

ことを通して意味を理解できるように指導すべき事項と，話したり書いたりして表現できるように指導すべき事項とがあることに留意すること。

□音声指導に当たっては，日本語との違いに留意しながら，発音練習などを通して言語材料を指導すること。また，音声と文字とを関連付けて指導すること。

□文や文構造の指導に当たっては，次の事項に留意すること。

ア）児童が日本語と英語との語順等の違いや，関連のある文や文構造のまとまりを認識できるようにするために，効果的な指導ができるよう工夫すること。

イ）文法の用語や用法の指導に偏ることがないよう配慮して，言語活動と効果的に関連付けて指導すること。

□身近で簡単な事柄について，友達に質問をしたり質問に答えたりする力を育成するため，ペア・ワーク，グループ・ワークなどの学習形態について適宜工夫すること。

□各単元や各時間の指導に当たっては，コミュニケーションを行う目的，場面，状況などを明確に設定し，言語活動を通して育成すべき資質・能力を明確に示すことにより，児童が学習の見通しを立てたり，振り返ったりすることができるようにすること。

C 3 外国語科の教材 頻出 広島

教材を選ぶ際の配慮事項である。

□日常生活，風俗習慣，物語，地理，歴史，伝統文化，自然などに関するものの中から，児童の発達の段階や興味・関心に即して適切な題材を変化をもたせて取り上げるものとし，次の観点に配慮すること。

ア）多様な考え方に対する理解を深めさせ，公正な判断力を養い豊かな心情を育てることに役立つこと。

イ）我が国の文化や，英語の背景にある文化に対する関心を高め，理解を深めようとする態度を養うことに役立つこと。

ウ）広い視野から国際理解を深め，国際社会と向き合うことが求められている我が国の一員としての自覚を高めるとともに，国際協調の精神を養うことに役立つこと。

ここが出る！ ▶▶

・英語教育の早期化の方針のもと，中学年から外国語活動が実施されている。高学年の教科の英語と違い，音声に重点を置く。

・目標の空欄補充問題が多い。コミュニケーションの「素地」を図る，という箇所が重要だ。

B 1 外国語活動の目標　　　　　　頻出 秋田，神奈川，沖縄

教科の外国語科の目標と混同しないようにすること。

⏱□外国語による<u>コミュニケーション</u>における見方・考え方を働かせ，外国語による聞くこと，話すことの<u>言語活動</u>を通して，コミュニケーションを図る<u>素地</u>となる資質・能力を次のとおり育成することを目指す。

⏱□外国語を通して，<u>言語</u>や文化について体験的に理解を深め，日本語と外国語との<u>音声</u>の違い等に気付くとともに，<u>外国語の音声</u>や基本的な表現に慣れ親しむようにする。

⏱□<u>身近</u>で簡単な事柄について，<u>外国語</u>で聞いたり話したりして自分の考えや気持ちなどを伝え合う力の<u>素地</u>を養う。

⏱□外国語を通して，言語やその背景にある<u>文化</u>に対する理解を深め，相手に配慮しながら，<u>主体的</u>に外国語を用いて<u>コミュニケーション</u>を図ろうとする態度を養う。

C 2 英語の目標　　　　　　　　　　頻出 埼玉，沖縄

外国語活動は，3つの領域に分かれる。それぞれの目標をみよう。

●聞くこと

□<u>ゆっくり</u>はっきりと話された際に，自分のことや身の回りの物を表す簡単な語句を<u>聞き取る</u>ようにする。

□ゆっくりはっきりと話された際に，<u>身近</u>で簡単な事柄に関する基本的な<u>表現</u>の意味が分かるようにする。

□文字の読み方が発音されるのを聞いた際に，どの<u>文字</u>であるかが分かるようにする。

●話すこと（やり取り）

□基本的な表現を用いて<u>挨拶</u>，感謝，簡単な指示をしたり，それらに応

じたりするようにする。

□自分のことや身の回りの物について，動作を交えながら，自分の考え
や気持ちなどを，簡単な語句や基本的な表現を用いて伝え合うように
する。

□サポートを受けて，自分や相手のこと及び身の回りの物に関する事柄
について，簡単な語句や基本的な表現を用いて質問をしたり質問に答
えたりするようにする。

●話すこと（発表）

□身の回りの物について，人前で実物などを見せながら，簡単な語句や
基本的な表現を用いて話すようにする。

□自分のことについて，人前で実物などを見せながら，簡単な語句や基
本的な表現を用いて話すようにする。

□日常生活に関する身近で簡単な事柄について，人前で実物などを見せ
ながら，自分の考えや気持ちなどを，簡単な語句や基本的な表現を用
いて話すようにする。

C 3 外国語活動の指導計画の作成と内容の取扱い　頻出 岡山

□英語を初めて学習することに配慮し，簡単な語句や基本的な表現を用
いながら，友達との関わりを大切にした体験的な言語活動を行うこと。

□外国語活動を通して，外国語や外国の文化のみならず，国語や我が国
の文化についても併せて理解を深めるようにすること。

□学級担任の教師又は外国語活動を担当する教師が指導計画を作成し，
授業を実施するに当たっては，ネイティブ・スピーカーや英語が堪能
な地域人材などの協力を得る等，指導体制の充実を図るとともに，指
導方法の工夫を行うこと。

□英語でのコミュニケーションを体験させる際は，児童の発達の段階を
考慮した表現を用い，児童にとって身近なコミュニケーションの場面
を設定すること。

□文字については，児童の学習負担に配慮しつつ，音声によるコミュニ
ケーションを補助するものとして取り扱うこと。

□言葉によらないコミュニケーションの手段もコミュニケーションを支
えるものであることを踏まえ，ジェスチャーなどを取り上げ，その役
割を理解させるようにすること。

□1　外国語科は，2017年の学習指導要領改訂によって，中学年と高学年の教科として新設されたものである。　→P.324

1　×
高学年の教科。

□2　外国語科の目標の一つは，主体的に外国語を用いてコミュニケーションを図ろうとする態度を養うことである。　→P.324

2　○

□3　英語の目標は，①聞くこと，②読むこと，③話すこと（やり取り），④話すこと（発表），の4つに分けて示されている。　→P.325

3　×
⑤書くことが抜けている。

□4　英語の特徴やきまりに関する事項は，①音声，②文字及び符号，③語，連語及び慣用表現，④文，⑤文構造，の5つの柱からなる。　→P.326〜327

4　○

□5　単文は，文の中に主語と述語の関係が一つだけ含まれるものである。　→P.327

5　○

□6　伝達文は，通常，事実などを伝える文であり，文末に終止符を付ける文である。　→P.327

6　×
平叙文である。

□7　"This is me."は，「主語＋be動詞＋名詞」の構文である。　→P.328

7　×
「主語＋be動詞＋代名詞」である。

□8　言語活動の「話すこと（やり取り）」の中に，自分の趣味や得意なことなどを含めた自己紹介をする活動がある。　→P.329

8　×
「話すこと（発表）」の活動である。

□9　言語活動の「書くこと」の中に，発音を聞いて，活字体の大文字，小文字を書く活動がある。　→P.329

9　○

□10　外国語科の授業では，ネイティブ・スピーカーなどの協力を得る。　→P.330

10　○

□11　外国語科の指導計画は，専科の教師が作成する。　→P.330

11　×
学級担任も作成することがある。

Column：教員の仕事は授業！

　日本の教員の過重労働はよく知られている。中学校教員の週の平均勤務時間は56.0時間で，データがある国の中では最も長い（OECD「TALIS 2018」）。そのうち授業・授業準備は26.5時間で，残り29.5時間はその他の業務ということになる。会議，事務作業，テストの採点，部活指導などだ。われわれの感覚からしたら違和感はないが，外国の人から見たら奇異に映る。「教員の仕事は授業ではないのか？」と。3つの国について，中学校教員の勤務時間を棒グラフにすると以下のようになる。

中学校教員の週の平均勤務時間

　その他
　授業・授業準備

日本　アメリカ　ブラジル

＊単位は，hourである。OECD「TALIS 2018」より作成

　総勤務時間は日本，アメリカ，ブラジルの順に長いが，ここで注目すべきは内訳だ。日本と違って，他の2国は授業・授業準備の比重が大きく，ブラジルに至っては教員の仕事のほぼ全てが授業（準備）であるようだ。南米では「教員の仕事は授業」という割り切りが強い。これは極端な例だが，国際標準からすれば，仕事の半分以上が授業以外の業務という日本の状況は明らかに異常だ。

　教員は教えることの専門職という原点に立ち返る必要がある。政府も手をこまねいているわけではなく，教員が授業に注力できる環境を作るべく，補助スタッフを増やす方針で，部活動支援員や教員業務支援員といった職員も新設されている。部活動を地域に移管するなど，学校の業務の削減にも着手し始めている。**肥大化した学校をスリム化し，子どもは社会全体で育てる。**令和の新時代では，こういうコンセプトを社会で共有すべきだ。

執筆者紹介

舞田　敏彦（まいた　としひこ）

教育社会学者。東京学芸大学大学院博士課程修了。教育学博士。

著　書　『47都道府県の子どもたち』『47都道府県の青年たち』『教育の使命と実態』（以上，武蔵野大学出版会），『データで読む 教育の論点』（晶文社）

●本書の内容に関するお問合せについて

　本書の内容に誤りと思われるところがありましたら，まずは小社ブックスサイト（books.jitsumu.co.jp）中の本書ページ内にある正誤表・訂正表をご確認ください。正誤表・訂正表がない場合や訂正表に該当箇所が掲載されていない場合は，書名，発行年月日，お客様の名前・連絡先，該当箇所のページ番号と具体的な誤りの内容・理由等をご記入のうえ，郵便，FAX，メールにてお問合せください。

　〒163-8671 東京都新宿区新宿1-1-12　**実務教育出版　第二編集部問合せ窓口**
　FAX：03-5369-2237　　E-mail：jitsumu_2hen@jitsumu.co.jp

【ご注意】

※電話でのお問合せは，一切受け付けておりません。

※内容の正誤以外のお問合せ（詳しい解説・受験指導のご要望等）には対応できません。

2026年度版　教員採用試験　小学校全科らくらくマスター

2024年9月10日　初版第1刷発行　　　　　　　　　　〈検印省略〉

編　者　資格試験研究会
発行者　淺井　亨

発行所　株式会社　実務教育出版
　　　　　〒163-8671　東京都新宿区新宿1-1-12
　　　　　TEL 編集03-3355-1812　　販売 03-3355-1951
　　　　　振替　00160-0-78270

組　版　明昌堂
印　刷　シナノ印刷
製　本　東京美術紙工
